D1431501

SIÈCLE BLEU, T. 1

DU MÊME AUTEUR

SIÈCLE BLEU, LE RÊVE DE GAÏA, Les éditions La Mer salée, 2018
(sous le titre *Au cœur du complot*) ; Babel noir nº 246.
SIÈCLE BLEU, OMBRES ET LUMIÈRES, Les éditions La Mer salée, 2018.

ISBN 978-2-330-14332-9

JEAN-PIERRE GOUX

SIÈCLE BLEU

Tome 1

LE RÊVE DE GAÏA

roman

BABEL NOIR

À Virginie, Lucie et Jules.
À Christophe.

AVERTISSEMENT

Tous les personnages de ce roman sont fictifs à l'exception des personnages historiques cités. Toute similitude avec des personnes réelles, vivantes ou mortes, serait donc une pure coïncidence. Les curieux événements qui ponctuent ce récit doivent cependant beaucoup à certaines coïncidences, aussi appelées synchronicités, dont on pourrait longtemps débattre du caractère fortuit ou inéluctable.

PROLOGUE

Chaque génération, sans doute, se croit vouée à refaire le monde. La mienne sait pourtant qu'elle ne le refera pas. Mais sa tâche est peut-être plus grande. Elle consiste à empêcher que le monde se défasse.

ALBERT CAMUS

Ne doutez jamais qu'un petit groupe d'individus conscients et engagés peut changer le monde. En fait, c'est ainsi que cela s'est toujours passé.

MARGARET MEAD

HOUSTON, TEXAS, ÉTATS-UNIS

Située au croisement d'un gigantesque réseau d'oléoducs, Houston se prévalait d'être la capitale mondiale de l'énergie. Au cœur de la ville, un gratte-ciel de style néo-gothique surplombait tous les autres. Cette construction extravagante et mégalomane abritait le siège de l'entreprise CorFox. La nuit était tombée depuis bien longtemps et seul le dernier étage de la tour était illuminé. Derrière les vitres opaques et blindées, une vingtaine d'hommes conversaient. De l'extérieur, on n'apercevait que leurs ombres. Ils étaient assis autour d'une longue table ovale présidée par un vieillard à l'échine courbée, Cornelius Edwin Fox III, l'une des plus importantes fortunes du pays.

Le milliardaire à la mine austère était à la tête d'un empire hérité de son père. Tout au long de sa vie, il avait œuvré pour transformer l'entreprise pétrolière familiale en un vaste conglomérat. La société CorFox était maintenant active dans de nombreux secteurs : l'armement, le génie civil, l'extraction minière, les médias, l'aéronautique et l'espace.

Pour réaliser cette transformation, le richissime héritier avait dû changer le système politique et économique en profondeur. Afin d'y parvenir, à la mort de son père, Fox avait décidé de chasser en meute. Patiemment, pendant des décennies, il avait identifié, approché et séduit la quintessence des entrepreneurs sans foi ni loi de son pays.

Autour de Fox, ils formaient un groupe informel très secret, le *New American Dream. Ce think tank*, qui n'avait aucune existence officielle, se réunissait une fois l'an. Chacun avait pris des mesures draconiennes pour se rendre à Houston dans la plus grande discrétion.

La plupart des membres œuvraient dans les mêmes secteurs que CorFox, mais aussi dans l'industrie pharmaceutique, l'agrochimie, l'informatique, les biotechnologies, la banque ou l'assurance. Pendant une journée, ils laissaient libre cours à leur imagination pour décrire les futurs marchés qu'ils pourraient se partager et surtout pour dresser la liste des entraves qu'il leur faudrait éliminer pour y accéder. Ils savaient mettre de côté leurs différences pour mener à bien, ensemble, leurs funestes desseins.

Cette édition était très spéciale pour les membres du *New American Dream*. Elle était la dernière du vingtième siècle et marquait le début d'un nouveau cycle. Un siècle neuf s'ouvrait et ils allaient tout faire pour couvrir cette page blanche d'une encre à leur couleur, noire. Un Siècle noir. En ce jour, ils célébraient aussi la victoire du nouveau président américain, élu la veille. Depuis la création du *New American Dream*, ils agissaient toujours dans les coulisses de chacune des élections, mais c'était la première fois qu'ils hissaient au pouvoir un personnage aussi stupide et docile. Pendant quatre ans, voire huit avec de la chance, ils seraient les véritables maîtres de la Maison Blanche.

Profitant de cette occasion unique, chacun des participants avait présenté un plan pour les enrichir davantage dans les années à venir : invasion de l'Afghanistan et de l'Irak, envolée des prix du pétrole, affaiblissement des classes moyennes et des États par le crédit à bas prix, déplafonnement des contributions aux partis politiques, privatisation des grandes fonctions de l'État, pillage du système bancaire, construction du bouclier antimissile…

Avant de réaliser leurs rêves, les membres du *think tank* étaient conscients qu'un dernier rempart pourrait encore se dresser contre eux : les peuples. Ils s'inquiétaient de la montée des mouvements de résistance en tout genre – activistes, altermondialistes, zadistes, etc. – qui pourraient exploiter la colère et les frustrations pour déclencher des révolutions en s'appuyant sur les réseaux sociaux naissants. L'abrutissement et le nivellement par le bas des masses étaient la contremesure la plus claire : l'accès à l'éducation et à la culture devait être restreint aux élites. Sans intelligence ni discernement, pas de résistance possible. Pour prendre le problème à sa racine, il faudrait aussi progressivement museler les journalistes d'investigation en coupant leurs budgets, isoler et faire souffrir les lanceurs d'alerte, appauvrir les artistes en rendant gratuites leurs productions, pervertir l'usage d'Internet par le commerce, le divertissement et l'ego, mettre en place une surveillance de masse pour traquer les opposants au système.

Parmi toutes ces cibles, les écologistes constituaient la principale menace. Pour l'instant les membres du *New American Dream* et leurs affiliés détenaient la parade en les présentant soit comme de dangereux intégristes radicalisés soit comme des ringards passéistes et moralistes, opposés à la croissance économique et au confort. Et si cela n'était pas suffisant, ils les engluaient dans des discussions technocratiques sans fin. Chiffres, scénarios, négociations internationales et normes calmeraient leurs dernières ardeurs. Mais les écologistes demeuraient tout de même dangereux car sur le fond ils avaient raison. Le mode de vie des humains – qui profitait tant à la santé de leurs entreprises – était incompatible avec les limites et les ressources finies de la Terre ; et cela commençait à se voir.

Cornelius Fox, qui clôturait traditionnellement les conventions annuelles du *New American Dream*, allait justement s'exprimer sur un sujet connexe. Pour cette édition très spéciale, il leur avait réservé une surprise de taille.

— Les États-Unis doivent retourner sur la Lune.

Le vieil homme déclencha une vague de rires.

— Nous y retournerons pour exploiter le plus miraculeux des eldorados, compléta-t-il très sérieusement.

Instantanément, le silence se fit autour de la table. Derrière Fox, sur l'écran, apparut en lettres dorées le symbole d'un élément chimique : ^{3}He.

— L'hélium 3, quasiment inexistant sur Terre, est présent dans des proportions beaucoup plus importantes à la surface de la Lune. La maîtrise de cette ressource sera le grand enjeu stratégique du vingt et unième siècle et des suivants, résuma Cornelius Fox.

Le jeune Mike Prescott écoutait avec attention la présentation de son patron. Celui-ci exposa avec précision chacun des points du plan que Prescott avait élaboré. Tout était d'une logique implacable : l'humanité franchirait d'ici quelques décennies le fameux pic de Hubbert* et verrait inexorablement le déclin de la production d'énergies fossiles. Parmi les alternatives envisageables, les énergies dites renouvelables ne pourraient subvenir seules aux besoins des Terriens énergivores. Les réacteurs nucléaires par fission n'étaient pas non plus une option généralisable à cause des déchets radioactifs et du risque de prolifération militaire. Selon Fox, seuls les réacteurs à fusion pouvaient constituer une solution durable et l'hélium 3 en était le combustible le plus fiable, mais aussi le plus rare.

* Géologue américain, Marion King Hubbert modélisa en 1940 par une courbe en cloche la production d'une matière première donnée, en particulier celle du pétrole. Une fois le pic passé, la production décline jusqu'à l'épuisement de la ressource.

— Un kilogramme d'hélium 3 lunaire serait évalué à plus d'un million de dollars, ce qui en ferait l'une des matières premières les plus chères au monde, poursuivit Fox. Dans ces conditions, l'exploitation minière de la Lune serait même extrêmement rentable.

Les hommes d'affaires se regardèrent avec des yeux emplis de cupidité. Un tel projet aurait certainement des retombées pour chacun d'eux.

— Si nous en contrôlions l'accès, les États-Unis continueraient à dominer le monde pour de nombreux siècles, conclut-il. Mais nous devons agir vite car les Chinois convoitent le même objectif. Ce sera l'une des missions de notre nouveau président : retourner sur la Lune avant eux.

L'intervention de Cornelius Fox clôtura cette longue journée sous une pluie d'applaudissements. Il se tourna vers Mike Prescott, son conseiller.

— Prescott, votre hélium 3 est la meilleure idée que l'on m'ait jamais proposée !

Le jeune homme savoura ce compliment. Pour lui, à peine trentenaire, c'était un honneur d'avoir pu participer à cette réunion historique du *New American Dream*. Il devait maintenant aider le nouveau président à retourner sur la Lune.

HUIT ANS PLUS TARD

CHICAGO, ILLINOIS, ÉTATS-UNIS

— La planète se meurt, lâcha João Amado en avalant les dernières gouttes de sa *caïpirinha*. On ne peut plus attendre, Abel. On doit faire quelque chose.

Abel Valdés Villazón observa son ami. João venait de prononcer la phrase qu'il attendait depuis longtemps. Il avait atteint le stade où il était prêt à s'engager. Abel choisit de le laisser mariner encore un peu.

— C'est clair, nous devons agir, convint Abel. On reprend un verre ?

— La même chose pour moi, dit João en contemplant son verre vide.

Bercés par les notes feutrées de *Kind of Blue* de Miles Davis, ils étaient confortablement installés au Signature Lounge, un bar huppé qui dominait la ville de Chicago, perché au 96e étage de la tour John Hancock. Cela faisait une bonne heure qu'ils enchaînaient les cocktails. Abel et João étaient jeunes et sportifs ; pour l'instant ils encaissaient bien. Abel interpella la charmante serveuse qui passait à côté d'eux.

— Une autre *caïpirinha* pour mon ami et pour moi ce sera un verre de Don Julio Añejo, *on the rocks*, s'il vous plaît, dit Abel en la dévisageant.

La serveuse nota fébrilement la commande sur sa tablette.

— C'est quoi le Don Julio ? l'interrogea João.

— La meilleure des tequilas, lui répondit Abel.

— Alors deux, s'il vous plaît, rectifia João qui se fiait aux origines mexicaines de son ami. Et une assiette de *quesadillas* pour éponger !

La serveuse s'éloigna, perturbée et émoustillée par les yeux verts perçants d'Abel. S'ils avaient été jaunes, ils auraient pu être ceux d'un grand fauve. Le court pelage noir sur sa tête aurait alors été terrifiant. Abel racontait, à ceux qui le connaissaient bien, que dans une précédente incarnation, il avait été un jaguar noir, animal que l'on trouvait notamment dans le nord du Mexique. Ce félin luttait pour la survie de son espèce, tout comme Abel.

Abel et João s'étaient connus pendant leur thèse sur la modélisation du climat au *Scripps Institute* de San Diego. Après plusieurs années passées ensemble derrière leurs ordinateurs et sur les plages de l'océan Atlantique à refaire le monde, leurs chemins s'étaient séparés quatre ans plus tôt. João Amado était parti pour une année au *Earth Simulator Center* à Yokohama, puis avait choisi de s'y installer de façon permanente, avec Rosa, sa compagne. Le Japon occupait une place importante dans son histoire familiale. Il était brésilien et métis. Son père descendait d'immigrants japonais et sa mère d'esclaves angolais. Sa mère lui avait légué sa coupe afro, sa solide carrure et sa peau cuivrée ; son père, ses yeux en amandes. Le mélange était détonant. João avait en plus un léger cheveu sur la langue, un zozotement, qui le rendait irrésistible. Mais son cœur n'était plus à prendre.

Abel Valdés Villazón avait pour sa part choisi une autre voie à la fin de sa thèse. Après avoir été l'un des jeunes chercheurs les plus en vue de son domaine, il s'était lassé du monde académique et avait voulu se confronter aux problèmes réels qui menaçaient la planète. Poussé par ses velléités d'entrepreneur, il avait fondé avec Lucy, sa petite amie, une société de conseil spécialisée dans les études environnementales et économiques : Alcatraz Consulting. Cette société lui apportait la façade honorable dont il avait besoin pour mener à bien ses autres activités, beaucoup plus clandestines.

Abel et João continuaient à travailler ensemble via Internet sur des projets de recherche communs. Ils se revoyaient plusieurs fois par an lors des grandes conférences internationales sur l'environnement. Cette fois-ci, c'était à Chicago que mille chercheurs s'étaient réunis pour faire le point sur la santé de la planète. Abel avait présenté un modèle sur la dynamique d'extinction des espèces qu'il avait réalisé pour l'ONU et João une étude sur l'augmentation de la puissance des cyclones. La saison qui venait de s'achever avait été particulièrement intense. Les 998 autres chercheurs avaient eux aussi partagé leur lot de mauvaises nouvelles et la conférence s'était achevée dans un climat de morosité générale.

— Comment va ta boîte au fait ? s'enquit João en attendant leur commande.

— À cause de la situation écologique alarmante, Alcatraz se porte malheureusement très bien. Les contrats pleuvent et nous sommes maintenant près d'une cinquantaine. On commence à être à l'étroit dans nos locaux et on va certainement devoir bientôt quitter San Francisco.

— Pour aller où ?

— Probablement dans le désert d'Arizona, répondit Abel en s'approchant de son camarade. C'est assez confidentiel pour l'instant, mais l'idée fait son chemin.

— Où ça exactement ? demanda João qui se doutait un peu de la réponse.

— Biosphere 2, murmura Abel.

À l'évocation de ce nom, les pupilles de João s'étaient dilatées. Biosphere 2 était un lieu magique qui avait abrité, selon eux, la plus belle des expériences scientifiques et écologiques. Ils s'y étaient rendus plusieurs fois en pèlerinage pendant leurs études. Ils y avaient dormi à la belle étoile en admirant la pyramide de verre posée, tel un vaisseau spatial, au milieu du désert. En 1991, pendant deux ans, huit humains avaient vécu sous ce dôme étanche en autarcie complète pour étudier les interactions entre les humains et les différents écosystèmes terrestres. Cela avait permis de mieux comprendre l'effet des limites de notre planète, mais aussi d'étudier les conditions d'une éventuelle colonisation du système solaire par l'espèce humaine.

João ne s'étonnait même pas qu'Abel puisse projeter de s'y installer : il avait le don de transformer ses rêves en réalité.

— Et ce serait pour quand, ce déménagement ?

— Rien n'est décidé pour l'instant. Je suis en négociation avec les propriétaires, mais surtout avec Lucy… Elle n'est pas enchantée à l'idée de quitter San Francisco. Tu t'en doutes bien.

Les bureaux d'Alcatraz Consulting se trouvaient en plein cœur de l'ancien quartier hippie d'Haight-Ashbury, épicentre de la contre-culture américaine à la fin des années 60. Quand ils avaient créé leur société, cela avait été la contrepartie demandée par Abel pour quitter San Diego. Ce quartier irradiait d'ondes telluriques positives dont il avait besoin pour se sentir en harmonie. Mais quitter Berkeley pour Haight-Ashbury avait été difficile pour Lucy, qui avait grandi dans une riche banlieue du Connecticut. Par pure ironie, elle avait alors proposé le nom d'Alcatraz Consulting, pour baptiser sa nouvelle prison.

Abel avait accepté sans hésitation car pour lui, Alcatraz évoquait toute autre chose : en 1969, des Indiens de toutes les tribus avaient pris possession de l'île-forteresse abandonnée en vertu du "droit de la découverte". Cette occupation de dix-huit mois s'était soldée par un assaut des forces fédérales. Abel était parvenu à la conclusion que la

lutte non violente ne pouvait être efficace que si elle inté-
grait les préceptes de la guerre asymétrique. Théorisée par
Sun Tzu au ve siècle av. J.-C., elle avait permis à de petites
armées de défaire des États.

— Ah ça, oui, je vois mal Lucy partir dans le désert sans
se battre ! plaisanta João.

Lucy et Abel avaient tous deux un fort tempérament.
Cela les menait à des conflits récurrents, mais c'était leur
façon à eux de s'aimer. Même s'il refusait de l'admettre,
Abel avait besoin qu'on lui tienne tête, et peu de femmes
en dehors de Lucy y seraient parvenues. Ils formaient un
couple à l'équilibre instable mais finalement très solide.
Sans y prêter attention, Abel esquissa un sourire aux deux
jeunes femmes assises à la table voisine. Elles aspiraient
bruyamment leurs daïquiris fraise avec leurs pailles. Elles
gloussèrent en lançant à leur tour un regard complice vers
les deux garçons. Le métis brésilien et le ténébreux jaguar
mexicain ne les laissaient pas indifférentes.

— Rosa est quand même beaucoup plus souple que
Lucy, remarqua Abel. Elle t'a suivi jusqu'au Japon sans bron-
cher.

— Oui, mais ça n'a pas toujours été simple pour elle.
Maintenant qu'elle parle japonais, elle a pu enfin trouver
un boulot. Elle travaille au zoo comme éthologue et s'occupe des orangs-outans. Ça lui plaît beaucoup.

Ces grands singes faisaient partie des espèces dont le
modèle d'Alcatraz Consulting prédisait l'extinction prochaine dans le monde sauvage.

— Au fait, on va se marier, poursuivit João.

Abel faillit d'abord s'étouffer avec une olive qu'il rongeait puis félicita son ami. À chaque fois qu'un de ses amis
lui annonçait son mariage, cela le déstabilisait. Le temps
passait trop vite. Il avait maintenant presque trente ans et
encore une mission cruciale à accomplir. Tant qu'il ne savait

pas quel monde il pourrait offrir à sa future famille, il lui était impossible de se projeter.

João sentit qu'Abel n'était pas à son aise et préféra ne pas insister. La serveuse, toujours intimidée, leur amena alors leurs tequilas de luxe et les *quesadillas*. Les deux Américaines s'agitaient toujours à côté d'eux. Abel les regarda une nouvelle fois puis détourna la tête. Lucy valait cent fois mieux qu'elles.

João souleva le verre et admira la robe délicatement ambrée du liquide. Il y plongea le nez et huma le parfum subtil, mélange de citron vert et de caramel. Ils trinquèrent à leurs amours, à leur amitié et à la planète. Tel un fauve à l'affût, c'est le moment que choisit Abel pour revenir à la charge.

— Tout à l'heure, tu me disais que la planète se mourrait et que nous devions réagir. À quoi pensais-tu ?

— Oui, il faut vraiment faire quelque chose, répondit João. Cette conférence m'a déprimé. La nature se dégrade inexorablement et les derniers liens qui unissaient les humains se défont. L'humanité est engagée dans une course folle, elle ne sait ni où elle va ni pourquoi elle y va. Face à ça, personne n'a vraiment les leviers, les idées ou le courage de se dresser. On vit dans le déni, c'est dramatique.

— Effectivement, acquiesça Abel en regardant de façon distraite la télévision derrière le bar.

L'écran montrait Robert Carlson, élu la veille à la Maison Blanche, en train de célébrer sa victoire.

— Le nouveau président américain changera peut-être les choses, ajouta João. Tu penses quoi de lui, au fait ?

— Carlson ne pourra pas être pire que son prédécesseur, ironisa Abel. Je le trouve plutôt sympathique, mais ce ne sont que des apparences. Il sert, comme les autres, des intérêts supérieurs qui se fichent de la planète et des hommes. De plus, les rois ne déclenchent jamais les révolutions. Il faudra compter sur d'autres pour s'en sortir.

— À qui penses-tu ? Les ONG ? le questionna João en avalant une autre gorgée de tequila.

Abel se réjouissait de voir son ami avancer peu à peu vers le secret qu'il comptait lui révéler.

— Les ONG et les mouvements activistes écologistes sont dépassés par les événements, répondit Abel. Le WWF, Greenpeace ou Sea Shepherd sont démunis face aux rouleaux compresseurs du système. Ces mouvements datent de la fin des années soixante, le temps des grandes utopies. Ils étaient dimensionnés pour la crise écologique et humaine naissante de l'époque…

— Et depuis les adversaires et l'ampleur des menaces ont changé, compléta João. Les moyens pour lutter doivent donc évoluer aussi !

Abel attira l'attention de son ami vers leurs verres. Ils constatèrent, amusés, qu'ils étaient à nouveau vides. Les *quesadillas* s'étaient également évanouies. Ils commandèrent d'autres tequilas.

— C'est quand même fou, reprit Abel. On a l'impression que depuis les années soixante, aucune nouvelle utopie n'a émergé, que l'humanité s'est essoufflée, qu'elle a renoncé.

— Le ras-le-bol et l'envie de changer sont pourtant là, partout. Il manque juste un catalyseur, un détonateur. Si quelques visionnaires montaient une organisation activiste radicalement nouvelle, beaucoup de monde les suivrait. Radicalement nouvelle et clandestine.

— Clandestine… Pourquoi ? feignit Abel.

Il voyait son ami avancer exactement dans la direction souhaitée. João leva les yeux vers le plafond puis se lança.

— Parce qu'en face, au-delà de l'inertie collective qui mène l'humanité vers le mur, il y a aussi un petit groupe d'humains cupides qui tient l'économie réelle et clandestine. Ce sont eux qui nous conduisent vers les abîmes. Les lois pour les punir existent, mais dans les faits elles servent davantage à les protéger. Pour lutter contre eux, on ne peut agir que dans la clandestinité.

João répétait mot à mot ce qu'Abel lui avait glissé par petites touches imperceptibles depuis des années. Abel décida de pousser un autre pion.

— Si cette organisation ne devait que punir, elle échouerait. D'autres ont déjà essayé et cela n'a rien donné. Pour vaincre, elle devrait instaurer une nouvelle façon de penser, à travers une vision positive du monde. Seule une telle vision susciterait l'espoir et emporterait l'adhésion du plus grand nombre. Elle devrait initier un mouvement de réenchantement du monde, dans un second temps tout du moins.

João acquiesça. Abel marqua un silence, puis il fixa son ami.

— As-tu déjà songé à t'engager dans une organisation de militants écologistes ?

João fut surpris par cette question, si directe, presque violente.

— J'y songe de plus en plus, admit-il, troublé. Mais je n'ai jamais franchi le pas. Aucune ne me convient vraiment.

— As-tu déjà été en contact avec l'une d'elles ? l'interrogea Abel avec encore plus d'emphase.

— Non, non, jamais. C'était juste une idée. Pourquoi me demandes-tu ça ?

Après avoir marqué volontairement l'esprit de son interlocuteur, Abel fit légèrement redescendre la pression. Cet ascendant psychologique lui serait utile pour la suite.

— C'est juste que si l'organisation clandestine dont tu parles existait, elle ne te recruterait pas si tu avais déjà eu des liens avec des mouvements connus.

— Je te l'ai dit, je n'ai jamais eu de tels liens. Et de toute façon, l'organisation dont on parle n'existe pas.

João venait de passer un nouveau cap. Il était prêt.

— Alors, imaginons-la ! s'exclama Abel en descendant son verre cul sec.

João vida à son tour sa tequila. Autour d'eux, tout semblait avoir disparu. Ils flottaient à plus de trois cents mètres d'altitude au-dessus de Chicago et du lac Michigan. La visibilité en ce mois de novembre était parfaite. La nuit était tombée depuis longtemps et les lumières de la ville s'étiraient, rectilignes, à perte de vue. Elles traçaient une toile similaire à celles des redoutables araignées qui se balançaient sous leur nez, à l'extérieur, au sommet du building. Les gratte-ciel, comme des diamants multicolores pris dans ce filet, brillaient de tous leurs feux.

Au milieu de ce décor futuriste, Abel et João élaborèrent la structure de l'organisation qui pourrait sauver le monde. Le choix du lieu était d'ailleurs symbolique car cette tour portait le nom de John Hancock, premier signataire de la Déclaration d'Indépendance des États-Unis d'Amérique et le nom du bar – Signature Lounge – se référait à cet épisode de l'histoire américaine.

Il était près de minuit et demi et ils étaient parmi les derniers clients du bar.

— Si on changeait d'endroit ? suggéra Abel.

— Apparemment, on n'a pas le choix, fit João, amusé, en pointant du doigt les serveurs qui les observaient avec impatience. Tu sais où l'on pourrait aller ?

— Je crois que j'ai une idée.

Ils réglèrent l'addition puis, en titubant, ils se dirigèrent vers l'ascenseur. La chute de 96 étages fut rude pour leur estomac. Ils sautèrent dans un taxi et Abel lança au chauffeur :

— Crobar, 1543 North Kingsbury, s'il vous plaît.

Il avait découvert ce club dix ans plus tôt, le meilleur dans lequel il était allé : le temple de la musique électronique et un chaos total à l'intérieur. Abel avait lui-même été DJ pendant ses années étudiantes ; la musique donnait un pouvoir sur les foules et il aimait par-dessus tout porter les danseurs vers cet état de résonance dans lequel, par centaines, ils vibraient à l'unisson. La musique était une arme psychologique redoutable dont on commençait à peine à comprendre la puissance. Une longue file d'attente masquait l'entrée du bâtiment en briques rouges. Sûr de lui, Abel se dirigea vers le physio et après quelques mots, l'homme à la mine peu avenante les invita à pénétrer dans l'antre de la nuit.

Quand ils poussèrent les portes, un souffle les fit reculer. Le son. Il emplissait toute la salle avec une grande pureté, mais surtout une puissance presque insupportable. *Insomnia* de Faithless, l'hymne du Crobar. Ils se jetèrent dans l'arène. João, qui connaissait pourtant les *dancefloors* de Tokyo, était médusé par cette foule surexcitée dans laquelle se mêlaient les créatures de la nuit les plus bizarres, perchées sur des balançoires ou enfermées dans des cages. Il n'y avait que sur la planète Tatooine dans l'antre de Jabba Le Hutt – la limace géante de *Star Wars* – que l'on trouvait une pareille diversité. Dans la salle, certaines de ces créatures se faisaient piercer, tatouer, fouetter, d'autres se laissaient enduire le corps de cire ou recevaient des impulsions électriques sur une chaise de dentiste. Sous l'effet des tequilas, Abel et João voyaient cette masse informe onduler sur le rythme endiablé du DJ qui officiait, le poing levé depuis un ring disposé au centre de l'arène. Ces scènes étranges étaient nappées d'un épais brouillard craché par les machines à fumées, gargouilles de ce temple expiatoire. Ils ne savaient plus très bien, au milieu du nuage ionisé par les lasers et les stroboscopes, si tout cela était réel ou non.

Abel saisit son ami par le bras et le guida jusqu'au bar. Il commanda deux Vodka Red Bull à la serveuse aux seins presque nus. Autour de son cou, un serpent était enroulé. Abel caressa le reptile qui vint sagement lui titiller la joue avec sa langue fourchue, puis rampa jusque dans ses bras. João avait souvent constaté à San Diego que le charisme de son ami n'opérait pas qu'avec les êtres humains et qu'il exerçait aussi un réel pouvoir sur les animaux. Abel regarda avec intensité le serpent qui prit peur et retourna se blottir auprès de sa propriétaire. Le jaguar noir pouvait tuer un anaconda.

Tout ce qui les entourait était improbable, irréel, indescriptible. C'est pour cette raison qu'Abel avait choisi cet endroit pour lui faire la Révélation, comme si elle sortait d'un songe.

— Et si l'organisation écologiste dont nous parlions existait vraiment, tu la rejoindrais ?

— Évidemment ! grommela João en se tenant au bar pour se maintenir en équilibre. Mais tu sais bien que ce n'est pas vrai.

— Tu te trompes, lui susurra Abel à l'oreille.

Il partit sur la piste, laissant João dans un état de grande perplexité. Il ne savait plus où il en était entre l'alcool, la musique et ses pensées. Abel se fondit dans la foule. Le rythme qui la faisait vibrer était infernal, vertigineux, hypnotique. *Follow the car* de Vitalic. De la violence brute. La même violence qui régnait au cœur de la forêt amazonienne. Celle où le jaguar noir se sentait bien. Pourtant proche de la nature, il trouvait son inspiration et son équilibre dans le chaos des boîtes de nuit, qui lui donnait un point de vue décalé sur l'espèce humaine. Adolescent, ces endroits lui avaient aussi permis de grandir, de canaliser sa violence intérieure, la rancœur qui le rongeait depuis le drame survenu dans son enfance. Il aimait surtout cet état d'exaltation vers lequel la musique électronique le transportait. Il partait loin du monde. Il rêvait. Il resta ainsi un long moment.

— Alors, c'est quoi, cette organisation ? demanda avidement le Brésilien lorsqu'il revint.

Abel le regarda profondément dans les yeux et lui dévoila un visage que João n'avait jamais vu. Il était en transe, dans un état où toutes ses vies passées, présentes et futures se superposaient. Comme les chats, les crocodiles, les requins et les félins, le fond de sa rétine – son *tapetum lucidum* – s'était mis à briller dans l'obscurité et reflétait les faisceaux multicolores des *roboscans*. Deux torches terrifiantes éblouissaient João qui s'apprêtait à subir l'attaque nocturne du fauve.

— Tu ne devras révéler à personne ce que je vais te confier.

— Tu as ma parole, lâcha João qui voulait mettre fin à son supplice.

— Cette organisation s'appelle Gaïa.

— Gaïa ? Mais, je n'en ai jamais entendu parler ! se plaignit le Brésilien à bout de nerfs.

— Personne ne connaît Gaïa mais je les ai rencontrés. Ils n'ont encore jamais frappé, ils se préparent. Leur ambition est immense. Leur organisation est unique. Ils vont changer le monde.

— Mais qui sont-ils ? Quels sont leurs objectifs ? l'implora João.

— Pas la peine de chercher, tu ne trouveras rien sur eux. Si tu veux en savoir plus, tu ne devras parler de Gaïa à personne. Nous reprendrons cette discussion à la prochaine conférence.

En attisant sa curiosité, Abel venait d'acheter le silence de João. Il retourna danser, l'abandonnant aux mille questions qu'il aurait voulu lui poser sur l'organisation. João était la recrue idéale, mais il était encore trop tôt pour qu'Abel lui dévoile ce qu'était exactement Gaïa ;

qu'il était à sa tête ;
qu'il y réfléchissait depuis des années ;
qu'elle était la solution ;

qu'elle était sa création ;
qu'elle était sa créature.
Il était le jaguar noir.
Il fallait être patient.
Son pelage luisait.
Gaïa rétablirait le lien coupé entre l'homme et la nature.
Ses pupilles brillaient.
Gaïa sauverait l'espèce humaine et toutes les autres espèces.
Ses yeux irradiaient.
Gaïa réenchanterait le monde.
L'émeraude de son iris emplissait l'univers.
Rien n'arrêterait Gaïa.

MCLEAN, VIRGINIE, ÉTATS-UNIS

— Espérons qu'il sera à la hauteur, indiqua Fox à Prescott.

Mike Prescott se trouvait dans la bibliothèque de la résidence de Cornelius Fox. Il regarda l'horloge murale fixée au milieu des trophées de grands fauves africains et sud-américains. Leur invité ne devait plus tarder à arriver. Posés sur la table de lecture, un seau à champagne et un paquet-cadeau l'attendaient.

— Avec le président Carlson, nous n'aurons pas les mêmes problèmes qu'avec son prédécesseur, le rassura Prescott. Il est intelligent mais nous devrons le contrôler.

Cela fit rire Cornelius Fox qui avait évidemment pensé à tout. En huit ans, l'apparence physique du milliardaire était restée inchangée. Cela faisait vingt ans qu'il avait l'air d'un vieillard. Pour sa part, Prescott portait maintenant de petites lunettes rondes et sa calvitie naissante laissait entrevoir le haut de son crâne. Cet ancien militaire était devenu au fil des années l'éminence grise de Fox. Il était reconnu pour son intelligence extraordinaire et ses plans à la moralité douteuse. Ce jeune ambitieux était devenu le véritable pilote du conglomérat CorFox, mais aussi le fils spirituel de Cornelius Fox. À quatre-vingts ans, toujours trop occupé par les affaires et son principal client, l'administration américaine, Fox n'avait jamais trouvé le temps ni de se marier ni d'assurer sa descendance.

Pendant huit années, tous les plans élaborés par le *think tank New American Dream* avaient été appliqués à la lettre par le locataire de la Maison Blanche. Jamais ses membres n'avaient connu une période aussi faste. Le groupe Cor-Fox avait obtenu une large part de ce butin, mais Cornelius Fox regrettait que le plan qui lui tenait le plus à cœur n'ait pas abouti : l'imbécile qu'ils avaient placé au pouvoir avait été incapable de renvoyer les Américains sur la Lune. Aujourd'hui, Fox et Prescott espéraient pouvoir donner un nouveau départ à la conquête de l'hélium 3 lunaire.

Leur visiteur était en retard. Ils s'impatientaient. Le carillon retentit finalement.

— Le voilà, lâcha Fox, excité par la perspective de cette entrevue.

Une limousine noire franchit les grilles de la résidence de Cornelius Fox. Celle-ci était située en proche banlieue de Washington, à McLean, l'un des lieux de résidence les plus prisés des États-Unis. On y croisait le Gotha de la capitale fédérale : des diplomates, des membres du Congrès, des hommes d'affaires mais aussi des cadres de la CIA voisine. Tous y menaient une existence discrète. Cornelius Edwin Fox III y avait naturellement élu domicile. Son domaine de plusieurs dizaines d'hectares y passait presque inaperçu. Il était protégé des regards par une muraille de pierre rehaussée d'une puissante ligne électrifiée, dont les oiseaux du quartier avaient appris à se méfier, à leurs dépens.

Cornelius Fox n'allumait jamais ses éclairages extérieurs. Les phares de la limousine illuminaient l'allée de gravier. Au milieu du parc se dressait une somptueuse demeure du dix-neuvième siècle, dessinée par Thomas Jefferson lui-même. Passionné d'architecture, l'ancien président des États-Unis avait introduit le style palladien dans son pays. La propriété de Cornelius Fox, avec ses briques rouges, ses fenêtres de bois peintes en blanc et son dôme central, était sa plus belle réalisation. Seuls l'héliport, la parabole satellite et le réseau de caméras de surveillance rappelaient aux rares visiteurs qu'ils étaient au vingt et unième siècle.

La voiture s'arrêta devant le porche principal. Le chauffeur en livrée ouvrit la portière au passager qui se dirigea d'un pas rapide vers les gardes, à peine discernables dans l'obscurité. Ils le conduisirent vers ses hôtes.

Les portes de la bibliothèque s'écartèrent et Robert Carlson, élu la veille quarante-quatrième président des États-Unis, fit son entrée dans la pièce. Cornelius Fox se leva pour l'accueillir. Malgré sa cinquantaine finissante et une campagne éreintante, Carlson était dans une forme resplendissante : ses cheveux plaqués en arrière, sa raie parfaitement tracée sur le côté et son costume cintré à rayures lui donnaient une allure de jeune loup.

— Monsieur le Président ! lui lança Fox sur un ton amusé en levant les bras vers le ciel.

— Patience ! plaisanta Carlson. Je n'ai pas encore prêté serment, il faudra attendre janvier pour les révérences !

Mike Prescott salua leur invité sans même lever les yeux. Robert Carlson l'avait déjà rencontré à plusieurs reprises et il s'en méfiait comme de la peste.

— Toutes mes félicitations Carlson, fit Fox en débouchant la bouteille de champagne qui attendait dans le seau. Je suis vraiment heureux que vous ayez remporté cette élection. J'ai toujours cru en vous.

Robert Carlson connaissait Fox depuis trop longtemps pour croire le moindre mot de ce qu'il venait de dire. Pour la santé de ses affaires, Fox se devait de toujours avoir un lien "privilégié" avec le locataire de la Maison Blanche, et il avait évidemment investi autant sur la campagne de son opposant. C'était une tradition familiale que son père avait instaurée.

Mike Prescott servit les coupes de champagne. Ils trinquèrent à la victoire de Carlson. Ce dernier porta la flûte à ses lèvres, le breuvage pétillant était insipide. Dans un souci de patriotisme, Fox avait fait l'acquisition d'un vignoble en Californie dont il infligeait les productions médiocres à ses visiteurs.

— Carlson, dit Fox, je vous remercie d'être venu jusqu'ici, surtout en ce jour où vous devez être fort occupé.

En effet Robert Carlson aurait préféré continuer à festoyer au siège du parti. Mais Fox était son principal donateur, et il n'avait pas pu se dérober à cette visite qu'il espérait la plus brève possible.

— Il n'y a pas de quoi Monsieur Fox, c'est toujours un plaisir, feignit Carlson. Je suis d'ailleurs impatient de connaître le motif de votre invitation.

— Pour cela je vais vous demander d'attendre un peu, lui répondit Fox, et de bien vouloir d'abord accepter ce modeste présent.

Robert Carlson saisit le paquet que le milliardaire lui tendait. Cela lui rappelait les mauvaises farces et attrapes de son enfance. Légèrement inquiet, il le soupesa, défit avec délicatesse le nœud, puis retira de la boîte, non pas un diablotin, mais un globe gris monté sur un pied de métal. Il déposa le socle sur la table de lecture et fit tourner la sphère. Il ne reconnut aucun des continents terrestres. Il s'agissait en fait de la Lune. Carlson fut surpris par le présent de Fox.

— Merci pour cette délicate attention, rétorqua-t-il ironiquement à son hôte. Grâce à votre honorable soutien, la prochaine fois nous décrocherons aussi la Lune !

La désinvolture de Carlson avait toujours agacé Fox. Elle lui donnait parfois l'impression qu'il ne le contrôlait pas totalement. Mais c'était juste une stratégie de défense. Au fond de lui, Carlson savait qu'il n'était qu'un pion dans la grande partie de Monopoly que livraient Fox et ses amis avec le reste du monde. Cette situation lui convenait d'ailleurs assez bien : ils avaient certes exploité son ambition dévorante et sa corruptibilité, mais en échange ils l'avaient hissé jusqu'à la plus haute marche.

— Très perspicace comme toujours Carlson. Vous n'êtes en effet pas si éloigné de la vérité.

Le président fraîchement élu n'aimait pas les énigmes et montra son impatience. Il attendait la suite.

— Décrocher la Lune sera la grande priorité de votre mandat, continua Fox. Vous allez y renvoyer des Américains.

Robert Carlson ne parvint pas à dissimuler son étonnement. Lorsque John Kennedy s'était lancé ce défi en 1961, c'était original. Au troisième millénaire cela lui paraissait complètement désuet. D'ailleurs le président sortant s'y était cassé les dents.

— Et vous allez y parvenir avant les Chinois, poursuivit le milliardaire.

Voilà qui est plus concret, pensa Carlson. Il était au courant de l'ambition spatiale chinoise, mais il mesurait encore mal l'importance de la chose. Il resta sur ses gardes.

Cornelius Fox invita alors Mike Prescott, resté jusquelà silencieux, à prendre la parole.

— Monsieur le Gouverneur, puis-je me permettre de vous faire un bref topo sur le programme lunaire chinois ? demanda Prescott sur un ton faussement courtois.

Mike Prescott, fin stratège doublé d'un redoutable tacticien, avait choisi de continuer à s'adresser à lui sous son titre actuel, celui de gouverneur du Tennessee, afin de marquer son territoire, et lui rappeler qu'il n'était encore rien. S'il avait pu le mordre, Carlson l'aurait fait. Prescott lui tendit un mémo résumant les étapes du programme lunaire chinois. Carlson se força et finit par le prendre.

Programme d'exploration lunaire chinois (officiel)

Il y a 5 ans	Premier taïkonaute (Yang Liwei) en orbite terrestre à bord de la capsule Shenzhou 5.
Il y a 3 ans	Mission de cinq jours en orbite terrestre de deux taïkonautes à bord de la capsule Shenzhou 6.
Il y a 1 an	Envoi de la sonde automatisée Chang'E-1 en orbite lunaire.
Il y a un mois	Envoi d'un équipage de trois taïkonautes en orbite terrestre à bord de la capsule Shenzhou 7. Première sortie extravéhiculaire d'un taïkonaute.
Dans 2 ans	Envoi du laboratoire spatial robotisé Shenzhou 8 en orbite terrestre. Arrimage des capsules Shenzhou 9 et Shenzhou 10 sur Shenzhou 8. Envoi d'un premier équipage de deux ou trois taïkonautes pour une durée limitée. Envoi de l'atterrisseur automatisé Chang'E-2 sur la surface lunaire.
Dans 4 ans	Envoi d'un équipage permanent en orbite terrestre à bord du laboratoire spatial constitué des vaisseaux Shenzhou 8, 9 et 10.
Dans 7 ans	Envoi d'une capsule Shenzhou habitée en orbite lunaire et retour vers la Terre.
Dans 9 ans	Envoi de la sonde automatisée Chang'E-3 sur la surface lunaire et retour d'échantillons.
Dans 16 ans	Début des missions d'exploration de la Lune par des taïkonautes.

— Si je me rappelle bien, taïkonaute signifie "homme du grand vide" en chinois, murmura Carlson pour montrer qu'il n'était pas si novice en la matière.

— Tout à fait. Chaque pays a son appellation pour ses astronautes. En Russie, ils les appellent cosmonautes et, en France, spationautes.

Robert Carlson reprit sa lecture. Quand il eut terminé, il leva la tête vers Prescott pour écouter ce que celui-ci avait à lui dire.

— Comme vous le voyez, d'après ce programme, les Chinois ont déjà franchi plusieurs étapes capitales. D'ici quelques années, ils seront techniquement prêts à envoyer leurs taïkonautes sur la Lune.

— Quelques années ? Vous dramatisez un peu la situation ! Si je lis bien, cela nous laisse encore seize ans. Les Américains seront déjà sur Mars d'ici là !

Mike Prescott jeta un coup d'œil à Cornelius Fox qui lui adressa un hochement de tête approbateur, l'autorisant à continuer.

— Les dates de ce document ont été reconstituées à partir de leurs déclarations officielles. Les Chinois laissent toujours planer un certain flou quant aux échéances exactes de leur programme.

Cette discrétion dans les affaires militaires et commerciales faisait partie de la stratégie dite des "24 caractères", élaborée par Deng Xiaoping : observer calmement, sécuriser notre position, s'occuper des affaires calmement, dissimuler nos capacités et attendre notre temps ; maintenir un profil bas et ne jamais s'octroyer le pouvoir. Carlson continuait à écouter avec attention.

— Selon nos informateurs, reprit Prescott, de hauts responsables du régime de Pékin ont avancé des dates beaucoup plus ambitieuses en privé. Les Chinois auraient l'ambition d'être prêts bien plus tôt et disposent des moyens financiers pour y parvenir. L'essentiel pour eux étant d'arriver avant nous.

— Bien plus tôt, cela veut dire quoi pour vous ?

Prescott marqua un temps d'arrêt.

— Ils pourraient être prêts d'ici cinq ans, lâcha-t-il enfin.

Carlson reçut ce chiffre comme un coup de poing en plein visage. Une fois ses esprits retrouvés, sa première pensée fut que, dans cinq ans, son mandat serait achevé. Mais il n'avait pas parcouru tout ce chemin pour ne rester au pouvoir que quatre ans. Il avait bien l'intention de briguer un second mandat. Il ne pourrait donc pas transmettre la patate chaude à son successeur. À moins qu'il ne parvienne à trouver une alternative au plan que Fox et Prescott avaient choisi pour lui et cela s'annonçait difficile, vu leur détermination.

— Si ça peut vous rassurer, indiqua Fox, il avait fallu seulement huit années pour relever le défi lancé par Kennedy.

Et Apollo 11, c'était quand même en 1969. Faire la même chose en cinq ans devrait être dans vos cordes.

Une idée était venue à l'esprit de Carlson. Elle lui paraissait tellement simple qu'il se doutait bien que quelque chose devait clocher.

— Et pourquoi ne ferait-on pas tout simplement appel à nos vieilles carlingues du programme Apollo ?

— Impossible, les vétérans du programme Apollo qui maîtrisaient ces machines sont partis à la retraite, coupa court Prescott. De plus, elles n'avaient pas le niveau de sécurité exigé aujourd'hui. Tout est donc à réinventer. C'est ce à quoi s'attache en ce moment le programme Constellation de la NASA.

Constellation, vaste programme d'exploration spatiale, avait été lancé par son prédécesseur après la destruction dramatique de la navette Columbia en 2003 pour redonner un objectif stratégique ambitieux à la NASA qui tournait en rond. Constellation visait la Lune dans un premier temps, puis Mars et enfin le reste du système solaire.

— Faute de soutien de la part de l'opinion publique, le Congrès n'a pas octroyé les crédits nécessaires pour que ce programme avance réellement, poursuivit Prescott. Nous comptons sur votre charisme Monsieur le Gouverneur, pour remédier à cette situation et mener à bien ce programme.

Les dents de Carlson grincèrent. Les "Monsieur le Gouverneur" et les leçons de Prescott commençaient à l'agacer. Il n'était pas son larbin. À l'aube de son mandat, il refusait d'accepter que son grand dessein puisse être de poursuivre une tâche initiée par l'ancien locataire de la Maison Blanche. Il aurait déjà suffisamment à faire pour réparer toutes les autres erreurs que cet idiot avait commises. De plus, il savait qu'il serait extrêmement difficile de faire valider de telles dépenses dans la période de crise actuelle. Il devait donc trouver une issue. Il fit un rapide calcul mental.

— Si les Chinois arrivent dans cinq ans, ce sera quand même plus de quatre décennies après nous ! Ils n'auront pas de quoi avoir les chevilles qui enflent ! Tout ça n'est qu'une question de communication. Nous avons aussi l'option de simplement refuser d'entrer dans cette course stupide et ruineuse.

Le futur président jouait à l'imbécile mais ses interlocuteurs n'étaient pas dupes. Prescott regarda de nouveau vers Fox qui lui donna le feu vert pour intervenir.

— Vous n'avez pas le choix, Carlson, vous devez vous lancer dans cette course. Votre art de la persuasion, que nous admirons tous, vous sera très précieux pour…

— Et pourquoi donc me lancerais-je dans cette course ? l'interrompit Carlson écarlate. C'est vous qui allez m'y contraindre ? C'est ça ? Allez vous faire foutre, Prescott !

Carlson n'avait pas réussi à se contenir. Prescott l'avait exaspéré avec ses airs de Monsieur je-sais-tout. Cela faisait deux ans, depuis l'annonce de sa candidature aux primaires, qu'il vivait un grand oral perpétuel. Mais depuis hier, c'était terminé. Maintenant, c'était aux autres de lui rendre des comptes. Il se trompait évidemment. Il se calma et remit sa mèche en place.

Prescott sentit qu'il était allé peut-être un peu trop loin et choisit d'apaiser son interlocuteur. Il prit cette fois des pincettes.

— Non Monsieur le Président, ce n'est pas moi ni même monsieur Fox qui vous imposerons de mener à bien ce programme, ce sont les Chinois.

Carlson savait exactement ce que Prescott allait lui raconter, mais il le laissa poursuivre.

— Même si cela a déjà été accompli avant eux, envoyer des astronautes sur la Lune et surtout réussir à les faire revenir constitue un accomplissement technologique majeur. Une victoire de la Chine enverrait au monde entier un message qui signifierait en substance : "Nous ne sommes plus l'usine du monde, nous maîtrisons tous les domaines des sciences et de la technologie, mieux que quiconque. Nos produits sont les meilleurs." Si leur mission vers la Lune était un succès, la suprématie commerciale américaine serait mise à mal, les pôles économiques se déplaceraient, voire s'inverseraient. Nos usines pourraient un jour se retrouver à sous-traiter la fabrication de jouets pour les enfants chinois.

Carlson imaginait mal ses enfants travaillant dans des usines américaines pour les marmots de Shanghai, Pékin, Hong Kong ou l'une de ces Chongqing, Tianjin ou autre Shenyang, villes gigantesques dont les noms, qui n'évoquaient rien aux Occidentaux – pas un bâtiment, pas un point d'histoire – étaient en plus impossibles à retenir. Néanmoins, Carlson ne voyait pas là une raison suffisante pour que Cornelius Fox insiste autant pour aller sur la Lune. Lui et Prescott lui cachaient quelque chose.

— Bon, maintenant arrêtez de me prendre pour un con et dites-moi exactement pourquoi vous voulez que les Américains retournent sur la Lune.

— L'hélium 3, lâcha Fox.

Robert Carlson se redressa. Il en avait vaguement déjà entendu parler. Prescott prit la parole et expliqua au président élu l'importance capitale de cet élément chimique pour la transition énergétique à venir. Carlson contesta la maturité technologique des centrales nucléaires à fusion utilisant l'hélium 3 mais Prescott lui fit part des derniers progrès chinois en la matière. Certes il s'agissait d'une technologie à très long terme mais les places se jouaient maintenant.

— Voilà une raison qui me paraît plus convaincante, admit Carlson. Vous auriez dû commencer par là.

Le président élu n'avait pas besoin que Prescott lui fasse un dessin. Si le conseiller de Fox disait vrai, les États-Unis devaient développer l'exploitation de l'hélium 3 sur la Lune avant les Chinois. Il savait à quel point les Américains avaient tiré profit d'être les premiers à passer des accords sur le pétrole avec les Saoudiens au début du XXᵉ siècle.

Il n'avait donc pas le choix et devait lancer son pays sans attendre dans la course à la Lune. Le conglomérat Cor-Fox, qui pourrait étendre ses activités minières au-delà de la Terre, l'avait lui aussi très bien compris. Carlson fit tourner le globe lunaire que Fox lui avait offert. Voilà qu'après la mondialisation, le jeu de Monopoly planétaire de Fox et ses amis devenait galactique.

— Merci Prescott pour cet exposé, concéda Carlson en bon sportif. J'espère que je serai aussi éloquent que vous l'avez été aujourd'hui, pour défendre le programme Constellation devant le Congrès et les citoyens américains.

Il pensait en avoir fini avec eux et pouvoir maintenant retourner à Washington. Mais le regard de Cornelius Fox indiquait qu'il faudrait encore patienter un peu.

— Cher Carlson, sans vouloir vous décourager, les convaincre sera peut-être la chose la plus facile pour vous. Après tout, le coût du programme devrait seulement avoisiner les 120 milliards de dollars. Pas de quoi couler notre économie. Après, les entreprises minières prendront le relais.

Ce budget n'était effectivement rien en comparaison de celui englouti par son prédécesseur dans la guerre au Moyen-Orient. Carlson remit en place ses cheveux gominés et posa la question que Fox attendait.

— Si convaincre le Congrès et les Américains est la partie facile, qu'est-ce qui sera difficile ?

Fox laissa planer le suspense avant de répondre.

— La Lune est, et doit rester américaine. Il n'y a pas de place pour deux là-haut. Il faudra donc non seulement vous assurer que la Chine parte après nous, mais aussi qu'elle échoue lamentablement dans sa tentative. Si lamentablement qu'elle se repliera à nouveau sur elle-même et retournera à l'âge de pierre dont elle n'aurait jamais dû sortir.

Si, plus tôt, Carlson avait ressenti l'effet d'un crochet en plein visage, c'était un uppercut dans le plexus qu'il venait d'encaisser. Son souffle était coupé. Il voyait enfin l'esprit maléfique du vieux milliardaire se manifester. Deng Xiaoping n'aurait pas contredit Fox. Le Petit Timonier, bien connu pour ses aphorismes, affirmait qu'"il ne peut y avoir deux tigres sur la même colline." En général, l'un des félins finissait toujours par abandonner le territoire. Fox lui suggérait de tuer l'autre tigre.

— Ce que vous me demandez là est d'un tout autre ordre. C'est du terrorisme d'État.

— Appelez ça comme vous le voulez. Moi, je pencherais plutôt pour de la légitime défense.

C'était donc bien un piège que Fox lui avait tendu. Tout président avait, durant son mandat, quelques basses besognes à accomplir, mais celle-ci dépassait les bornes. Le milliardaire avait bien calculé son coup : il avait attendu la fin de l'élection pour lui révéler son plan. Il était maintenant impossible de reculer.

— Écoutez, Fox, il faut que je réfléchisse à tout cela. Je reviendrai vous voir très prochainement.

— Très bien. Vous pourrez d'ailleurs y réfléchir avec votre futur secrétaire à la Défense.

— Mon futur secrétaire à la Défense ?

— Ah oui, j'avais complètement oublié de vous en informer : ce sera Mike Prescott. Mes amis et moi l'avons décidé cet après-midi.

Ce n'était plus de la boxe anglaise, mais du *kick-boxing* qu'il infligeait à Carlson. Un *side kick* dans les parties. Mais le président était solide, il savait encaisser les coups, même les plus traîtres. Il connaissait les "amis" de Fox, et s'ils l'avaient décidé, il en serait ainsi. Prescott arborait un rictus satisfait.

L'ancien président Eisenhower devait, une fois de plus, se retourner dans sa tombe ; lui, qui, en 1961, avait prononcé cette phrase prophétique restée sans lendemain : "Dans nos réunions gouvernementales, nous devons nous garder d'accepter toute ingérence intempestive émanant du complexe militaro-industriel, qu'elle soit spontanée ou provoquée."

— Allez, ne faites pas cette mine Carlson, le taquina Fox. En vous offrant Prescott, je vous donne ce que j'ai de meilleur.

Compte tenu de la complexité de la situation, un spécialiste tel que Prescott serait un atout précieux. Après de brillantes études à l'académie de West Point dont il était sorti major, Prescott avait changé de voie et était entré à l'US Air Force. Pendant l'opération Desert Storm en 1991, il avait été le plus jeune des pilotes de chasse américains. S'il n'avait pas été remarqué par Fox, il serait probablement déjà astronaute ou général. Fox adorait raconter comment il avait rencontré son sherpa : en visite en Irak, il fut séduit par l'audace de ce jeune homme, furieux contre le général Schwartzkopf qui avait refusé le plan d'assassinat de Saddam Hussein qu'il venait de lui soumettre.

— Nous baptiserons ce plan Aleph, reprit Fox.

— Aleph ? demanda Carlson. Pourquoi ?

— Parce que ce plan marquera le point de départ d'une nouvelle ère pour l'Amérique, sans les Chinois. Il va sans dire qu'Aleph devra être mené dans le secret le plus absolu et ne devra en aucun cas nous conduire à une guerre contre la Chine.

Aleph était la première lettre de l'alphabet hébreu et, en cela, elle symbolisait le Commencement. Elle servait également pour représenter l'infini des mathématiciens. Sa forme dérivait d'un hiéroglyphe de l'Âge de bronze représentant la tête d'un taureau, dont deux spécimens enragés faisaient face à Carlson. Il ne savait plus quoi dire à Fox, il était désarçonné.

— Mais comment s'y prendre ? questionna-t-il pour essayer d'amadouer Fox. Si l'hélium 3 est si important pour eux, les Chinois seront terriblement méfiants !

— Vous trouverez bien Carlson. Il faut quand même que ce plan vous ressemble, c'est votre mandat, après tout ! Je ne vous avais pas menti en vous disant que ce serait la partie la plus difficile. Prescott vous aidera. Il a été à bonne école à mes côtés et il s'est montré merveilleusement doué pour ce genre de travaux pratiques. Vous formerez une bonne équipe tous les deux, j'en suis certain. Le groupe CorFox se tiendra évidemment à votre disposition, à titre gracieux et discret. Bonne chance, Carlson !

Le président élu attrapa le globe lunaire qu'il avait reçu en présent et se fit raccompagner par Fox et Prescott jusqu'à sa limousine. Il salua Fox sans même le regarder, puis il se tourna vers Prescott.

— Eh bien, je crois qu'il va falloir que nous apprenions à travailler ensemble Prescott.

— Monsieur le Président ce sera un grand honneur.

Carlson sortit exténué de la résidence de Fox. Ses adversaires avaient gagné aux points, mais ils n'avaient pas obtenu le KO. En tout cas, l'envie de célébrer sa victoire lui était passée. Il appela sa secrétaire pour lui indiquer qu'il rentrait directement chez lui.

"Aleph, le point de départ d'une nouvelle ère pour l'Amérique, sans les Chinois." Ces mots de Fox résonnaient dans sa tête. Carlson n'en était pas à son premier mauvais coup, loin de là. Après quelques kilomètres, il commençait déjà à se demander comment il pourrait décourager le régime de Pékin pour l'éternité.

QUELQUES ANNÉES PLUS TARD

PREMIÈRE PARTIE

PLEINE LUNE

*Je dois être à un endroit que Dieu imagina
avant de créer cet univers. Je vois sûrement la
Terre telle qu'il la conçut avant de lui donner
naissance. C'est trop beau pour que cela se soit
produit par hasard.*

EUGENE CERNAN, APOLLO 17.

JOUR 1, TAIJI, JAPON

En cette nuit d'automne, un doux clair de lune baignait les eaux sombres de la région de Taiji. Un dauphin au corps fuselé émergea de l'océan Pacifique et y replongea gracieusement. Ce saut fut suivi d'un autre, rapproché. Le dauphin n'était pas seul. Il était accompagné d'une dizaine de congénères, avec lesquels il jouait sous les rayons bienveillants de la pleine lune.

Du haut de la falaise qui surplombait la côte, João Amado observait la scène avec ses jumelles de vision nocturne. Il était tendu. Après plusieurs années d'attente, son heure était enfin venue.

— Mettez-vous en position, commanda-t-il en japonais dans le micro relié à son oreillette.

La fréquence des bonds de la horde s'intensifia. Le groupe était en fait bien plus important. Des centaines de cétacés, qui croisaient à l'automne au sud de l'île d'Honshu, s'étaient réunis pour une gargantuesque partie de pêche et se rapprochaient du rivage. Tout autour, on pouvait discerner des navires d'où provenait le son de frappes métalliques régulières, certainement des chalutiers attirés par les mêmes eaux poissonneuses.

— Démarrez la caméra, chuchota João. Maintenant.

La meute de dauphins, suivie par les bateaux, s'engouffra dans une crique. Les navires s'arrêtèrent à son entrée et mirent à l'eau leurs chaloupes. Des marins, revêtus d'épaisses combinaisons cirées et munis de lances, installèrent des filets qu'ils tendirent d'un bateau à l'autre. Le cercle formé par les chaloupes reprit sa progression vers la côte, transformant la crique en un piège mortel.

João abaissa ses jumelles. Il ne savait pas s'il pourrait supporter une fois de plus ce spectacle macabre. L'année précédente, les repérages l'avaient complètement écœuré. Il espérait bien qu'à partir de cette nuit, les dauphins ne mourraient plus dans des conditions aussi atroces.

Pressentant une fin proche, un petit groupe de dauphins se dirigea vers les embarcations et tenta de franchir les filets. Quelques-uns parvinrent à regagner le large, mais les autres se retrouvèrent prisonniers du bassin artificiel. La panique gagnait la horde qui ne pouvait plus fuir. Sans aucun mérite, les pêcheurs japonais lançaient des lassos dans cette masse grouillante et remontaient, vivants, quelques jeunes spécimens suspendus par la nageoire caudale. Leurs mères affolées se jetaient à pleine vitesse contre les chaloupes pour les faire chavirer, mais leurs rostres, pourtant puissants, venaient se briser sur les carènes de métal. Les malheureuses étaient aussitôt assommées à coups de rame.

Les sifflements, les claquements, les couinements et les clics stridents des dauphins terrorisés perçaient le silence de la nuit. Insensibles à leur souffrance, les marins commençaient à enfoncer machinalement leurs harpons dans la chair des mammifères sans défense. Le sang se déversait et, dans d'autres circonstances, l'issue du massacre aurait été inéluctable.

João se retenait pour ne pas donner l'assaut car il avait encore besoin d'images. Si Gaïa réussissait, le sacrifice de quelques-uns vaudrait pour la sauvegarde de toute l'espèce.

— Allez-y ! ordonna-t-il finalement dans la radio en allumant une fusée de détresse.

Une lueur intense embrasa le ciel et illumina l'océan devenu vermillon. Une pluie de *flashballs*, tirée depuis le rivage, s'abattit sur les marins, alors que des nageurs de combat se hissaient à bord des embarcations. La lutte entre ces hommes parfaitement entraînés et les pêcheurs stupéfaits ne dura pas. Quelques minutes suffirent au commando pour prendre le contrôle des navires et libérer les dauphins.

João contrôla avec ses jumelles que les plongeurs exécutaient bien les ordres, puis retourna soulagé jusqu'à son 4 × 4.

JOUR 1, CAP CANAVERAL, FLORIDE, ÉTATS-UNIS

Robert Carlson et son secrétaire à la Défense Mike Prescott contemplaient l'immense fusée Athena I qui se dressait devant eux. Le président américain se tourna vers Bill Wright, l'administrateur de la NASA, qui leur faisait visiter le centre spatial Kennedy.

— Bill, c'est extraordinaire qu'en un temps aussi court vous ayez réussi à mener ce programme à son terme. Je suis vraiment fier de vous et de vos équipes.

— Monsieur le Président, je préférerais attendre la fin de la mission pour accepter ces compliments. Nous devons aussi beaucoup à votre engagement personnel.

Wright, comme Carlson, avait dépassé le seuil de la soixantaine et entrait dans la tranche d'âge où l'on songeait principalement à ce qu'on laisserait comme héritage aux générations futures. La réussite du programme lunaire avait donc constitué, pour des motifs différents, un objectif primordial pour les deux hommes et une véritable complicité s'était installée entre eux au fil du temps.

Le président, avec sa petite bedaine, son double menton et ses larges poches sous les yeux, avait moins bien résisté à l'érosion des années. Le stress de sa charge ne l'avait pas épargné et son allure de jeune loup appartenait maintenant au passé. L'administrateur de la NASA, qui avait pourtant mené le programme lunaire tambour battant, conservait, lui, une silhouette d'athlète et exerçait toujours un fort pouvoir de séduction sur la gent féminine.

Mike Prescott était leur cadet de vingt ans. Sa calvitie naissante avait laissé maintenant place à un crâne lisse comme un œuf, mais cela lui était complètement égal. Cornelius Fox lui avait promis la tête de son empire si leur plan réussissait. C'était son unique obsession. Il portait toujours les mêmes petites lunettes rondes serties de métal, qui lui donnaient l'allure d'un bourreau méticuleux.

Le fuselage blanc du lanceur luisait au soleil au point d'en être aveuglant. Athena I allait, dans quelques heures, renouer avec l'histoire et propulser quatre astronautes vers la Lune. Depuis 1972, aucun équipage n'y était retourné. La mission Columbus 11 était la première étape du long programme Odyssey, le remplaçant de Constellation, lancé par le président Carlson. Odyssey visait à établir une base permanente sur le sol lunaire, l'astre des nuits n'étant qu'une étape intermédiaire avant le grand saut vers Mars. L'exploration du système solaire par l'espèce humaine allait donc reprendre.

Pour Carlson et Prescott, la poursuite de l'aventure spatiale était presque anecdotique. Pour eux, ce qui comptait, c'était d'abord de relever la première partie de leur défi : partir avant la Chine, avec laquelle les relations diplomatiques étaient au plus mal. Le rythme du nouveau programme Odyssey avait été infernal. Ils avaient fait face à d'importantes difficultés budgétaires et, pour gagner l'adhésion du peuple américain, ils avaient dû faire preuve d'une imagination débordante. Les Chinois avaient été des compétiteurs redoutables, mais les États-Unis menaient la course dans la dernière ligne droite. Selon leurs informations, les Chinois n'avaient que quelques semaines de retard sur les Américains, quelques semaines fatales pour figurer dans l'Histoire. En plus de la défaite, le régime de Pékin subirait le crapuleux plan Aleph que Carlson et Prescott leur avaient secrètement concocté. C'était la seconde partie de leur défi. Seconde partie dont Bill Wright ignorait évidemment tout.

— Messieurs, poursuivit l'administrateur de la NASA, je vous propose de me suivre. Nous allons saluer nos astronautes avant qu'ils ne prennent place au sommet de la fusée, dans la capsule Columbus 11.

Carlson avait insisté pour les encourager une dernière fois avant leur départ. Il regarda le haut du lanceur et en eut le vertige pour les astronautes.

Ils suivirent Bill Wright jusqu'à une salle vitrée qui donnait sur le pas de tir. En son for intérieur, le président espérait que les ingénieurs de la NASA n'aient pas confondu vitesse et précipitation. Un accident au décollage ou pendant la mission serait catastrophique pour les États-Unis et la réussite de leur plan. Pour les risques techniques, Carlson s'en remettait à l'expertise de son ami Bill Wright. Pour les risques terroristes, Prescott et le département de la Sécurité intérieure avaient pris des mesures exceptionnelles. Les navires de la marine américaine, visibles de la salle où ils se trouvaient, croisaient au large de Cap Canaveral et empêchaient toute embarcation de s'approcher des côtes. L'armée patrouillait également à terre et des agents des services secrets avaient été déployés dans toute la Floride. Compte tenu des circonstances, Carlson n'avait invité aucun dignitaire étranger à assister au décollage, les festivités n'auraient lieu qu'après le retour des astronautes. Aujourd'hui, tout se ferait en petit comité.

L'assistant de Bill Wright vint chuchoter à son oreille.

— Monsieur le Président, Monsieur le Secrétaire à la Défense, je vous prie d'accueillir nos héros, dit l'administrateur de la NASA en se tournant vers eux.

L'équipage de Columbus 11 pénétra dans la pièce. Une grande femme rousse, suivie de deux hommes en tenues sportives, l'un caucasien et l'autre afro-américain, puis le dernier bien plus jeune, avec de longs cheveux blonds et portant un tee-shirt décontracté.

Ils avaient tous les traits tirés. Les derniers jours avaient été épuisants, notamment à cause de la forte pression médiatique qu'ils avaient subie. Les conférences de presse s'étaient succédé à un rythme éreintant et il leur fallait maintenant retrouver leurs esprits avant le grand périple. Carlson et Prescott les avaient déjà tous rencontrés, mais Bill Wright, très protocolaire en ce jour si particulier, décida de les présenter à nouveau, dans l'ordre de leur entrée dans la pièce.

— Le capitaine Eileen Johnson de l'US Navy commandera la mission.

— Capitaine, la déesse Séléné se plaignait de ne pas avoir eu de compagnie féminine jusqu'à maintenant, voilà qui va être réparé. C'est avec un immense plaisir que les États-Unis vous confient les commandes de cette mission.

Eileen Johnson sourit à la plaisanterie de Carlson qui la détendit un peu.

— Le capitaine Johnson sera secondé par le major Gary Tyler, ancien des Marines et de l'US Air Force.

Le major Tyler avait rejoint le corps des astronautes de la NASA seulement deux ans plus tôt. Ses cheveux coupés en brosse traduisaient une absence totale de fantaisie. Il se tenait au garde-à-vous et fixait le président de son regard d'acier, froid et décidé, qui pouvait exprimer l'allégeance ou la haine. Quelque peu décontenancé, le président ne trouva pas la réplique qui convenait et se contenta de lui serrer la main.

— Le professeur Scott Hughes sera pour sa part le scientifique à bord de la mission.

Géologue et chimiste de formation, Scott Hughes était un éminent spécialiste de l'hélium 3, le fameux élément chimique qui n'existait qu'en infime quantité sur Terre et qui abondait dans le régolithe lunaire. Les derniers travaux scientifiques avaient confirmé son importance capitale pour satisfaire les besoins des Terriens énergivores. Scott Hughes avait la peau noire et, à nouveau, le président, ne voulant pas commettre d'impair, s'abstint de tout commentaire et l'encouragea simplement. La tension l'avait regagné et le paralysait. Elle le privait de son sens de la repartie légendaire.

— Enfin, notre cadet et mascotte que je ne devrais même plus avoir à vous présenter, Paul Gardner, termina Bill Wright d'un air enjoué.

Paul Gardner était l'astronaute qui avait été choisi par le peuple américain. Avec ses traits doux, ses longs cheveux et ses grands yeux bleus, il ressemblait plus à un ange qu'à l'archétype de l'astronaute droit et discipliné auquel la NASA avait habitué le public. Il avait été sélectionné à travers le programme de télévision *Moon Walk* ("La Marche lunaire") et était devenu depuis une véritable idole. Son blog, sur lequel il relatait quotidiennement depuis quatre ans les différentes étapes de sa préparation, était suivi par des millions de fans sur les différents réseaux sociaux. À trente-cinq ans, Paul Gardner s'apprêtait à entrer dans l'Histoire.

— Paul, puisque c'est ainsi que tout le monde vous appelle, je suis un lecteur assidu de votre blog. J'espère que vous trouverez le temps de nous faire partager ces instants merveilleux là-haut.

— Je suis honoré de vous compter parmi mes lecteurs, Monsieur le Président, lui répondit l'astronaute qui était intimement persuadé que Carlson ne s'était jamais servi d'un ordinateur. Vous pourrez lire mes premières impressions en orbite dès ce soir.

Comme le reste de l'équipage, Paul Gardner avait le visage fatigué, ce qui était la moindre des choses avant de partir vers la Lune, se dit le président. Compte tenu de l'enjeu de la mission, il n'était pas serein à l'idée de confier Columbus 11 au gagnant d'un jeu télévisé, mais Bill Wright l'avait assuré des qualités exceptionnelles du jeune homme. Le président Carlson s'attarda sur la citation qui apparaissait sur le tee-shirt du jeune astronaute : "Un jour, j'ai vu le soleil se coucher quarante-trois fois !". C'était une citation du *Petit Prince* d'Antoine de Saint-Exupéry, le livre préféré de Paul Gardner. Ses fans trouvaient qu'il lui ressemblait, le président ne pouvait pas les contredire.

Mike Prescott, en sa qualité de chef du Pentagone, salua les deux militaires, Eileen Johnson et Gary Tyler, qui l'observa sans ciller. Les astronautes quittèrent ensuite les lieux avec Bill Wright qui resterait avec eux jusqu'à leur entrée dans la capsule Columbus 11.

Carlson et Prescott étaient enfin seuls. Malgré une attitude qui se voulait confiante et chaleureuse, le président était préoccupé. Ses mains tremblaient.

— Mike, vous n'avez pas trouvé que Tyler était dans un état anormal ?

— C'est compréhensible, Monsieur le Président, sa responsabilité est énorme.

Carlson acquiesça d'un lent mouvement de la tête. Prescott avait sans doute raison. Comme Cornelius Fox l'avait pressenti, après quelques débuts difficiles, leur collaboration avait fonctionné à merveille. Le secrétaire à la Défense s'était assagi, tout du moins avec le président, et avait accepté d'agir en bon exécutant. Paraître obéissant était souvent le meilleur moyen d'avoir la paix et d'atteindre ses propres objectifs.

JOUR 1, BIOSPHERE 2,
ARIZONA, ÉTATS-UNIS

Assourdi par un tumulte de musique électronique, Abel explorait en vain les différents sites d'informations nippons.

— Mais qu'est-ce qu'ils foutent, bordel ? pesta-t-il en regardant sa montre.

Si João se faisait prendre, le grand plan de Gaïa ne s'arrêterait pas pour autant. Tant que Gaïa n'avait pas revendiqué l'action, il pourrait prétexter une initiative personnelle.

Au pire, il risquerait quelques mois de prison, improbables car un tel procès serait médiatiquement défavorable au Japon. Même s'il avait envisagé toutes les éventualités, Abel préférait évidemment que tout se déroule bien : João était depuis peu le père d'un petit Sergio qui avait besoin de lui bien plus qu'Abel et Gaïa.

De l'autre côté de la planète, dans un cybercafé de Yokohama, un des plongeurs japonais suivait méticuleusement une liste d'instructions. Quand il eut terminé, une armée de programmes "zombies", installés à l'insu de leurs propriétaires sur des milliers d'ordinateurs, bombarda les agences de presse de la vidéo prise à Taiji et du communiqué reçu de son mystérieux contact.

Une information pouvait être assimilée à un virus programmable. Une fois qu'elle était inoculée, il fallait être patient. Elle pénétrerait et se répandrait dans les ramifications du Réseau puis, grâce à la puissance nourricière de celui-ci, se développerait et accomplirait l'acte de destruction pour lequel elle avait été conçue. Abel savait aussi que ce même Réseau pourrait un jour se retourner contre lui s'il n'y prenait pas garde. Mais il avait appris à être prudent, très prudent.

Quelqu'un tambourina vivement à la porte de son bureau. Il ne répondit pas. L'heure tournait et son inquiétude continuait à croître.

— J'espère que João et les dauphins n'ont pas mal fini, pensa Abel.

Pendant leurs études à l'institut d'océanographie *Scripps* de San Diego, Abel et João s'étaient pris d'affection pour les dauphins qui s'approchaient souvent de la côte. Ils les avaient étudiés de près avec leurs amis du parc voisin de Sea World qui faisaient le maximum pour leur rendre la vie en captivité supportable. Ces créatures disposaient de capacités cognitives remarquables qui leur servaient à communiquer, jouer, aimer et aussi vivre en harmonie avec leur environnement. Cet animal était parvenu à un stade supérieur d'évolution et de sagesse vers lequel l'humanité ne semblait pas tendre. Leurs capacités physiques et intellectuelles extraordinaires n'avaient pas non plus manqué d'intéresser les militaires, qui les avaient dressés et employés pour la détection de mines, le repérage de plongeurs ennemis et la protection des navires de guerre. Certains spécimens auraient même été utilisés dans des missions d'attaque, ce qui avait toujours été démenti par le Pentagone.

Malgré les exterminations sauvages, les filets dérivants, la pollution et les usages militaires, les dauphins éprouvaient toujours une forte sympathie pour les hommes, qui, en retour, avaient rendu leur existence insupportable, notamment certains Japonais que Gaïa espérait bientôt faire payer.

Depuis une cinquantaine d'années, le Japon avait adopté une position en porte-à-faux par rapport à la communauté internationale. Il continuait à pratiquer la chasse à la baleine dans la limite de quotas de pêche attribués pour des motifs prétendument scientifiques. Le Japon soudoyait également les délégations de minuscules États-nations lors des réunions annuelles de la Commission baleinière internationale, afin qu'ils votent l'abolition du moratoire imposé depuis 1982. Les dauphins et les autres petits cétacés n'étant pas concernés par celui-ci, Abel et João avaient décidé de révéler l'horreur des massacres commis là-bas chaque automne.

Abel fit une halte sur le site de NASA TV. Il ne restait plus que quelques heures avant que son ami d'enfance ne s'envole vers la Lune. Sur la vidéo diffusée en direct, il vit les quatre astronautes vêtus d'orange saluer une dernière fois la foule avant de rentrer dans l'astrovan qui les conduirait jusqu'au pas de tir. Il eut une pensée admirative pour Paul et pour le voyage qu'il s'apprêtait à accomplir.

Depuis qu'il était enfant, Paul Gardner était fasciné par le ciel et les étoiles. Abel se remémora les longues nuits passées ensemble, allongés dans l'herbe fraîche du Colorado, à identifier et nommer les constellations. Paul avait toujours nourri le rêve de partir dans l'espace, mais il y avait renoncé après ses études. Il avait une haine viscérale pour les affaires militaires et la NASA recrutait principalement des pilotes de l'US Navy et de l'US Air Force. Le programme de télévision *Moon Walk* lui avait offert une chance inespérée de gagner les rangs de la NASA sans s'enrôler dans l'armée. Abel l'avait convaincu de participer et était fier de son ami. Avant qu'ils ne franchissent le sas de la capsule située en haut de la fusée, la caméra de NASA TV fit un gros plan sur le visage de chacun des astronautes. Paul souriait, mais était visiblement crispé. Abel l'avait eu au téléphone la semaine précédente et avait perçu cette tension, inhabituelle chez son ami. Paul lui avait même dit : "Abel, j'ai peur. Il y a certaines choses que je ne sens pas du tout dans cette mission. Si ça tournait mal, je ne pourrais compter que sur toi." La pression politique et économique autour du retour sur la Lune était gigantesque et il était normal que Paul la ressente. Son ami l'avait rassuré en lui conseillant de penser à l'incroyable voyage qu'il allait effectuer. Le sas se referma.

Abel trouva soudain ce qu'il cherchait sur le site Internet de l'*Asahi Shimbun*, le "Journal du Soleil-Levant", quotidien très lu dans les milieux intellectuels japonais et connu pour ses prises de position pacifistes. Il baissa le volume de la musique.

— Ça y est, nous y sommes… Maintenant, on va bien se marrer. Il n'y a plus qu'à laisser faire.

Le communiqué et la vidéo de Taiji étaient disponibles dans leur intégralité. Il visionna le petit film.

Le rituel funèbre était toujours le même. Chaque automne, des bateaux de pêche longeaient les côtes de cette région à la recherche de groupes de dauphins. Une fois la horde repérée, les bateaux l'entouraient. En frappant sur des barres métalliques immergées aux extrémités en forme de pavillon, les marins constituaient des murs sonores qui encerclaient les cétacés et les assourdissaient. Comme des bergers conduisant leurs chiens de troupeaux, ils orientaient et déplaçaient ces murs mobiles pour pousser les dauphins privés de leurs sonars vers des criques peu profondes et éloignées des regards. La plupart étaient alors sauvagement harponnés et périssaient, vidés de leur sang, dans d'atroces souffrances. Les plus malchanceux finissaient sur les étals de supermarchés spécialisés de la région de Taiji. Ils étaient souvent vendus sous l'appellation *kujira* – baleine – dont la consommation est d'ailleurs peu recommandée, compte tenu du haut titrage en mercure de cette viande. Quelques "heureux" mammifères étaient épargnés, capturés vivants et revendus aux delphinariums pour le plus grand bonheur des enfants.

João et ses hommes avaient filmé tout le processus et étaient intervenus juste avant que la scène ne bascule dans l'horreur totale. Abel analysa son contenu : il n'y avait aucun moyen d'identifier ni les hommes, ni les bateaux, ni l'origine de la caméra utilisée. Les équipes de João avaient fait des merveilles.

Très rapidement, l'information fut reprise par l'*International Herald Tribune*, journal partenaire de l'*Asahi Shimbun*. Elle fut ensuite relayée par les journaux concurrents qui ne souhaitaient pas se laisser devancer, puis par les internautes eux-mêmes sur leurs réseaux sociaux. Le processus de réplication s'emballait. En moins d'une heure, la propagation exponentielle du message était achevée, il était accessible du monde entier.

L'effet d'amplification du Réseau avait permis un déploiement quasi automatique de forces. Abel était persuadé que ces images feraient mouche. Le destinataire du message allait avoir un réveil difficile. Et ce n'était que le début. Son téléphone sonnait avec insistance, mais il ne décrochait pas. Il jubilait et voulait encore profiter, seul, de cette nouvelle victoire.

Il enfila son costume et sortit, surexcité, de son bureau. Le soleil était au zénith dans le grand ciel bleu. En ce mois de novembre, l'air était encore très chaud, conséquence de la hausse des températures qui sévissait depuis des années. La vie en Arizona s'apparentait maintenant à un été perpétuel et Abel quittait rarement sa tenue favorite : tongs, bermuda camouflage et débardeur blanc qui dévoilait sa peau mate et ses muscles ciselés. Il faisait quelques exceptions et portait un costume pour les grandes occasions, comme la réunion de cet après-midi. Il dévala la colline désertique du campus en direction de la Grande Serre. En quelques instants, il fut en nage. De grosses gouttes perlaient le long de ses tempes, faisant reluire les os saillants de son crâne, bien visibles sous ses courts cheveux noirs.

Juste derrière le sas d'entrée de la Grande Serre, il tomba nez à nez avec sa femme. Abel s'était finalement résigné à se marier quelques années auparavant, après avoir fait jurer à Lucy qu'ils n'auraient pas d'enfants tout de suite. Elle était accompagnée d'un groupe de jeunes chercheuses et chercheurs, tous mal à l'aise dans leurs beaux habits qui sentaient le neuf ou la naphtaline. Elle semblait très remontée contre lui.

— Qu'est-ce que tu faisais encore enfermé dans ton bureau ? l'interpella Lucy. La délégation du département de l'Agriculture arrive dans quelques heures et nous n'avons toujours pas répété la présentation.

Elle savait pertinemment qu'il avait un goût prononcé pour l'improvisation et détestait les répétitions. Lucy et Abel étaient les fondateurs de Biosphere Economics, société spécialisée dans les études environnementales et économiques, anciennement dénommée Alcatraz Consulting. Ils rendaient en fin d'après-midi les conclusions d'une de leurs plus importantes missions analysant l'impact du réchauffement climatique sur l'agriculture américaine. Lucy voulait que tout soit parfait, d'où son impatience.

Abel contempla sa femme : pour l'occasion, elle avait revêtu un tailleur très chic et avait attaché ses longs cheveux blonds. Vu leurs mines ébahies, qui rappelaient celle du loup libidineux de Tex Avery, ses collègues masculins étaient suspendus à son charme. Lui aussi.

— Je suis navré. Rassurez-vous, tout va bien se passer, répondit calmement Abel. Je vous ai entendus frapper à ma porte mais je voulais rester un peu seul pour suivre les derniers préparatifs de la mission Columbus 11. La fusée qui emmène Paul ne va pas tarder à décoller. On regarde ça tous ensemble et après on se prépare, OK ?

Lucy râla mais capitula. Abel l'avait énervée, mais il savait trouver les mots pour la calmer. Ils rameutèrent tout le campus à l'aide d'un des micros qui équipaient la serre. Les employés de Biosphere Economics connaissaient tous Paul Gardner, l'ami d'enfance du patron, qui leur avait rendu plusieurs visites ces dernières années.

— Une fois la présentation terminée, annonça Abel au micro, on fera une grande fête ce soir pour célébrer tout ça.

Un grand cri de joie se fit entendre de toute part. Abel saisit amicalement l'un des employés par l'épaule et d'un pas rapide, il se dirigea vers le grand auditorium pour suivre cet événement historique.

JOUR 1, *SPACEBLOG* DE PAUL GARDNER, SITE INTERNET DE LA NASA

Ça y est ! Mon rêve, notre rêve, s'est enfin réalisé ! Grâce à vous ! Après toutes ces années d'entraînement et d'attente, me voilà dans l'espace ! Merci !

Je n'arrive pas à sécher mes larmes. La beauté du spectacle est trop violente. La Terre défile sous moi et dévoile ses charmes, un à un. Elle est belle, merveilleusement belle. Sereine. Vaste, infiniment vaste et pourtant à la fois si petite : à 400 kilomètres d'altitude où je me trouve, je peux d'un coup d'œil apercevoir un pays ou même un continent.

Les paysages sont plus majestueux les uns que les autres et changent sans cesse. Notre capsule effectue un tour de la Terre en moins d'une heure et demie. À cette allure, si vous quittez des yeux le hublot quelques minutes, ce n'est plus l'Afrique qui vous fait face mais l'océan Indien. Les étendues de sable doré cèdent par magie leur place aux eaux turquoise, aux sommets enneigés, aux étendues de forêts verdoyantes… La diversité des couleurs de notre planète est prodigieuse.

D'ici, la vitesse est pourtant imperceptible. La cadence paraît au contraire apaisante, lancinante, berçante. La contemplation de la Terre nous entraîne dans de longues séances de méditation. Nous ne sommes malheureusement que quelques centaines à avoir eu la chance d'admirer ce diaporama enchanté.

Si nous n'avions pas du travail (et nous en avons !), je pourrais passer les prochaines heures, devant le hublot, à regarder tourner la Terre.

En observant l'extérieur, nous en oublions presque l'exiguïté de notre capsule et notre état physique médiocre. À l'exception de Gary, nous souffrons tous du mal de l'espace. Celui-ci est provoqué par un dérèglement du système vestibulaire de l'oreille interne. Cette minuscule cavité tapissée de cils renferme des cristaux microscopiques – les ocotonies – qui, en apesanteur, flottent et empêchent le cerveau de connaître l'orientation du corps. Ça passera d'ici quelques jours.

Il faudra également que je me remette de l'angoisse et de l'émotion du décollage. Pendant les longues heures d'attente, enserré dans ma combinaison orange, j'ai eu très peur, très peur de la mort. Le film de ma vie a défilé et j'ai pensé à mes proches. J'essayais d'imaginer ce qui m'attendait d'extraordinaire là-haut, mais mon cerveau ne parvenait pas à lâcher prise. Mon instinct de survie s'opposait à ce décollage si peu naturel pour un humain. J'arrivais juste à exécuter machinalement les commandes. J'attendais avec impatience le compte à rebours libérateur, espérant qu'il ne soit pas interrompu. Tout se déroula comme prévu. Les équipes de Bill Wright ont réalisé un travail extraordinaire.

À la fin du décompte, j'ai ressenti une force colossale dans mon dos, qui s'accompagnait d'un grondement à la fureur inconnue. Puis, comme par magie, l'édifice de près de mille tonnes a commencé à s'élever. La poussée m'a cloué littéralement à mon siège. Ascension lente tout d'abord, puis la vitesse a augmenté de façon exponentielle. Par l'ouverture, je pouvais voir la couleur du ciel changer et passer par les teintes psychédéliques qu'avait observées Gagarine pour la première fois, il y a cinquante ans :

"Notre planète est nimbée de bleu. Un bleu qui s'assombrit vers le zénith. Turquoise, outremer, indigo, violet puis noir." Après seulement huit minutes de vol, les moteurs se sont tus. Nous étions parvenus en orbite, notre ballet spatial pouvait commencer.

Même si de nombreux dangers sont encore devant nous, l'appréhension qui nous serrait les tripes a disparu. La tension accumulée s'est libérée.

Je vais maintenant aller me reposer et méditer sur cette journée inoubliable. Demain, j'effectuerai ma sortie extra-véhiculaire et il faut que je sois en forme ! Ça va être dément. Merci encore à vous tous de m'avoir choisi et permis de réaliser mon rêve. Je m'efforcerai d'être digne de votre confiance.

À demain !

JOUR 2, PALAIS KANTEI, RÉSIDENCE OFFICIELLE DU PREMIER MINISTRE, TOKYO, JAPON

Mystérieux parallélépipède, le palais Kantei combinait harmonieusement des matériaux évoquant les cinq éléments. Le granite symbolisait le lien avec la terre, la force et la solidité. Les cascades qui se déversaient dans les jardins représentaient l'agilité, le mouvement et l'élément liquide. Les murs en argile rouge évoquaient la ferveur et le feu. La forêt de bambous, poumon du bâtiment, incarnait la croissance, la respiration et le vent. Les grandes structures en verre, matérialisation du vide, parachevaient ce chef-d'œuvre et donnaient légèreté et transparence à l'imposant bâtiment.

Au cœur du palais, dans la salle du Conseil, le Premier ministre japonais Masataka Akamatsu s'entretenait avec les membres du gouvernement, réunis en session extraordinaire. Le groupe éco-terroriste Gaïa venait de revendiquer une attaque survenue la nuit précédente à Taiji contre des navires japonais. Les embarcations, qui se livraient à la traditionnelle pêche aux dauphins, avaient été coulées. Les marins, retrouvés au large sur un canot de sauvetage, avaient été ligotés à des dauphins pneumatiques pour enfants et barbouillés de peinture rouge. Le film du massacre ainsi que le communiqué que les ministres étaient en train d'analyser, risquaient d'être embarrassants pour le Japon.

Communiqué Gaïa – Taiji
À l'attention du Premier ministre
Masataka Akamatsu

Chaque année, vingt mille dauphins périssent au sud du Japon avec votre bénédiction. Les conditions dans lesquelles ils sont exterminés sont insoutenables et seront contestées par la grande majorité de votre peuple, quand celui-ci en prendra connaissance. Gaïa a puni ces pêcheurs. Si ces massacres ne cessent pas maintenant, nous promettons de frapper encore plus fort ceux pour qui ils travaillent.

Gaïa demande au gouvernement japonais d'abandonner dès aujourd'hui la chasse aux cétacés et de promouvoir, en substitution, le tourisme basé sur leur observation. Afin d'accélérer cette transition, Gaïa encourage également le peuple japonais à renoncer à la consommation de ces viandes et à boycotter les delphinariums qui n'informeraient pas le public sur l'origine de leurs cétacés.

D'autres actions de Gaïa suivront dans les prochains jours.

Furieux, le Premier ministre Akamatsu prit la parole :

— Ce communiqué me vise directement. Il a déjà eu des répercussions importantes, nous devons y remédier dans les plus brefs délais. Messieurs Hondô et Shimazu, nous vous écoutons.

— La nouvelle s'est propagée très rapidement sur Internet la nuit dernière, indiqua Hondô, ministre de l'Intérieur. Des groupes de manifestants se sont réunis tôt ce matin devant les supermarchés de Taiji qui vendent de la viande de dauphin et de baleine. Des émeutes ont éclaté dès l'ouverture des magasins. Il y a également de l'activité autour des delphinariums de l'archipel, qui n'ont d'ailleurs pas pu ouvrir leurs portes.

— À l'étranger, l'information a également été largement relayée et les images ont été diffusées sur les principaux réseaux de télévision, poursuivit Shimazu, ministre des Affaires étrangères. Des appels à manifester demain devant nos ambassades dans les grandes capitales ont été lancés et des dégradations matérielles sont à craindre. L'image de notre pays pourrait s'en voir fortement ternie. Le président français, qui ne rate jamais une occasion de s'exprimer, vient déjà de lancer un appel pour que cesse le massacre des cétacés.

Akamatsu se mit à pester. Il se leva et fit quelques pas à travers la salle du Conseil en direction de la fenêtre. Il plaça ses mains sur ses hanches et contempla les jardins du palais pendant de longs instants. Il était à la tête du gouvernement japonais depuis peu. Dans ce pays où le Premier ministre était rarement maintenu longtemps, il se sentait menacé. En dépit de son jeune âge – il n'avait pas cinquante ans –, il avait convaincu les membres de la Diète de le placer à ce poste. Son charisme, sa détermination et ses manières élégantes de dandy les avaient séduits. Mais la Diète était facilement influençable, notamment par l'opinion internationale.

— N'est-ce pas le moment de faire un geste sur la chasse aux cétacés ? questionna du bout des lèvres Kawaguchi, ministre de l'Environnement.

Akamatsu essaya de rester calme, mais son visage vira au rubicond. Contrairement aux activistes de Gaïa, Kawaguchi ignorait les raisons de l'attachement obstiné de son supérieur à cette tradition.

Taiji avait été, quatre siècles plus tôt, le berceau de la chasse traditionnelle aux cétacés. Un puissant cartel de chasseurs de baleines, le *kujira-gumi*, s'y était formé et avait développé les bases de la pêche collective au harpon et au filet. Au début de l'ère Meiji, cette pratique prit fin à la suite d'un dramatique naufrage. À la veille de Noël, le 24 décembre 1878, une grosse baleine franche et son petit avaient été repérés depuis la côte. Les embarcations du *kujira-gumi* prirent la mer et à la tombée de la nuit les deux spécimens furent vaincus. La traque avait éloigné les embarcations vers le large où elles furent surprises par une violente tempête. Les bateaux furent dispersés en haute mer ; certains parvinrent à retrouver la terre après plusieurs mois de dérive, mais la plupart ne revinrent jamais. La baleine franche et son petit furent érigés en tabous dans la région. Le *kujira-gumi* n'était plus : certains marins de Taiji mirent fin à leur activité tandis que d'autres se reconvertirent dans la pêche côtière, des dauphins notamment. Parmi les victimes du naufrage, il se trouvait un dénommé Tokichiro Akamatsu, l'arrière-arrière-grand-père du Premier ministre. Dans sa famille, on avait toujours été partagé entre un profond respect pour ces grands mammifères marins et une haine viscérale à leur égard. La tragédie de la baleine franche était gravée dans l'inconscient collectif d'une partie du Japon et expliquait peut-être l'acharnement de ce pays contre ces créatures majestueuses.

Si la chasse traditionnelle avait pris fin à Taiji, la chasse industrielle y était également apparue vingt ans après, lorsqu'un dénommé Jura Oka rapporta de Norvège la technique du canon lance-harpon. Depuis, les cétacés n'avaient eu aucune chance de s'en sortir. À moins que…

— Jamais ! rugit Akamatsu qui émergea de ses réflexions. La chasse à la baleine occupe une place trop particulière pour le peuple japonais.

Jadis, la capture d'une baleine pouvait apporter la prospérité à plusieurs villages. Après la Seconde Guerre mondiale, grâce aux baleiniers fournis par les Américains, sa chair riche en protéines avait permis à de nombreux Japonais de subsister.

— La baleine, reprit le Premier ministre, incarne la relation avec ce qui nous dépasse, la capacité à surmonter les forces de la nature. Notre peuple a plus que jamais besoin de ces valeurs pour surmonter la crise économique à laquelle il fait face. L'enjeu dépasse donc largement le maintien de la consommation de viande de baleine.

Humilié par l'assaut violent porté par Akamatsu, Kawaguchi, le ministre de l'Environnement, baissa le regard.

— Vous allez trouver les responsables de ces actes et démanteler ce groupe. Ce sera également un signal fort envoyé au peuple. Le Japon ne se fait pas dicter sa politique intérieure par des éco-terroristes, comme vous les appelez, qui utilisent la peur comme arme. Personne ne me fera plier sur cette question.

Les ministres se regardèrent avec un air perplexe en attente d'instructions plus précises. Pour lui permettre de se rattraper, Akamatsu demanda à Kawaguchi d'exposer rapidement l'état des connaissances sur Gaïa.

Kawaguchi activa le projecteur mural et fit défiler des coupures de presse. Le groupe n'était pas uniquement mobilisé autour de la protection des cétacés. Deux mois auparavant, des marins japonais avaient déjà été arrêtés dans les eaux des Comores alors qu'ils traquaient le cœlacanthe, poisson préhistorique quadrupède d'une extraordinaire rareté et aux vertus supposément aphrodisiaques. Ils avaient été retrouvés en haut d'une grue sur le port de Moroni, enfermés dans le sous-marin de poche. Ils l'avaient utilisé pour plonger à plusieurs centaines de mètres de profondeur, là où les cœlacanthes vivaient paisiblement depuis des centaines de millions d'années avant que l'on vienne les déranger. Gaïa ne s'en prenait pas non plus qu'au Japon.

Ils avaient récemment stoppé des braconniers chinois qui pistaient les derniers pandas du Sichuan, puis les avaient relâchés nus, le corps et les yeux maquillés en panda, dans la vitrine d'un magasin de jouets sur l'une des grandes avenues de Shanghai. Les enfants avaient beaucoup ri.

Oïshi, ministre de la Défense, compléta la présentation de Kawaguchi. L'engagement de Gaïa allait au-delà de la protection de la biodiversité et des espèces en voie de disparition. Le groupe, apparu il y a seulement six mois, avait également revendiqué une série d'actions très diverses et de grandes ampleurs à travers le globe. Début septembre, les activistes de Gaïa avaient enlevé le PDG d'un fabricant de mobilier en bois précieux. Ils l'avaient libéré à Manaus, au Brésil, devant les chaînes locales de télévision, dans une zone où une forêt d'acajou avait été déboisée illégalement par son entreprise. Depuis, le cours de Bourse de la société s'était effondré. Fin septembre, un armateur grec était à son tour enlevé et déposé par hélicoptère en Méditerranée dans une nappe de fioul issue d'un dégazage en mer d'un de ses porte-conteneurs. Il avait ensuite été abandonné sur le port du Pirée à Athènes, mazouté et recouvert de plumes, devant les flashs et les quolibets des journalistes. En octobre, juste avant la visite du président russe, Gaïa pénétra dans un des ports militaires de la mer de Barents, qui servait de dépotoir aux anciens sous-marins nucléaires soviétiques, pour y organiser un grand feu d'artifice, conduisant les autorités à enfin financer le démantèlement de ces vaisseaux.

— Ce groupe est visiblement très bien organisé et sait se servir des médias pour parvenir à ses fins, convint Akamatsu d'une voix songeuse.

— Oui, Monsieur le Premier Ministre. La nature symbolique de leurs actions et le soin apporté à leur mise en scène ont valu à Gaïa une très importante couverture médiatique, répondit Kawaguchi. Malgré la nature extrême de ses méthodes, le groupe jouit aujourd'hui d'une forte popularité, notamment auprès des adolescents qui s'arrachent les tee-shirts avec son sigle.

Le ministre de l'Environnement se leva et apporta à Akamatsu une de ces tenues portant l'emblème du Groupe Gaïa, un disque blanc entouré d'une mystérieuse couronne bleue.

Akamatsu saisit le tee-shirt et l'inspecta. Il le serra ensuite très fort dans son poing comme s'il cherchait à le broyer. Ses ministres l'observaient avec circonspection. Les traits de son visage se détendirent à nouveau. Il retrouva son calme et ajusta son costume croisé. Il haussa les épaules puis invita Kawaguchi à présenter les autres informations dont il disposait sur le fonctionnement de l'organisation.

Il n'y avait pas grand-chose. À vrai dire, il n'y avait même rien. L'éloignement géographique et la variété des différentes cibles avaient bloqué l'avancement de tous les services de police et de renseignement. Gaïa ne semblait liée à aucun État ni à aucun mouvement religieux. Elle se présentait elle-même comme une organisation planétaire visant à punir tous ceux qui nuisaient à l'équilibre de la biosphère au sens large. Les organisations écologistes, même les plus virulentes, avaient décliné tout lien avec ce groupe. Kawaguchi semblait néanmoins persuadé que Gaïa recrutait ses sympathisants parmi ces cercles ou bien ceux des mouvements altermondialistes.

— Pourquoi ce nom, Gaïa ? interrogea Akamatsu.

— C'est le nom que porte la déesse grecque représentant la Terre-mère, lui répondit le ministre de l'Environnement. Mais l'organisation s'identifie surtout à "l'hypothèse Gaïa", introduite par le chimiste anglais James Lovelock en 1969. Selon cette hypothèse, l'ensemble des êtres vivants qui peuplent la Terre – de la bactérie au requin-baleine en passant par l'orchidée – constituerait un vaste organisme complexe au sein duquel tout serait relié à tout. Ce réseau, véritable être vivant, aurait la capacité d'évoluer et de s'adapter aux variations qui mettent son équilibre en péril à l'aide de processus d'autorégulation. Depuis des milliers d'années, la Terre maintiendrait donc elle-même les conditions favorables à la poursuite du développement de la vie. Le mouvement Gaïa proclame être l'un de ces processus d'autorégulation.

Akamatsu leva la séance. Le Japon avait un nouvel ennemi.

JOUR 2, JOHNSON SPACE CENTER, TEXAS, ÉTATS-UNIS

Après le lancement réussi de la veille, le président Carlson fut partiellement soulagé et s'envola avec Bill Wright pour Houston, où se trouvait le centre de contrôle des missions de la NASA. Il avait alors félicité l'ensemble des ingénieurs et échangé quelques mots avec les quatre astronautes en orbite. Il était ensuite rentré à son hôtel et n'avait pu trouver le sommeil qu'en recourant à de puissants somnifères. Il était devenu très dépendant de sa pharmacie. Depuis des mois, à cause des préparatifs de la mission Columbus 11, mais surtout du plan Aleph, Carlson n'était plus dans son état normal. Le lion avait perdu de sa superbe. Il jouait gros, peut-être même trop gros.

Il se réveilla dans un état vaseux, mais ordonna qu'on le conduise quand même à la salle de contrôle du Johnson Space Center. Quand il y pénétra, une image impressionnante occupait l'écran géant : un astronaute s'affairait autour de la capsule, seul dans l'espace avec la Terre en arrière-plan. Les ingénieurs étaient sereins, mais Carlson lui s'inquiéta. Le moindre problème déclenchait chez lui des poussées d'angoisse, de paranoïa. Les battements de son cœur s'accélérèrent. Il fouilla dans la poche intérieure de sa veste, sa boîte de médicaments était là. Cela le rassura.

Au pied de l'écran, le président aperçut Bill Wright, le maître des lieux. Il s'entretenait avec un homme au physique fluet rappelant Woody Allen et qui portait des lunettes extravagantes. Cet individu détonnait dans cet univers studieux et policé d'ingénieurs et de scientifiques. Accompagné de ses gardes du corps, Carlson s'approcha du petit groupe.

— Bonjour Bill, bien reposé ?

— Bonjour, Monsieur le Président. La nuit a été très bonne mais plutôt courte. J'ai passé les dernières heures avec les équipes ici. Ce n'est pas tous les jours que les États-Unis envoient des hommes sur la Lune, alors j'en profite !

Carlson tira son ami à l'écart.

— Dites-moi, Bill, c'est normal, cet astronaute à l'extérieur ? interrogea-t-il sur un ton qui parvenait à peine à masquer son affolement.

Le patron de la NASA sentit que le président n'était pas dans son état normal. Il savait à quel point cette mission était importante pour lui, ou du moins croyait-il le savoir.

— Oui, Monsieur le Président, c'est normal, rassurez-vous, cela fait partie de la mission. Notre Paul Gardner est actuellement en sortie extravéhiculaire et inspecte la capsule pour s'assurer qu'elle n'a pas été endommagée lors du décollage. Depuis l'accident de la navette Columbia en 2003, cela fait partie de nos procédures. Dans une demi-heure, il devrait avoir terminé et il rejoindra les trois autres membres de l'équipage à l'intérieur.

Le président Carlson, apaisé, admira la scène. Il était stupéfait par l'agilité de cet homme en scaphandre qui se déplaçait sans hésitation, alors qu'il orbitait à 28 000 kilomètres à l'heure autour de la Terre, avec un vide de 400 kilomètres sous lui. C'était la première fois qu'il contemplait avec attention ce spectacle, auquel l'inconscient de l'homme moderne s'était accoutumé. Les exploits réalisés par ces explorateurs de l'espace étaient impressionnants et justifiaient peut-être les budgets colossaux pour lesquels il s'était tant battu. Finalement pour un gagnant de jeu télévisé, ce

Paul Gardner se débrouillait plutôt bien. Carlson, qui avait facilement le vertige, se dit qu'il n'aurait jamais pu être astronaute. Il était en revanche parfaitement à l'aise dans le microcosme redoutable de la capitale fédérale.

— Tout se déroule parfaitement, reprit Bill Wright. Les astronautes ont passé leur première nuit en orbite et ils vont prochainement arrimer leur capsule au module de transfert mis en orbite par Athena V, il y a quelques jours. Ils mettront alors en marche les réacteurs, quitteront l'orbite terrestre et entameront leur voyage vers la Lune.

— Êtes-vous aussi confiant pour la suite ?

— Oui, Monsieur le Président, les prochaines phases sont beaucoup moins délicates que le décollage, expliqua posément Bill Wright. La capture par le champ gravitationnel lunaire et l'alunissage présentent encore quelques risques, ce qui nous laisse quatre journées de relative tranquillité. Après cela, il faudra encore ramener nos astronautes jusqu'ici.

— Parfait, soupira Carlson. Les réactions des médias m'ont l'air à la hauteur de nos attentes.

— Oui, pour l'instant, c'est un succès phénoménal. Le décollage a été retransmis par toutes les télévisions du monde et les messages de soutien affluent des quatre coins du globe. Aux États-Unis, l'accueil est excellent. Le peuple s'identifie complètement aux astronautes. Nous avons battu des records d'audience sur le blog de Paul Gardner. Son post a été partagé des dizaines de millions de fois sur les réseaux sociaux. Tout comme le premier épisode du programme télévisé quotidien que réalise Stan Q pour NASA TV.

Ce nom provoqua un déclic chez le président. Bill Wright se tourna vers l'homme portant les lunettes aux montures excentriques qui se tenait à ses côtés.

— Monsieur le Président, je souhaitais d'ailleurs vous présenter Stanley Cunningham.

— Monsieur Cunningham, ravi de faire votre connaissance, lança Carlson en lui serrant vigoureusement la main. J'ai vu tous vos films et c'est une chance de vous avoir à nos côtés pour immortaliser ces heures historiques pour notre nation.

Stan Q fut honoré par les compliments du président et échangea quelques mots avec lui. Il était le réalisateur de films de science-fiction le plus en vue d'Hollywood.

La NASA avait fait appel à lui pour scénariser le retour sur la Lune et le présenter de la façon la plus esthétique et ludique possible. Stan Q, qui était lui-même passionné par l'espace – il était l'un des riches passagers à bord du premier vol suborbital privé – avait évidemment répondu favorablement à l'appel de la NASA. Maintenant que tous les foyers américains étaient équipés d'écrans en haute définition, il fallait leur livrer des images du retour sur la Lune plus spectaculaires que celles des productions hollywoodiennes. On lui avait également assigné comme objectif de transformer ces astronautes en véritables stars, auxquelles les Américains pourraient s'identifier.

À l'heure où ils conversaient, la moitié de l'Amérique prenait son petit déjeuner en admirant les acrobaties de Paul Gardner. En clin d'œil à *2001 l'Odyssée de l'espace*, *Le Beau Danube bleu* de Johann Strauss accompagnait ces images de ballet cosmique. Le réalisateur avait insisté auprès de la NASA pour que Paul Gardner "joue ce rôle". Bill Wright précisa ce point à Carlson.

— Monsieur Stan Q, grâce à vous, le grand public en a pour son argent. Les Américains aiment se distraire !

Quand Carlson s'était attelé, au début de son premier mandat, à concrétiser le retour des Américains sur la Lune avec l'aide de Bill Wright, il s'était heurté à l'opposition des contribuables dont l'intérêt pour l'espace s'était émoussé. Pour Kennedy, cela avait été simple. En 1961, il y avait les

Russes, la Guerre froide, la Bombe H, Spoutnik, Gagarine et surtout l'excitation d'envoyer un homme sur ce caillou qui nous narguait depuis des millions d'années. Il lui avait presque suffi de claquer des doigts pour que le Congrès lui signe un chèque en blanc. Quand il avait agité le chiffon rouge chinois pour la première fois, Carlson n'avait, lui, rencontré que des yeux ronds et une indifférence générale. Les Chinois ne faisaient pas peur aux Américains affalés devant leurs postes de télévision et ils avaient tort. Il avait ensuite essayé de démarrer une campagne de diabolisation des Chinois en s'adressant à certains producteurs d'Hollywood, mais on l'avait vite arrêté car des pans entiers de l'économie américaine dépendaient du régime de Pékin. L'argument de l'hélium 3 avait été encore moins vendeur auprès du grand public, les retombées économiques de ce nouvel eldorado n'étant pas visibles avant des décennies. Carlson avait compris peu à peu pourquoi son prédécesseur avait échoué à obtenir les budgets nécessaires pour le programme Constellation. Mais il n'était pas un homme qui lâchait facilement. C'était un véritable pitbull et il avait choisi finalement, avec l'accord de Fox, d'opter pour une stratégie de rupture.

Prenant les Américains au mot, le président avait annoncé avec grand fracas l'abandon du programme Constellation, trop marqué par les errements de la précédente administration. Les contribuables avaient salué cette initiative, même si dans les faits, elle n'avait réduit que de façon infinitésimale le déficit abyssal creusé par la crise économique et les guerres dans lesquelles le pays était toujours engagé. Cette décision radicale avait mis du même coup un temps d'arrêt indéterminé aux vols habités américains : la NASA comptait en effet sur Constellation pour succéder à la navette spatiale, qui effectuait ses derniers vols.

Pour parvenir à son objectif, Carlson s'était ensuite attelé à dégrader les relations avec Pékin. En quelques mois, il avait autorisé des ventes d'armes à Taïwan et accepté de rencontrer le dalaï-lama. Pékin s'était montré plus menaçant et ce changement d'attitude avait marqué l'inconscient collectif. En parallèle, les Chinois avaient continué à dérouler avec arrogance leur programme lunaire. Au bout de quelques mois seulement, les Américains avaient réalisé avec stupeur que leur pays s'était privé des moyens de les contrer.

Capitalisant sur cette atteinte à la fierté nationale, Carlson avait dévoilé le programme Odyssey, réplique ambitieuse de Constellation. Pour relancer l'économie, Odyssey faisait en apparence davantage appel au secteur privé. En pratique, les exigences techniques et les délais demandés avaient été tels que seuls les plus gros industriels avaient pu concourir. Sans surprise, le groupe CorFox s'était taillé la part du lion dans ces budgets dont quelques miettes seulement furent attribuées à des start-up californiennes. Au passage, la société du milliardaire avait développé, grâce à l'argent du contribuable, la technologie pour bâtir une véritable chaîne logistique entre la Terre et la Lune, qui permettrait un jour d'exploiter l'hélium 3 lunaire.

Comme dans tout autre domaine, la nouveauté et l'amusement étaient désormais exigés. Pour achever de convaincre les citoyens, les équipes de communication du président avaient donc dû faire fonctionner leur imagination. Dès le départ, l'idée de placer une femme à la tête de la première mission Columbus s'était imposée. Le choix d'Eileen Johnson avait ravi les ménagères américaines, qui voyaient en elle le modèle de ce qu'elles auraient toutes voulu avoir : un travail à faire mourir d'envie tous les hommes et une vie de famille épanouie. Mais cela n'était pas suffisant. Il fallait également représenter les minorités ethniques hispaniques et afro-américaines qui constituaient une part très importante de la population. Le lieutenant Emilio Garcia et le professeur Scott Hugues avaient donc été sélectionnés. Par la suite, le lieutenant Garcia avait été remplacé au pied levé par le major Gary Tyler qui n'avait pourtant qu'un quart de sang mexicain. On dit qu'il avait été nommé sur demande spéciale du président, qui d'habitude n'intervenait jamais dans les choix de la NASA.

Cet équipage bigarré n'avait néanmoins pas emporté l'adhésion des jeunes électeurs, qui ne comprenaient pas pourquoi on s'efforçait de reproduire à grands frais les exploits techniques de leurs grands-parents. Pour les impliquer, la NASA avait lancé *Moon Walk*, sa grande émission inspirée de la téléréalité, pour sélectionner l'envoyé des Américains. Plus de cinq cent mille candidats des deux sexes avaient postulé. À l'issue d'une batterie interminable de tests psychologiques, physiques et intellectuels, Paul Gardner s'était retrouvé parmi la liste des vingt astronautes potentiels soumis au choix des téléspectateurs. Les Américaines et les Américains avaient tout de suite été séduits par ce jeune et beau garçon, simple, rêveur et un peu sauvage. Après de brillantes études d'astronomie à l'Institut de technologie de Californie ("Caltech"), il s'était accordé une année sabbatique où il était parti seul en Europe. Il avait ensuite choisi de retourner vivre au grand air, aider ses parents dans la ferme familiale du Colorado et s'adonner pleinement à sa passion : observer la Voie lactée depuis les Rocheuses, loin des halos lumineux des grandes villes. Son amour très communicatif du ciel, son naturel, son enthousiasme permanent et son sourire angélique le distinguaient des autres bêtes de concours insipides. À tel point que ce garçon aux airs du *Petit Prince* remporta le vote collectif sans coup férir. Après l'émission, il s'était attelé à la tâche avec une application immense. En quatre ans, il devint même l'un des meilleurs astronautes que Houston ait connus, car il s'agissait bien de former un véritable professionnel et non pas un énième touriste spatial. Les étapes de sa préparation avaient été suivies pas à pas par les Américains à la télévision et via son blog, leur faisant redécouvrir la difficulté et la beauté de ce métier. Il était aujourd'hui une star et Stan Q avait donc déjà rempli une partie de son contrat. Le recours aux services du réalisateur était d'ailleurs la dernière pièce du dispositif de communication orchestré par le président et la NASA.

Robert Carlson aperçut Mike Prescott qui lui faisait des signes depuis l'extérieur de la salle de contrôle. Il regarda l'heure, Prescott était en avance. Son cœur se mit à nouveau à palpiter. Il demanda à ses interlocuteurs de bien vouloir l'excuser.

— Mike, vous voilà bien matinal ! Rien de grave, j'espère ?

— Non Monsieur le Président, je voulais juste vous donner quelques nouvelles de nature à vous revigorer.

— Allez-y, je vous écoute.

— Les Chinois viennent de déplacer leur lanceur Long March 5 sur le pas de tir de la base spatiale de Wenchang, sur l'île de Hainan. D'après nos services de renseignements, leurs taïkonautes ne devraient prendre le chemin de la Lune que dans trois semaines.

— Dommage pour eux, souffla Carlson. L'essentiel était de partir les premiers… Et ils ne sont pas au bout de leurs peines !

Les Japonais, les Indiens, les Russes, les Européens ainsi que les compagnies privées qui s'étaient lancées dans la course vers la Lune avaient tous au moins deux ans de retard. Personne, mis à part les États-Unis, n'avait réussi à suivre le rythme imposé par Pékin. Le secrétaire à la Défense regarda le président en acquiesçant par de longs hochements de tête. Ils affichaient tous les deux un rictus carnassier.

Carlson se retourna une dernière fois vers les images de l'astronaute suspendu dans le vide sidéral, puis ils quittèrent le centre spatial de Houston. Il était temps pour eux de partir pour Hawaï.

JOUR 2, BIOSPHERE 2, ARIZONA, ÉTATS-UNIS

Attablés avec leurs collaborateurs, Lucy et Abel prenaient un petit déjeuner tardif à la terrasse de la cafétéria de Biosphere Economics. Sous les rayons du soleil de cette fin de matinée, ils finissaient tranquillement leur café. La délégation du département de l'Agriculture devait revenir pour une visite de la Grande Serre de Biosphere 2 et Abel avait donc dû repousser, à son grand dam, la fête prévue la veille. Après leur départ, ils pourraient tous célébrer dignement la fin du projet pour le département de l'Agriculture ainsi que le décollage réussi de Columbus 11. Les fêtes de Biosphere Economics étaient mythiques.

À côté de Lucy se trouvait Mark, son stagiaire néo-zélandais qui, comme tout le monde, avait été stupéfait par les résultats de l'étude qu'ils avaient présentée la veille. On avait longtemps cru que le réchauffement climatique doperait l'agriculture américaine. Les tests menés sous la Grande Serre avaient confirmé que le rendement des plantes serait accru par les températures plus clémentes, et aussi par l'augmentation du taux de dioxyde de carbone qui accélérerait le processus de photosynthèse. Mais les équipes de Biosphere Economics avaient montré que les plantes issues de ce cycle accéléré seraient plus pauvres en nutriments, donc d'une valeur marchande moindre. Mark avait, pour sa part, mis en évidence que pour compenser la hausse des températures à venir, une grande partie du territoire américain devrait être équipée de systèmes d'irrigation, ce qui renchérirait considérablement le coût des cultures, déjà largement subventionnées. D'autres de ses collègues avaient prouvé qu'il faudrait déplacer certaines cultures ; par exemple les vignobles californiens devraient être réimplantés dans l'Oregon, avec des difficultés aisément imaginables. Le réchauffement climatique n'était donc pas une si bonne affaire pour les agriculteurs, électeurs influents dans de nombreux États du Centre. Les représentants du département de l'Agriculture étaient retournés complètement dépités vers leur hôtel de Tucson, la grande ville voisine.

De la terrasse, Abel vit arriver la file des voitures de la délégation et partit les accueillir au parking. Pour lui comme pour les autres, aujourd'hui, pas de costume. Les envoyés de Washington avaient insisté pour voir les chercheurs à l'œuvre, au naturel. Abel les avait prévenus. Ils furent néanmoins surpris de le découvrir dans sa tenue habituelle : bermuda camouflage et débardeur. Abel cachait ses yeux sous de larges lunettes de soleil. Le réchauffement climatique avait parfois du bon.

Il commença la visite de la Grande Serre. Lucy lui avait laissé cette corvée en guise de punition pour son retard la veille à la répétition. Cela lui était égal, car il aimait cette biosphère artificielle plus que tout et adorait partager sa passion, même avec des hauts fonctionnaires de Washington. Il fit entrer ses visiteurs par le sas latéral. À l'intérieur régnait une atmosphère chaude et humide.

— Ce que vous voyez là est ce qui reste de l'expérience de Biosphere 2. Autrefois, c'était une arche de Noé immobile qui abritait 3 800 espèces animales et végétales savamment sélectionnées. Elles étaient réparties sous ce dôme dans sept écosystèmes qui permettaient, en théorie, aux ressources de se reconstituer indéfiniment : océan, marais d'eau salée et d'eau douce, savane, désert, forêt tropicale et une zone agricole accolée aux habitats. Car des hommes et des femmes vivaient ici, j'y reviendrai. Le cycle de l'eau était reproduit et des pluies s'abattaient régulièrement sur les plantes de la serre. Je vais vous montrer certains de ces écosystèmes, suivez-moi.

Abel les conduisit jusqu'au mini-océan.

— Qu'est-ce que fait le plongeur à l'intérieur ? demanda une vieille femme au teint blafard qui tenait une pile de dossiers sous son bras.

— Il plonge, répondit-il ironiquement. Non, plus sérieusement, l'océan contient 2,5 millions de litres d'eau salée et surtout un récif corallien que les créateurs du projet avaient fait venir des Caraïbes. En modulant le taux de dioxyde de carbone dans l'atmosphère de la serre, nous mesurons la proportion qui se retrouve absorbée dans l'océan et nous regardons ensuite l'effet sur le corail.

— Sur le corail, pourquoi donc ? questionna à nouveau son interlocutrice.

La vieille femme était probablement plus habituée dans son ministère au calcul des rendements des fermes de l'Arkansas qu'aux problèmes des coraux qui évoquaient plus certainement pour elle des bijoux ou des objets de décoration. Abel adorait ce genre de questions.

— Tout d'abord, permettez-moi de vous rappeler que le corail n'est pas un minéral, mais un animal. Sa longévité est extraordinaire puisqu'il peut vivre plusieurs centaines, voire milliers d'années. Aucun animal sur terre ou dans la mer n'a une telle durée de vie. La Grande barrière de corail en Australie, avec ses 2 600 kilomètres de long, est donc la plus grande structure vivante de notre planète. Elle est visible depuis l'espace. Nos astronautes sont peut-être en train de l'admirer en ce moment. Je les envie.

L'assemblée se mit à rire.

— Les récifs coralliens sont des forêts sous-marines gigantesques, continua Abel. Il s'agit d'écosystèmes très complexes au sein desquels de nombreuses espèces vivent en symbiose : ce que produisent les uns nourrit les autres.

Le corail est d'ailleurs lui-même un être symbiotique composé d'une algue et d'un polype. Sans les coraux, des dizaines de milliers d'espèces de poissons exotiques, de mollusques, de vers et d'autres créatures encore n'auraient pas d'abris. Or le corail se meurt et nos recherches participent à l'effort mondial pour en déterminer la cause.

— Et quelle en est la cause ? questionna son interlocutrice.

— Navré de devoir vous répondre cela, mais c'est probablement l'homme. Les coraux, avant de mourir, blanchissent. La moitié du corail mondial souffre de ce mal. Ce blanchiment est provoqué par l'expulsion de l'algue symbiotique qui laisse alors le polype sans nourriture. Le départ de l'algue est provoqué par le stress du corail. Celui-ci peut être déclenché par une augmentation de la température, de l'acidité, de la pollution ou du nombre d'animaux mangeurs de corail qui prolifèrent en raison de la raréfaction des poissons. L'activité humaine est derrière chacun de ces phénomènes.

— Même l'acidité ? demanda la vieille femme qui semblait s'être découvert une passion pour la cause corallienne.

— Oui. Lorsque nous relâchons du dioxyde de carbone dans l'atmosphère, une partie se dilue dans l'océan et en augmente l'acidité. C'est exactement l'expérience que nous menons ici.

— Les coraux vont-ils disparaître, alors ?

— Probablement, à moins que l'humanité ne se ressaisisse, répondit simplement Abel.

Il reprit la suite de sa visite et conduisit ses visiteurs jusqu'à la forêt tropicale.

— À quoi bon créer une forêt tropicale en plein milieu du désert d'Arizona ? entendit-il dans l'assistance.

Il rechercha celui qui avait parlé. C'était l'homme bedonnant aux cheveux gras qui avait posé beaucoup de questions pièges la veille, lors de la présentation des résultats de l'étude.

— Très bonne question. Cette forêt tropicale est l'œuvre de Ghillean Prance, un botaniste anglais émérite, qui a dirigé les prestigieux Kew Gardens, les jardins botaniques royaux à Londres. Prance disait que l'humanité était devenue experte dans l'art de créer des déserts à partir de forêts tropicales, et qu'elle devait encore prouver sa capacité à réaliser le processus inverse. Voilà ce qui a motivé la construction de cette forêt.

L'homme arrogant avait été renvoyé dans ses cordes. Abel avait sciemment omis de préciser que Prance avait travaillé à Biosphere 2 avec Richard Schultes, un des pères de l'ethnobotanique moderne et spécialiste des plantes hallucinogènes. Ils continuèrent leur route vers la zone d'habitat, et en chemin Abel leur parla un peu plus de la Grande Serre.

— La Grande Serre de verre sous laquelle vous vous trouvez était entièrement étanche. Aujourd'hui, nous avons quelques fuites, mais elles sont aisément réparables.

— Pourquoi avoir rendu la serre étanche ? demanda encore le même homme.

— Pour y faire une expérience. La plus belle des expériences jamais réalisées, serais-je tenté d'ajouter, mais vous douteriez alors de mon impartialité !

Les visiteurs sourirent.

— Cette expérience partait du constat que pour des missions de colonisation spatiale de longue durée, comme celles que les Américains ou les Chinois lanceront après leur petite joute lunaire, les humains ne pourraient pas dépendre d'éléments consommables, aliments ou air respirable, en provenance de la Terre. Il faudrait donc qu'ils puissent subvenir à leurs propres besoins en vivant au sein d'un système qui se régénère automatiquement. C'est alors qu'a émergé l'idée de construire Biosphere 2, une réplique miniature de la Terre, Biosphere 1. Voilà, vous savez maintenant pourquoi ce bâtiment s'appelle Biosphere 2.

— C'est donc la NASA qui était à l'origine Biosphere 2 ? demanda la vieille femme qui s'était intéressée aux coraux.

— Non, Biosphere 2 a été construit par une secte, répondit quelqu'un dans l'assistance.

Sans surprise, c'était encore le même visiteur revêche qui revenait à la charge. Cette fois-ci, il fallait le faire taire définitivement.

— Au risque de vous décevoir Monsieur, répondit Abel, Biosphere 2 n'a pas été construit par une secte mais par un groupe de visionnaires. L'idée de Biosphere 2 a émergé en France au cœur de la Provence au début des années quatre-vingt, lors d'une des réunions annuelles de l'*Institute of Ecotechnics*. Cet institut avait été fondé par un dénommé John Allen en 1969, l'année des premiers pas sur la Lune. On y revient toujours.

John P. Allen était un ingénieur en métallurgie, diplômé de la très prestigieuse Colorado School of Mines et d'un MBA de Harvard au début des années soixante. C'était aussi un poète et un auteur de pièces de théâtre, un homme atypique donc, qui s'était imprégné de tous les courants scientifiques et culturels novateurs qui bourgeonnaient dans les années soixante sur la côte Ouest des États-Unis. Il avait ensuite parcouru le monde et multiplié les projets ayant pour but d'analyser les cycles du vivant dans différents écosystèmes naturels et artificiels. Biosphere 2 en était l'aboutissement.

— Cet institut ne comptait que des illuminés ! tonna le récalcitrant.

— Illuminés, certes, mais dans le sens noble du terme, répliqua Abel. La conférence séminale rassemblait surtout des scientifiques éminents qui attestaient de l'intérêt et de la crédibilité de ces travaux : Buckminster Fuller, Albert Hoffmann, Richard Dawkins, Lynn Margulis… et j'en passe.

Ces noms n'évoquaient pas grand-chose à son auditoire. Il garda pour lui la biographie de ces allumés visionnaires qui aurait effrayé les hauts fonctionnaires. À 85 ans, Buckminster Fuller était en 1982 le doyen de cette assemblée. Il s'était imposé comme l'un des plus grands architectes du siècle précédent, et avait par ailleurs été obsédé par l'avenir de l'humanité et les moyens à mettre en œuvre pour assurer sa survie. Sur l'échelle des âges, il était talonné de près par Albert Hoffmann, retraité des laboratoires Sandoz qui, quarante ans plus tôt, avait découvert accidentellement les caractéristiques psychédéliques de l'acide lysergique (le fameux "LSD") en se léchant le doigt alors qu'il analysait les dérivés alcaloïdes de l'ergot de seigle. Richard Dawkins était quant à lui professeur de zoologie et d'éthologie à Oxford. Son ouvrage de l'époque, *Le Gène égoïste*, avait introduit la "mémétique", transposition à la culture humaine de la théorie de l'évolution. Selon lui, toute nouvelle idée était un "mème", sorte de gène culturel, en compétition avec d'autres mèmes. Ses théories avaient apporté un éclairage novateur sur les conditions d'émergence et de disparition des religions, des révolutions culturelles, des phénomènes de mode, mais aussi sur le fonctionnement des médias et de la communication de masse. Parmi les participants, on comptait aussi Lynn Margulis, qui avait développé la version moderne de l'hypothèse Gaïa avec James Lovelock. Elle avait également été la première épouse du célèbre astronome Carl Sagan. Indiscutablement, tous ces travaux avaient eu une influence gigantesque sur la pensée d'Abel, à commencer par le choix du nom de son organisation secrète.

— Un des constats récurrents de cette assemblée était que l'avenir de l'Homme se situait dans l'espace, continua Abel. "La Terre est le berceau de l'homme, mais on ne reste pas toute sa vie dans son berceau", avait écrit en 1911 Konstantin Tsiolkovsky, le père de l'astronautique soviétique. L'homme étant capable de tout détruire par le feu nucléaire, il fallait lui ménager une porte de sortie et Biosphere 2 permettait de l'expérimenter. John Allen trouva le soutien du milliardaire texan Edward P. Bass, héritier d'une grande famille de magnats du pétrole, cependant très sensible aux questions environnementales. Il siégeait au conseil d'administration du WWF. Ed Bass injecta personnellement deux cents millions de dollars dans le projet. Pas seulement par pure philanthropie, car il espérait bien un fort retour sur investissement, une fois la technique mise au point. Ils bâtirent donc ensemble le plus formidable laboratoire d'écologie jamais conçu, précurseur des futurs habitats spatiaux autonomes. D'éminents spécialistes de toutes les disciplines participèrent à sa construction : biologistes, médecins, zoologues, informaticiens, thermiciens, architectes, nutritionnistes, océanologues… Ce fut apparemment une épopée incroyable, comparable à celle des chantiers des cathédrales gothiques du Moyen Âge en Europe.

L'auditoire était captivé par ces explications. Même le visiteur entêté écoutait attentivement. Abel arriva dans l'ancienne zone d'habitation, qu'ils avaient conservée intacte. Tel un musée. Les vieux ordinateurs firent sourire les plus jeunes visiteurs.

— À partir de 1991 et pendant deux ans, la biosphère artificielle a abrité quatre hommes et quatre femmes en autarcie quasi complète. C'est ici qu'ils habitaient. Ils disposaient d'une zone agricole là-bas derrière, et même de petites chèvres, pour le lait. Le reste de la journée, ils entretenaient la biosphère, activité extrêmement chronophage.

Ils menaient bien évidemment des travaux de recherche, quand ils en avaient le temps. Ce dernier point fut très critiqué, à tort, car survivre dans la serre constituait déjà en soi une expérience très riche d'enseignements.

— Mais pourquoi ce projet a-t-il été arrêté, alors ? fit une jeune femme sur un ton enthousiaste.

— Ah, vous m'emmenez là sur un terrain délicat. L'échec de l'expérience s'explique simplement par des conflits bassement humains. Pour faire court, en raison de son caractère hétérodoxe et de son financement privé, le projet avait toujours été critiqué par une partie de la communauté scientifique, mais aussi par le pouvoir américain qui y voyait une menace. Quelques problèmes techniques, inévitables dans une entreprise aussi novatrice, furent amplifiés par les médias, frustrés d'avoir été tenus à l'écart. Ces mêmes médias étaient probablement aussi manipulés en haut lieu pour descendre le projet. Des divergences entre l'équipe de direction et le financier Ed Bass eurent finalement raison de l'aventure. L'équipe initiale se scinda après que la première mission fut arrivée à son terme. Après une seconde expérience avortée en 1993, la Grande Serre n'a plus jamais accueilli d'équipage.

Abel avait la voix tremblante. C'était toujours ainsi lorsqu'il évoquait l'histoire de Biosphere 2, sa biosphère. Il aurait vraiment aimé participer à cette aventure, mais il était trop jeune à l'époque. Sa relation particulière avec ce lieu remontait à la première fois où il s'y était rendu, avec João. Ce jour-là, il avait éprouvé des sensations étranges ; des voix en provenance du fond de la Terre s'étaient adressées à lui. La biosphère avait été édifiée au cœur des anciens territoires indiens et leurs esprits lui parlaient. Son père, Fernando, avait décelé de grandes aptitudes chamaniques chez lui, don qui n'était pas rare dans leur lignée familiale. Mort précocement, Fernando, qui était lui-même chaman, n'eut que peu de temps pour initier son fils. Il l'emmena une seule fois en périple dans le Yucatán, où il lui apprit à écouter les ruines mayas et les plantes. Abel avait montré des capacités exceptionnelles. À la mort de ses parents, ses dons étaient restés inexploités, mais ils s'étaient réveillés ce jour-là au contact de la Grande Serre. Le jaguar noir, qui sommeillait en lui, avait rouvert les yeux.

Dans la serre, il avait tout de suite ressenti une présence féminine, et plus précisément celle d'une petite fille abandonnée, malade et dont la croissance s'était arrêtée. Elle était l'âme de Biosphere 2. Elle lui parlait dans ses rêves et elle s'appelait Ké. En navajo, Ké signifiait "vivre en harmonie, comme avec sa famille". Plus incroyable encore, Ké réagissait aux joies et aux souffrances de Biosphere 1, la planète Terre, la déesse Gaïa. Comme la fleur du film *E.T.* Depuis cette première visite à Biosphere 2 et le réveil de son fluide chamanique, Abel ressentait lui aussi les châtiments infligés à ces deux biosphères et il s'était juré de tout faire pour les protéger. Et il l'avait fait. Pour sauver la première, il avait créé Gaïa, pour préserver la seconde, il avait racheté le campus.

— Si vous n'avez plus de questions, la visite s'arrêtera ici, conclut Abel d'une voix émue.

Ses visiteurs avaient des dizaines de questions qu'ils auraient souhaité poser, mais à le voir, ils comprirent que ce n'était pas la peine d'insister. Ils le remercièrent chaleureusement pour la visite et les explications. Abel les fit raccompagner par l'un des chercheurs.

Il demeura encore de longues minutes, seul, dans la serre. Il se remémora le concours de circonstances qui l'avait conduit à s'installer là. Après les deux premières expériences et quelques années de gestion par l'université Columbia de New York, le site de Biosphere 2 avait été finalement mis en vente au début du nouveau millénaire. Un promoteur immobilier avait proposé à Ed Bass de raser la Grande Serre et de la remplacer par un complexe de villas de luxe. Lorsqu'il avait entendu la nouvelle, Abel était devenu fou. Ce projet avait été le déclencheur de sa vocation pour les sciences et l'environnement lorsqu'il était adolescent et une telle réalisation ne pouvait disparaître de la surface du globe. Surtout, il ne savait pas comment il pourrait vivre sans la Grande Serre et l'esprit de Ké, la petite fille indienne qui l'habitait. Il avait alors envisagé de contacter l'UNESCO pour faire classer le site au patrimoine mondial de l'humanité, puis une autre idée lui était venue : leur société, à l'époque dénommée Alcatraz Consulting, avait fortement développé son activité ; ils disposaient maintenant de moyens financiers importants. Il proposa donc à sa femme de racheter le site et d'y établir leurs laboratoires. Elle hésita beaucoup à quitter San Francisco, où ils étaient précédemment établis, pour aller s'isoler au fin fond de l'Arizona. Les employés furent consultés et se déclarèrent enthousiasmés à la perspective de vivre dans ce lieu mythique au milieu du désert. Lucy accepta donc, à contrecœur, puis elle s'y habitua. Ils rebaptisèrent leur société Biosphere Economics et le coup de publicité porta ses fruits. Deux cents scientifiques et économistes travaillaient maintenant sur le site et y vivaient avec leurs familles. La Grande Serre leur servait pour l'instant à réaliser des expériences sommaires, mais Abel rêvait de remettre les écosystèmes en état de fonctionnement et de poursuivre l'œuvre de ces visionnaires qu'il respectait tant. Dans un monde aveuglé par les impératifs du court terme, Biosphere 2 était aussi pour lui l'une des dernières grandes utopies. Le monde avait plus que jamais besoin que ces utopies se réalisent.

Abel reprit ses esprits. Il regarda sa montre. Il lui restait un peu de temps avant le début de la fête. Il se rendit à son bureau qui dominait le site. Il alluma son ordinateur et constata que la réaction du gouvernement japonais dépassait toutes ses espérances. La virulence des propos du Premier ministre Akamatsu avait été incomprise et fortement critiquée à l'étranger. La pression exercée pour l'arrêt de la chasse à la baleine n'avait fait que s'accroître.

Le "mème" – selon la définition de Richard Dawkins – qu'il avait conçu effectuait son travail dévastateur. Dans quelques jours, Akamatsu céderait et les cétacés nageraient à nouveau en paix.

Le prochain acte de sabotage de Gaïa devait avoir lieu le lendemain. Comme toujours, l'organisation frapperait là où on l'attendait le moins, mais ce nouveau coup était de loin le plus risqué qu'ils aient jamais tenté.

JOUR 2, *SPACEBLOG* DE PAUL GARDNER, SITE INTERNET DE LA NASA

Quelle émotion ! Quel bonheur ! Je viens de passer trois heures à l'extérieur du vaisseau ! Trois heures de liberté totale. Enfin presque, puisque j'étais constamment relié à la capsule par un câble de sécurité. Dériver dans l'espace est le pire cauchemar des astronautes. Brrr…

Le franchissement du sas vers le vide spatial est effrayant. Imaginez un vide de 400 kilomètres sous vos yeux et autour de vous l'environnement le plus hostile qui soit. Votre cerveau vous défendrait d'y aller. Mais, mon incorrigible curiosité d'Homo sapiens l'a emporté et je me suis élancé. À l'extérieur, la température passe chaque heure de +120 °C à – 100 °C selon que le Soleil est masqué ou non. Notre combinaison nous protège de ces variations, mais elle reste vulnérable aux impacts des micrométéorites, aux millions de débris, vestiges de la présence de l'Homme dans l'espace, dont l'orbite terrestre basse est polluée : outils, boulons, éclats de peinture, fragments d'engins ou même satellites entiers à l'abandon. À 28 000 kilomètres à l'heure (20 fois la vitesse d'une balle de fusil), chacun d'eux peut nous transpercer. Ces risques font partie intégrante de notre profession et nous les assumons. Rassurez-vous, la menace de collision est quand même maîtrisée : les équipes au sol suivent la trajectoire des objets les plus massifs.

Le nombre d'objets dangereux continue toujours de croître. Par exemple, en 2007 et 2008, les Chinois et les Américains ont chacun détruit un satellite à l'aide d'un missile, créant des quantités de nouveaux débris mortels. Un conflit spatial généralisé serait une catastrophe : la densité de déchets deviendrait telle que l'Humanité ne pourrait plus séjourner en orbite ni gagner les étoiles. Elle serait condamnée à rester sur Terre pendant des millénaires, mettant ainsi un temps d'arrêt, probablement fatal, à une fascinante campagne d'exploration commencée il y a des millions d'années en Afrique. Pas très motivant comme perspective pour notre espèce !

Pendant près de trois heures, donc, j'ai inspecté dans les moindres détails le vaisseau pour déceler d'éventuelles traces d'impacts. J'ai aussi effectué quelques travaux un peu plus physiques (un panneau solaire ne s'était pas déplié et il a fallu que je force pour le décoincer). Malgré la concentration nécessaire pour effectuer ces tâches, il était difficile de ne pas se laisser enivrer par l'expérience.

Affranchi de la barrière du hublot, les sensations d'hier étaient exacerbées. Je n'observais plus seulement l'espace, j'en faisais partie. Il n'y avait plus de distinction entre l'intérieur et l'extérieur. À part la radio – que j'avais envie de couper pour mieux profiter de l'instant – et mon souffle, pas le moindre bruit. Ce silence absolu renforçait la solennité de l'instant.

Sous moi, l'immense sphère bleue palpitait de vie. Je réalisais soudain que j'étais un nouveau satellite entraîné autour d'elle par les forces invisibles de la gravitation. Bien qu'abstraites, elles étaient maintenant devenues évidentes, sensibles : j'étais devenu l'un des milliards de milliards de danseurs du grand ballet cosmique. En détournant mes yeux de la Terre plongée dans la nuit et en observant le ciel d'un noir intense, pendant quelques instants j'ai cru entrevoir la signification de l'Infini. Subitement toutes les petites choses qui constituaient ma vie n'avaient plus d'importance et je me sentais léger et bien. Dans un état de quasi-béatitude, tel un plongeur frappé par l'ivresse des profondeurs. L'ivresse de l'espace ; la drogue ultime.

Mes instructeurs m'avaient pourtant prévenu : il ne faut surtout pas se laisser aller. Dès que l'on se sent happé, il faut impérativement se ressaisir. Si je n'avais pas été en contact radio avec Houston, je pense que je n'en serais pas revenu. J'aurais pu devenir fou et chercher à enlever mon scaphandre pour vivre pleinement ce moment. Les quelques dizaines d'astronautes qui ont effectué des sorties extravéhiculaires ont été, pour la plupart, profondément marqués par cette expérience de liberté pure. Je n'en mesure pas encore les conséquences, mais j'en sortirai changé, c'est certain.

De retour à bord, il ne fut pas facile de partager ces sensations très personnelles avec Eileen, Scott et Gary. Je vous souhaite à tous de vivre un jour cette expérience. Peut-être quelqu'un inventera-t-il un simulateur informatique de sorties extravéhiculaires ? Cela changerait peut-être le cours de l'Histoire.

Pour finir, je voulais aussi vous remercier pour la sélection musicale de ce matin ! Le rituel du réveil en musique remonte au programme Gemini dans les années soixante ; depuis ce temps, chaque jour les astronautes en orbite ont été réveillés par Houston avec des titres qu'ils avaient choisis. Ces traditions sont importantes car elles rythment nos journées et nous rassurent ; elles nous rappellent aussi que nos efforts s'inscrivent dans un effort collectif qui nous transcende et qui s'étendra sur des millénaires. Aujourd'hui, pour la première fois, c'est vous qui avez voté sur NASA TV. Quelle émotion lorsque j'ai entendu les premiers accords d'*Atmosphere* de Joy Division résonner dans la capsule ! Aucun morceau n'aurait pu mieux convenir à ce spectacle qui nous est offert.

Merci encore pour ce choix, et à demain.

JOUR 3, USS *RONALD REAGAN*, KAUAI, HAWAÏ

Au milieu d'un spectaculaire écran de fumée, un missile Aries décolla de la base navale américaine de *Pacific Missile Range Facility* sur l'île de Kauai. Détectée par le radar du croiseur USS *Lake Erie*, la position du missile fut transmise à un satellite de surveillance. Le commandement donna l'instruction de l'abattre et un des missiles intercepteurs SM-3 du navire fut aussitôt mis à feu.

Dans le ciel bleu immaculé, deux traînées blanches convergeaient maintenant l'une vers l'autre à une allure vertigineuse comme attirées par une force invisible. Sur le pont du porte-avions USS *Ronald Reagan*, un groupe de journalistes suivaient à l'aide de leurs téléobjectifs surdimensionnés ce nouveau test du bouclier antimissile américain. Ce programme issu de la Guerre froide et relancé à la fin du XXᵉ siècle avait nécessité des centaines de milliards de dollars d'investissement, pour un résultat controversé. Les opposants au programme dénonçaient le manque de fiabilité du dispositif et les conséquences géostratégiques sur l'équilibre de la dissuasion nucléaire. Les États-Unis disposaient maintenant de batteries antimissiles disposées le long de leurs côtes mais aussi de silos mobiles embarqués sur des navires comme l'USS *Lake Erie*. Cet arsenal devait permettre d'intercepter n'importe quel missile en provenance d'un État voyou ou de tout État doté de l'arme nucléaire.

La Chine, par exemple. Cependant, l'échec des nombreux essais rendait cette protection bien théorique.

En retrait, sous une tente réservée aux notables, le président était assis aux côtés de Mike Prescott et du général McClough, directeur de l'Agence de Défense antimissile.

— Cette fois-ci, vous n'avez plus le droit à l'erreur, rappela sévèrement Carlson en se tournant vers McClough.

La crédibilité de la dissuasion nucléaire américaine face à la Chine en dépendait, c'était d'ailleurs pour cette raison que Prescott avait demandé l'organisation de ce test en grande pompe. Il voulait ainsi rappeler au régime de Pékin l'invulnérabilité du sol américain. Si le plan Aleph tournait au vinaigre – ce qu'il ne souhaitait vraiment pas –, les Chinois n'oseraient alors pas menacer les États-Unis avec leurs missiles balistiques.

— Monsieur le Président, vous pouvez être rassuré, les problèmes précédents ne se reproduiront pas, rétorqua McClough, visiblement mal à l'aise. Nous avons pris, comme vous le savez, des dispositions très particulières pour ce test. L'interception est garantie.

En effet, Prescott s'était assuré que les deux missiles soient préprogrammés afin que la destruction soit inéluctable. Les Chinois en prendraient plein les yeux.

— J'espère bien, surtout vu le nombre de journalistes présents, ajouta Carlson toujours angoissé en pointant le groupe qui se tenait devant eux, au bord du pont.

Les trois hommes prirent leurs paires de jumelles et suivirent la traque du malheureux gibier de métal par le redoutable missile intercepteur. Tout semblait indiquer que le missile chasseur allait percuter sa proie par le dessous. Or, au moment où ils attendaient le feu libérateur de l'impact, aucune explosion ne survint et les missiles poursuivirent leurs trajectoires rectilignes. McClough revêtit une mine déconfite, alors que les journalistes commençaient à s'agiter.

— Je ne comprends pas, bégaya McClough, il y a quelque chose qui ne va pas…

— C'est le moins que l'on puisse dire. Vous le paierez très cher, McClough, lui lança furieusement Carlson en s'éloignant avec Prescott. Vous pouvez faire une croix sur votre carrière.

Ils furent aussitôt entourés par leurs gardes du corps qui les protégèrent des flashs et des questions embarrassantes des journalistes. Pendant ce temps, dans le ciel, les deux missiles qui s'étaient croisés, incurvèrent leurs trajectoires puis plongèrent à l'oblique vers la mer. McClough leva les yeux au ciel. Déconcerté par ce qui se produisait, il échangea un dernier regard incrédule avec le président et Prescott.

Ce qui se déroulait en face d'eux était totalement imprévu. Tous les occupants de l'USS *Ronald Reagan* retinrent leur souffle et, quelques dizaines de secondes plus tard, les deux missiles percutèrent la surface de l'eau, laissant au-dessus d'eux un immense cœur de fumée blanche, aussitôt mitraillé par les photographes qui riaient aux éclats.

Carlson, dès qu'il fut à nouveau seul, saisit la boîte en plastique dont il ne se séparait plus. Il la gardait précieusement dans la poche intérieure de sa veste. Pour stopper sa montée d'anxiété, il avala deux comprimés de bêtabloquants. Ces médicaments étaient destinés aux malades souffrant de troubles cardiaques, mais ils étaient aussi utilisés par les artistes, les politiques ou les étudiants pour vaincre leur stress. Carlson venait de largement dépasser la dose communément recommandée.

JOUR 3, BIOSPHERE 2, ARIZONA, ÉTATS-UNIS

Comme piqué par un aiguillon, Abel se réveilla en sursaut. Il était encore relativement tôt, sa femme dormait à ses côtés, d'un œil seulement. Il l'embrassa sur le front et s'assit sur le bord du lit.

— Reste, Abel, le supplia lascivement Lucy.

— Je ne peux pas, désolé, lui répondit-il en dégageant son bras qu'elle essayait de retenir. J'ai quelques trucs importants à faire au bureau, je reviendrai plus tard. Dors encore un peu.

Lucy n'avait pas l'air contente mais il s'habilla quand même et sortit de la chambre. La veille, la grande fête avait été un succès. Perdus au beau milieu du désert d'Arizona, ils n'avaient pas été gênés par les voisins ; c'était l'un des multiples avantages du site. Une véritable boîte de nuit avait été installée à l'extérieur devant la Grande Serre. Les employés de la société et leurs amis avaient dansé jusqu'au lever du soleil, portés par les rythmes effrénés de la musique techno et par l'énergie des cocktails vitaminés. Abel avait réveillé ses vieux démons et officié comme DJ pendant toute la nuit. Seul derrière ses platines, il avait été une fois de plus subjugué par la beauté du lieu. Dans cette configuration, le contraste entre la modernité de la Grande Serre – kaléidoscope traversé par les rayons multicolores des *roboscans* – et la brutalité lunaire du paysage alentour était spectaculaire.

Cette structure de verre et de métal constituée d'un empilage de pyramides tronquées le fascinait. Un vaisseau spatial jailli de nulle part. Ce lieu avait une âme et exerçait sur lui un pouvoir magique. Comme chaque fois qu'il mixait dans le désert – en dehors des fêtes de Biosphere Economics, cela lui arrivait chaque année lors du grand rassemblement voisin de *Burning Man* –, il imaginait que la piste de danse était située sur la Lune ou sur un autre astre.

Dès qu'il fut parvenu à son bureau, Abel mit la musique et consulta ses mails. Un message de João l'attendait. Il s'en était donc sorti et était retourné au travail. Le message était anodin, en apparence. João lui avait envoyé les résultats de simulations sur la formation des cyclones, projet que Biosphere Economics menait depuis des années avec le *Earth Simulator Center* de Yokohama, le laboratoire où travaillait l'ami d'Abel. Le mail contenait en pièce jointe un fichier de plusieurs dizaines de mégaoctets.

Abel ouvrit le document. Une image animée du nord-ouest de l'océan Pacifique apparut en plein écran. Un cyclone virtuel faisait route de l'île de Guam vers les côtes sud du Japon. Aucun œil même informé n'aurait pu s'apercevoir que certains pixels, sur les millions que comportait la carte, n'avaient pas exactement la bonne teinte. La nuance de couleur de ces pixels cachait un message. Il fit tourner un programme de sa conception pour décrypter l'image.

MISSION TAIJI ACCOMPLIE
DAUPHINS SAUVÉS
AKAMATSU AU FOND DU TROU
JOÃO AUX ANGES
À QUAND LA PROCHAINE ATTAQUE DE GAÏA ?

Sacré João, pensa Abel en souriant. Ce procédé était appelé stéganographie, nom formé de deux mots grecs qui signifiaient respectivement "caché" et "écrire". Cela faisait des années qu'il échangeait ainsi avec certains membres du Premier Cercle de Gaïa en toute impunité, au nez et à la barbe de l'Agence pour la Sécurité Nationale (la fameuse NSA, *National Security Agency*). Ses agents n'auraient jamais l'idée de fouiller dans les données échangées par de braves chercheurs. Et quand bien même l'envie leur en prendrait, Abel leur souhaitait bien du courage : sans connaître la position et l'ordre des pixels codants, il était impossible de décrypter le message. Pourtant rudimentaire, ce procédé était inviolable. La stéganographie était utilisée par de nombreux groupes terroristes, dont Al Qaida, et était le cauchemar de la NSA.

Abel renvoya d'autres résultats de simulation à l'intérieur desquels il dissimula ses félicitations. Après ces bonnes nouvelles de João, il s'enquit justement des résultats de la nouvelle attaque de Gaïa. Il exulta. Après les Japonais, c'était au tour du gouvernement américain d'être ridiculisé. Au début de son mandat, Abel avait été plutôt satisfait de l'action du président Carlson. Puis, à cause de la pression croissante exercée par le complexe militaro-industriel, sa politique internationale avait conduit à une nouvelle guerre froide avec la Chine, qui entraînait pas à pas l'humanité au bord du gouffre.

Toutes les cellules de crise de l'État étaient alertées et recherchaient les responsables du sabotage de Kauai. Keilana Akaka, l'émissaire de Gaïa à Hawaï, avait été parfaite. Chaque journaliste y allait de ses pronostics. La Chine était l'agresseur le plus régulièrement cité, mais on ne se risquait pas encore à évoquer les conséquences d'un tel affront. Personne n'avait non plus soupçonné Gaïa, pensant qu'un tel acte devait nécessairement être le fait d'un État ou d'une vaste organisation.

Abel allait encore les faire mariner une journée avant de revendiquer l'action. Les représentants du département de la Défense allaient tomber de haut en réalisant la vulnérabilité de leur système de défense antimissile. Il était conscient que l'annonce provoquerait une intensification colossale de l'effort de lutte contre Gaïa, mais il savait également l'effet qu'elle aurait sur le public, surtout à l'extérieur de l'Amérique. Il était de toute façon prêt à tout pour relancer le débat sur les dangers de l'arme nucléaire, sujet banalisé dans l'opinion publique.

Le 16 juillet 1945 à 5 h 29 min 45 s, la première bombe atomique avait explosé, non loin de là où il se trouvait, dans le désert du Nouveau-Mexique en un point baptisé Trinity. Il prit l'envie à Abel de visionner la vidéo de ce premier essai et il la trouva sans problème sur Internet. Une fraction de seconde après l'explosion, le ciel d'encre qui surplombait les montagnes endormies fut illuminé par une lumière blanche aveuglante d'une intensité inconnue. La boule de feu donna ensuite naissance à un champignon gazeux qui allait s'étirer sur onze kilomètres de hauteur, flottant dans des cieux devenus violets, selon les observateurs. Les militaires et scientifiques rassemblés pour l'occasion avaient assisté incrédules à ce déchaînement inouï de forces, alors que leurs visages étaient fouettés par un vent chaud et étouffant. Un passage de la *Bhagavad-Gîtâ*, un des grands poèmes épiques hindous, avait alors traversé l'esprit de Robert Oppenheimer, le directeur du projet Manhattan : "Le rayonnement d'un million de soleils éclatant d'un seul coup dans le ciel. Ainsi serait la splendeur du Tout-Puissant. Je suis devenu la mort, le destructeur de l'univers." L'humanité était entrée dans l'âge atomique et allait devoir vivre avec.

Abel entendit un bruit qui le fit sursauter. La poignée de la porte avait bougé et Lucy entrait maintenant dans son bureau. Il avait oublié de le fermer à clef. Il n'eut pas le temps de faire disparaître les images de l'explosion qu'il visionnait sur son ordinateur. Il se leva et s'apprêta à reprocher à sa femme de l'avoir dérangé, mais dans ses yeux bleu-violet, il vit tout de suite qu'elle était furieuse. Il baissa la musique, se leva de son siège et alla à sa rencontre. Elle avait juste passé un tee-shirt et un short ; elle était encore décoiffée. Elle se posta devant lui, les mains posées sur les hanches.

— Abel, ça ne peut plus durer.

Il était circonspect et se demandait bien ce qu'elle lui reprochait. Peut-être était-ce encore pour son retard de l'autre jour, à la répétition ? Il cacha l'écran de son ordinateur du mieux qu'il pouvait, et s'en sortit en attirant Lucy vers un endroit d'où elle ne pouvait plus le voir.

— Qu'est-ce qui ne va pas, ma chérie ? lui dit-il doucement.

— Arrête avec tes "ma chérie". Tu m'emmerdes, Abel.

Lucy était vraiment remontée. Qu'avait-elle ? Il marchait sur des œufs.

— Mais qu'est-ce que j'ai fait ? demanda-t-il sur un ton de victime.

— Mais rien justement, Abel. Je ne te vois plus, c'est tout. Monsieur est toujours enfermé dans son bureau, Monsieur lit, Monsieur réfléchit.

Lucy pointa du doigt la lourde porte blindée derrière laquelle Abel cachait sa bibliothèque. Il lui en avait toujours refusé l'accès et elle se demandait bien ce qu'il trafiquait là-dedans.

— Tu me fuis, c'est ça ? Tu crois que je vais tolérer ça longtemps ?

Il l'écoutait attentivement. Sous ses courts cheveux bruns, son cerveau analysait à toute allure les informations qu'il recevait. Ses yeux vert émeraude étaient plus perçants que jamais. Mais l'orage n'était visiblement pas encore terminé.

— Et puis ton humeur s'est assombrie. Ton esprit est comme absorbé ailleurs. Hier, pendant la fête, tu étais là, mais en réalité tu étais complètement absent. Tu n'as parlé à personne. Et puis, la nuit, tu as ces insomnies, ces cris.

Comme Abel ne réagissait pas, Lucy décida de le piquer au plus profond de lui.

— Ça fait des semaines que tu ne me touches plus. Il est où, le mâle que j'ai connu ? À moins que tu ne gardes ta testostérone pour une autre ?

Voilà qui était dit. Un grand silence s'en suivit. Abel réfléchissait à la parade. Il avait commis une faute. Il avait manqué de discernement ; il aurait dû mieux dissimuler ses états d'âme à son entourage, et en particulier à sa femme. Il fallait rétablir cela au plus vite pour ne pas éveiller de soupçons qui pourraient s'avérer dangereux pour la poursuite de ses actions clandestines.

— C'est bon, tu as fini ? lui lança-t-il. Je peux m'expliquer ?

Lucy ne baissa pas le regard et haussa les épaules.

— Bon, déjà, tu peux regarder dans ce bureau, il n'y a pas d'autres femmes. Je suis préoccupé, c'est tout.

Elle l'invita à poursuivre.

— Je suis inquiet pour Biosphere Economics, improvisa Abel. Mais je n'aurais jamais dû le laisser transparaître ni aux équipes ni à toi. J'en suis désolé. L'étude pour le département de l'Agriculture occupait à peu près la moitié du campus depuis deux ans, et maintenant il va bien falloir continuer à payer tout le monde pendant le creux qui arrive.

Lucy était surprise : c'était bien la première fois qu'Abel s'inquiétait pour l'avenir de Biosphere Economics, lui qui était d'habitude si optimiste. Il paraissait sincère, mais elle était cependant surprise que ses soucis ne soient que d'ordre matériel.

— Mais, Abel, nous avons des réserves de trésorerie et quantité de pistes pour de nouveaux contrats ! Anthony me l'a confirmé encore hier.

Anthony Malville était leur directeur financier depuis plusieurs années. Abel le détestait et c'était réciproque. Peu après l'avoir embauché, il s'était rendu compte que dès qu'il s'absentait du campus, Anthony faisait la cour à Lucy. Il était tout l'inverse d'Abel. Un type mielleux, plein de bonnes manières et sans aucune fantaisie. Il était originaire d'une famille aristocratique du Rhode Island, État voisin du Connecticut où avait grandi Lucy. Comme il en avait assez de leur manège, Abel s'en était un jour ouvert à sa femme. Elle lui avait expliqué que la présence d'Anthony lui permettait d'oublier de temps en temps qu'elle vivait dans le désert et qu'elle avait besoin de se ressourcer ainsi. Abel avait confiance en elle mais il n'avait pas pu s'empêcher un soir de prendre Anthony à part. Celui-ci avait eu la peur de sa vie. Depuis, ils continuaient à se voir avec Lucy, mais à une distance plus acceptable pour Abel.

— Oui, mais rien d'aussi important que l'étude pour le département de l'Agriculture ne se profile. Nous avons besoin de gros contrats pour survivre. Anthony doit bien le savoir.

— On a déjà connu ce genre de cycles dans le passé. Ils sont normaux pour des sociétés comme la nôtre, lui fit remarquer Lucy.

En repensant à la visite de la veille, une idée vint brusquement à Abel.

— Depuis quelques mois, je réfléchis à quelque chose de très gros qui pourrait faire vivre Biosphere Economics pendant des années…

— Qu'est-ce que c'est ?

— Nous allons prendre rendez-vous avec la NASA et leur proposer d'utiliser Biosphere 2 pour leurs recherches sur les habitats lunaires et martiens. Je crois que le moment est enfin venu. La mission Columbus 11 est pour l'instant un succès et la NASA va pouvoir envisager plus concrètement l'implantation d'une base sur la Lune et sur Mars. Biosphere 2 est le meilleur laboratoire qu'ils puissent imaginer pour mettre au point un système clos pouvant subvenir aux besoins des astronautes.

— C'est ce que nos prédécesseurs avaient cherché à faire, répondit Lucy en évitant de vexer son mari, mais la NASA n'en a jamais voulu.

— La NASA était sceptique car elle doutait, à tort, de la crédibilité scientifique des équipes alors en place. Nous serons inattaquables sur ce plan.

Ils avaient réuni autour d'eux d'éminents scientifiques. La spécialité de Lucy était l'économie, celle d'Abel la modélisation numérique du climat. Ces deux disciplines constituaient les piliers de l'offre de Biosphere Economics, qui s'était depuis étoffée. C'était d'ailleurs lors d'un colloque commun organisé par le *Scripps Institute* et le département d'économie de Berkeley, qu'Abel avait eu son double coup de foudre pour Lucy : son physique de sirène l'avait envoûté, l'originalité de ses travaux avait achevé de le conquérir.

Elle finissait alors son doctorat sur *L'Économie dans les Petits Mondes*. Sa thèse – menée conjointement avec les départements d'économie et d'anthropologie-ethnologie de Berkeley – analysait les conditions dans lesquelles une croissance continue dans un écosystème de petite taille, une île, par exemple, était possible. Elle était arrivée à la conclusion qu'une modération devenait nécessaire à un certain stade pour éviter l'effondrement de la communauté. Cette modération passait avant tout par la maîtrise de la population. Mais cela n'était pas suffisant. Il fallait aussi que le développement économique s'accompagne d'une forme de spiritualité qui fasse prendre conscience à tous de la taille limitée de leur territoire, et des contraintes que cela induisait sur leur comportement et l'activité économique. Lucy était intimement persuadée que notre planète était une île perdue dans le cosmos, et que les hommes auraient dû depuis longtemps se comporter comme s'ils vivaient dans un "petit monde". Malheureusement, rares étaient ceux qui s'en étaient aperçus. Il manquait toujours cet éveil spirituel qui permettait l'émergence d'une conscience planétaire. Les habitants de Biosphere 2 avaient connu cet éveil. Pendant deux ans, à l'intérieur de la Grande Serre, ils avaient fait l'expérience de l'interdépendance et compris viscéralement que l'on vivait dans un monde fini, les deux notions qui manquaient à l'humanité.

Lorsqu'Abel l'avait rencontrée, elle n'avait jamais éprouvé le besoin d'un compagnon fixe, ce qui ne l'avait pas empêchée d'avoir eu plusieurs amants. En général, les hommes qu'elle rencontrait sur le campus de Berkeley l'énervaient car ils la réduisaient systématiquement à son physique et surtout à sa fortune. Elle était en effet issue d'une très riche famille d'assureurs d'Hartford, dans le Connecticut. Pour elle, son apparence et son compte en banque étaient les fruits du hasard et elle n'en éprouvait aucune fierté. Très tôt, elle avait cherché à exister par elle-même, à se forger sa propre identité. Depuis l'adolescence, elle choisissait ses tenues de façon à passer inaperçue et il n'était pas rare qu'on la traite de garçon manqué, ce qui lui convenait bien. Dès qu'elle avait commencé à gagner sa vie à Berkeley, elle avait quasiment coupé les ponts avec sa famille, surtout avec son père qu'elle détestait.

Lucy s'était rendu compte, au fur et à mesure de leurs rencontres, qu'Abel n'était pas comme les autres hommes. C'était un être en rupture, en marge du monde, monde qui n'avait aucune prise sur lui. Ils étaient en ce sens très semblables. Lucy se laissa donc peu à peu ensorceler par ce jeune homme ténébreux et mystérieux. Elle vivait avec lui depuis près de dix ans, avec des hauts et des bas, mais découvrait toujours de nouvelles facettes de son imprévisible mari.

— Dès que nous aurons eu notre rendez-vous à la NASA, je crois que je pourrai à nouveau être détendu comme avant, conclut Abel en lui caressant les cheveux.

Abel pouvait lire sur le visage de Lucy que ses paroles l'avaient apaisée. Il s'en voulait de lui mentir depuis si longtemps, mais il ne pouvait absolument pas lui parler de l'existence de Gaïa. Si les choses tournaient mal, il ne voulait pas la mettre en danger. De plus, il était convaincu qu'elle n'adhérerait ni à son projet, ni à ses méthodes trop brutales. Lucy était une femme de nuances. Habituellement douce, elle pouvait cependant devenir exécrable lorsque quelque chose lui déplaisait.

La colère de Lucy était maintenant retombée ; il la serra tendrement contre lui et logea sa tête dans le creux de son épaule. Le parfum suave qui émanait de ses longues mèches blondes l'enivra. Ils s'embrassèrent lascivement et quelques instants plus tard, les vêtements légers qu'ils portaient volèrent dans la pièce. Le corps parfait de Lucy irradiait. Elle l'entraîna vers le canapé. La bouche d'Abel visita tout son corps, réveillant chez elle des frissons dont elle avait oublié la force. Ils roulèrent à terre et Abel, dans la fusion des corps, acheva d'inoculer son mensonge.

Il s'endormit. Lucy alla se doucher dans la petite salle de bains. En revenant vers le canapé où se reposait Abel, elle fixa la porte blindée derrière laquelle Abel cachait sa bibliothèque. Elle avait envie d'ouvrir cette porte mais il la gardait toujours fermée. Elle revint se blottir contre lui et s'assoupit à son tour.

Plus tard, alors qu'ils se rhabillaient, Abel éprouva un amer mélange de culpabilité et de dégoût. Ses activités parallèles et ses mensonges l'éloignaient d'elle, de ses employés et il le supportait de plus en plus mal. Mais il devait attendre encore. Combien de temps ? Y aurait-il une fin à la clandestinité de Gaïa ? Il préférait ne pas y réfléchir.

JOUR 3, *SPACEBLOG* DE PAUL GARDNER, SITE INTERNET DE LA NASA

La grande traversée a commencé ! Nous avons quitté hier l'orbite terrestre et mis le cap vers la Lune. Nous faisons partie de l'infime frange de l'humanité qui a eu le privilège d'accomplir ce voyage. Avant le début du programme Odyssey, seuls 24 humains – tous Américains, blancs et de sexe masculin ! – des missions Apollo avaient survolé la Lune. Parmi eux, seuls douze y avaient posé le pied : l'ultime aristocratie au sein de la confrérie des astronautes.

Pour vous donner une idée du gigantisme de ce voyage, sachez que si la Terre était un ballon de basket, nous étions hier en orbite à moins d'un centimètre au-dessus du ballon. Dans trois jours, sur la Lune, nous serons à un peu plus de sept mètres. Mais cela reste encore un petit trajet. Mars serait en comparaison située à un kilomètre et demi du ballon. Je souhaite bien du courage aux futurs explorateurs !

Le moral à bord de notre minuscule capsule est au beau fixe. Nous avons juste à nous laisser dériver vers la Lune, portés par le vent invisible de la gravité. La Terre est dans l'obscurité, mais on la devine encore. Après une heure de vol, pour la première fois je pouvais la voir en entier. Un peu plus tard, je pouvais la cacher avec ma main.

De façon troublante, elle qui semblait hier si grande, presque infinie, était devenue petite. Nous vivons dans un petit monde. Je ne pourrai plus jamais l'oublier.

Il m'est également impossible d'effacer de ma mémoire les images et les sensations d'hier : les méandres des grands fleuves, les nervures fractales des chaînes montagneuses, les structures rhizomiques des agglomérations urbaines et les multitudes d'autres figures géométriques aux couleurs flamboyantes, comme celles de la Grande barrière de corail que nous avons survolée. Mais la plus belle découverte fut l'atmosphère vue de là-haut. Cette fine couronne bleue tranche avec l'immensité noire et lugubre qui l'entoure.

Comme j'ai le temps d'écrire, il faut absolument que je vous raconte l'histoire, un peu longue mais passionnante, de notre atmosphère.

Cette couche gazeuse de 100 kilomètres d'épaisseur marque la frontière entre le vivant et l'inerte. Du sol, elle emplit le ciel et nous semble infinie ; de l'espace, elle paraît au contraire mince et fragile. C'est grâce à elle que toutes les créatures respirent et que nous sommes en vie. Nous devons la préserver.

Même si cela peut surprendre, la Terre n'est pas née avec cette atmosphère bienveillante : elle s'en est dotée ! À l'origine, l'atmosphère de la Terre était essentiellement constituée de dioxyde de carbone, le plus fameux des gaz à effet de serre. Elle était en revanche presque dépourvue d'oxygène, élément qui lui confère aujourd'hui sa belle couleur bleue. Le changement de sa composition chimique a commencé, il y a quatre milliards d'années, lorsque les algues bleues (aussi appelées cyanobactéries) apparurent à la surface de la Terre et déclenchèrent une crise planétaire. Pour se développer, les cyanobactéries inventèrent la photosynthèse, processus chimique qui fixe le dioxyde de carbone et relâche de l'oxygène. Après des millions d'années de prolifération, les quantités d'oxygène expulsées étaient telles que l'atmosphère était devenue un poison pour les algues bleues ! Pour ne pas disparaître, il a donc fallu que ces bactéries s'adaptent et apprennent à utiliser l'oxygène.

Les premières cellules à noyau (dites eucaryotes) issues de leur mutation et capables de respiration sont alors apparues. Ce saut ne s'est pas produit en une seule fois : des fossiles de formes de vie bactérienne intermédiaires datant d'un milliard d'années ont été retrouvés sur Terre*, m'a indiqué notre géologue. Ces cellules se sont multipliées en consommant l'oxygène et sont parvenues à contrebalancer l'action des algues bleues. La composition de l'atmosphère s'est stabilisée aux niveaux actuels : 78 % d'azote, 21 % d'oxygène, 1 % d'argon et à peine 0,04 % de dioxyde de carbone.

Les conditions de vie, qui ont permis par la suite l'apparition d'êtres complexes, ont donc été créées et maintenues par la vie elle-même. Encore aujourd'hui, la vie sur Terre dépend de la symbiose à grande échelle des algues bleues et des cellules à noyau. De l'espace, d'où l'atmosphère apparaît comme un Tout interconnecté, il est plus aisé de se représenter l'action permanente de ces organismes symbiotiques. Cette belle histoire, reprise dans l'hypothèse Gaïa, prend une tout autre dimension d'ici. Elle nous fait réfléchir à la chance que nous avons et appelle à l'humilité. Les véritables maîtres de notre planète sont les bactéries.

L'humanité, comme les algues bleues, pensait qu'elle pourrait se développer à l'infini sans jamais être gênée par les effets de sa croissance. En seulement deux cents ans de révolution industrielle, elle perçoit maintenant de façon

* *Asterosphaeroides monodii* et *Asterosphaeroides darsii*, découverts respectivement par Théodore Monod en Mauritanie et René Dars au Mali.

criante les effets de son action et les limites auparavant invisibles de son environnement. Effectuera-t-elle à temps la mutation qui la sauvera ? Existe-t-il déjà des formes de sociétés ou d'organisations humaines intermédiaires ?

Avant de vous quitter, je voulais vous remercier pour vos innombrables messages sur les réseaux sociaux, auxquels j'essaierai de répondre à mon retour. Ils me font le plus grand bien.

À demain.

JOUR 4, AIR FORCE ONE, QUELQUE PART À 10 000 MÈTRES AU-DESSUS DES ÉTATS-UNIS

Mike Prescott pénétra dans la cabine du président. Il fut surpris de voir des cernes creusés sous les yeux de Carlson.

— Monsieur le Président, nous savons comment le sabotage a eu lieu.

— Ah bon, et qui est derrière, alors ?

— Ça, nous ne le savons pas encore. La seule certitude, c'est que l'officier en charge du programme de vol des missiles s'est fait piéger, comme un bleu.

— Et comment donc ?

Prescott n'osait même pas le dire tellement il avait honte.

— Par une prostituée, marmonna-t-il. L'officier chargé de programmer le missile et l'intercepteur traînait souvent sur la plage voisine de la base du *Pacific Missile Range Facility*.

Il y a souvent des filles qui viennent accoster les militaires et qui…

— Oui, bon, je sais ce qu'est une prostituée, le coupa Carlson exaspéré. Et donc ?

— La rengaine habituelle. Homme marié, deux enfants. Il a eu une petite aventure avec elle, pas grand-chose, quelques baisers. Mais elle a pris des photos et l'a fait chanter. En échange de son silence, elle lui a demandé de changer la trajectoire des missiles.

— Et le gars l'a fait ? Quel crétin ! Il n'avait donc aucune idée de l'importance de ce test ?

L'homme n'en avait en effet aucune. Au cours des dernières années à Kauai, il avait tellement pris l'habitude de voir échouer les tests du bouclier antimissile et d'entendre à chaque fois que le prochain test serait celui de la dernière chance, qu'il s'était dit que ce nouvel échec passerait inaperçu… En tout cas, il avait jugé que la préservation de son couple valait bien ce risque. Prescott s'abstint de signaler ces détails au président Carlson. Depuis le fiasco de la seconde guerre d'Irak, très peu d'étudiants brillants voulaient entrer dans l'armée américaine. Le niveau d'exigence pour le recrutement avait donc dû être sévèrement abaissé et le Pentagone devait régler des problèmes de ce genre chaque jour.

— Et la fille ?

— Évaporée. Toutes les informations qu'elle a données à l'officier sont fausses. Son signalement correspond à un quart de la population féminine hawaïenne. On va rechercher quand même. Impossible de faire le moindre test ADN. Tout a eu lieu sur la plage et dans la mer.

Prescott attendit quelques instants puis ajouta :

— C'est du travail de professionnel, qui pourrait confirmer la piste chinoise.

Cette nouvelle n'était pas encourageante, mais la colère de Carlson était encore plus forte que sa peur. Hors de lui et le visage rubicond, Carlson s'écria :

— Jetez ce danger public au trou et virez aussi le général McClough, c'est un incapable. L'Agence de Défense antimissile vient de ridiculiser l'Amérique. On s'emmerde à envoyer des hommes sur la Lune pour impressionner les chinetoques, et il gâche tout en confiant une mission critique à un détraqué sexuel !

Prescott lui-même pouvait sauter pour un tel manquement. Mais heureusement le président avait plus que jamais besoin de lui. Il y a quelques années, lors d'un briefing sur la menace cyber-terroriste, Carlson avait retenu que la principale faille du système informatique militaire américain résidait dans les hommes qui le géraient. Le meilleur moyen de pénétrer dans une forteresse était toujours de demander à l'un des assiégés d'ouvrir la porte. Une variante du cheval de Troie.

Prescott laissa le président à sa colère et sortit discrètement de la cabine.

Enfoncé dans son épais fauteuil en cuir crème et la tête calée contre un hublot de l'avion présidentiel, Carlson regardait défiler depuis des heures les villes et les fermes isolées des Grandes Plaines. De sa main droite, il agitait les glaçons qui flottaient à la surface de son verre de bourbon. De temps à autre, il le portait à son nez et humait son parfum épicé, avant d'y tremper les lèvres. Depuis ce poste d'observation, il prenait conscience de l'étendue de son pouvoir et de ses responsabilités : il disposait d'un droit de vie ou de mort sur tous les Terriens qui vivaient à dix kilomètres sous Air Force One. La vue qu'il avait du hublot lui donna soudain le vertige. Il tira le rideau.

Jusqu'à présent, il avait toujours considéré qu'il n'était que le maître du microcosme en costume sombre de Washington. Il n'avait jamais éprouvé d'état d'âme vis-à-vis de cette horde ambitieuse, et c'est sans doute pour cela qu'il avait réussi à se hisser jusqu'au sommet de la nation. Repéré lorsqu'il était étudiant en droit à Yale par Fox et ses amis, il avait par la suite utilisé tous les stratagèmes pour neutraliser les autres prétendants au trône : pressions psychologiques, coups bas, manipulations, pots-de-vin, humiliations, trahisons, chantages et éliminations physiques lorsque cela avait été nécessaire – à deux reprises. En y repensant, il s'aperçut combien cette ascension avait finalement été virtuelle et facile. Il avait franchi les échelons successifs du pouvoir, comme dans un jeu vidéo, sans trop prêter attention aux dégâts subis par ses adversaires, pour lesquels il n'éprouvait que du mépris. Dans la situation actuelle, le jeu pouvait avoir un impact sur le monde réel, celui des gens normaux, ceux qui vivaient paisiblement à 10 000 mètres sous Air Force One. Il avait surtout la désagréable impression d'être engagé dans une partie qu'il pourrait peut-être ne pas gagner et cela ne lui était encore jamais arrivé.

Les dernières heures avaient été particulièrement éprouvantes et son anxiété était à son paroxysme. Malgré le démenti officiel de Pékin et l'absence de preuves, ses conseillers penchaient toujours pour un sabotage orchestré par les Chinois. Ni Prescott ni lui n'avaient anticipé ce scénario. Carlson s'était entretenu longuement avec le président chinois Li Jinsong et n'était pas parvenu à déceler s'il lui mentait. Mais le grand cœur tracé dans le ciel à Kauai intriguait tous les experts : soit cette forme n'était que le fruit du hasard, soit elle cachait un message teinté d'humour sarcastique dont personne ne pensait les Chinois capables.

Carlson devait s'adresser à la nation dès son arrivée à Washington et il faisait face à un grand dilemme : s'accorder davantage de temps en laissant le champ libre à ses détracteurs ou bien accuser directement la Chine. Dans les deux cas, l'alunissage de Columbus 11, qui devait avoir lieu deux jours plus tard, serait relégué au second plan de l'actualité. Tout ce qu'il avait accompli depuis son premier mandat serait alors réduit à néant, sans parler du plan Aleph qu'il faudrait probablement annuler. Il devait trouver une meilleure issue.

La sonnerie de son téléphone l'arracha à sa torpeur. C'était Prescott. Il venait d'avoir la preuve que Pékin n'était pas responsable du sabotage. Les auteurs venaient de se manifester. Carlson, après avoir prié son secrétaire à la Défense de le rejoindre dans sa cabine privée, eut un long soupir de soulagement. Puis l'inquiétude le gagna et des gouttes de sueur se mirent à perler sur son front.

— Alors Mike, qui est derrière ça ? lui demanda le président lorsque celui-ci franchit le seuil de la cabine.

— L'acte a été revendiqué par le groupe éco-terroriste Gaïa. Ils viennent de publier leur communiqué sur Internet.

Carlson était surpris. Il avait lu la veille dans les journaux que ce groupe s'était attaqué à des pêcheurs de dauphins. Quel rapport avec le bouclier antimissile ? Il s'empara de l'imprimé que Prescott lui tendait, remit en place sa mèche et chaussa ses lunettes.

Communiqué Gaïa – Kauai
À l'attention du président Robert Carlson

Depuis la destruction de Nagasaki en 1945, le principe de "destruction mutuelle assurée" a préservé l'humanité d'un nouvel emploi de l'arme nucléaire. La mise en service d'un bouclier antimissile modifierait ce fragile équilibre de la dissuasion.

Le sabotage du test par Gaïa a démontré la vulnérabilité de cette technologie au coût astronomique. Le test de Kauai était d'ailleurs truqué et il a suffi à Gaïa de flouer l'officier en charge de l'opération.

Nous demandons au gouvernement d'abandonner ce programme et de réduire drastiquement son arsenal nucléaire. Le meilleur moyen de protéger le territoire américain est de bannir la Bombe, arme trop puissante pour notre petite planète. Gaïa est déterminée à intervenir de façon encore plus musclée pour démontrer l'aberration de ce programme.

D'autres actions de Gaïa suivront dans les prochains jours.

Le président était partagé entre deux réactions contradictoires : la rage contre Gaïa et le soulagement de ne pas avoir à affronter la Chine.

— Peut-on vraiment se fier à ce communiqué ? s'enquit-il.

— Oui. Ils ont donné le nom de l'officier piégé et des détails sur la fille.

— Gaïa… maugréa Carlson.

Il entrevoyait la lourde tâche de communication qui les attendait, Prescott et lui.

— Mike, pensez-vous qu'un État finance les activités de ce groupe ?

— Je ne crois pas, avança Prescott. Gaïa ne vise pas un pays en particulier, mais défend plutôt une cause. Le groupe est très jeune et ne s'en était jamais pris jusqu'à maintenant directement aux États-Unis, mis à part le PDG d'une de nos marques de meubles. Nos services secrets vont essayer de remonter les pistes dont ils disposent, mais nous doutons qu'un État les soutienne.

— Prescott, appelez Pékin immédiatement. Je vais détendre l'atmosphère avec le président Li Jinsong. Ensuite, écrivez-moi un discours qui rassure le peuple américain. Rappelez les vertus du bouclier antimissile. Annoncez que nous rechercherons les coupables et que les punitions seront terribles. L'action de Gaïa doit être complètement décrédibilisée.

Carlson donnait très souvent à Prescott des ordres qui allaient bien au-delà de son ministère. Depuis le limogeage de son chef de cabinet, en qui le président n'avait plus assez confiance, Prescott endossait implicitement cette responsabilité et cela convenait parfaitement aux deux hommes. Ils ne se quittaient donc plus, ce qui provoquait l'ire du vice-président Lewis. Ce tandem était unique en temps de paix dans l'histoire des États-Unis ; pour certains commentateurs, il était porteur de mauvais présages et annonçait la guerre.

— Je vais essayer mais ce ne sera pas facile, fit remarquer le secrétaire à la Défense. Gaïa est très populaire. Des manifestants convergent déjà vers le Congrès pour réclamer l'arrêt des financements du bouclier.

— Les États-Unis ne vont pas se laisser impressionner par ce maudit groupe de pacifistes ! vociféra Carlson.

Ces discussions lui avaient donné un coup de sang et, pour la première fois depuis longtemps, il se sentait bien. L'action était finalement son meilleur remède.

Prescott avait l'air préoccupé.

— Ce n'est pas tout, ajouta-t-il.

— Ah bon ?

— Avec son communiqué, Gaïa a également publié un budget détaillé du programme antimissile américain sur les quinze dernières années.

— Et alors ? questionna Carlson sans véritablement percevoir le danger.

— Eh bien, disons que ces chiffres dépassent ceux qui ont toujours été communiqués aux contribuables.

— C'est-à-dire ?

— Ils sont trois fois plus importants, admit Prescott.

— Comment est-ce que Gaïa a pu se procurer ces documents ?

— Un des membres du Sénat siégeant à la sous-commission sur les forces stratégiques pensait avoir perdu sa mallette, mais maintenant nous sommes certains qu'il s'agit d'un vol. Elle contenait de nombreux documents classés "secret défense" sur le bouclier, dont la part du budget revenant à chacun des fournisseurs.

Carlson s'imagina bien que le groupe CorFox était en haut de la liste et qu'on allait l'accuser de tous les maux. Ce n'était pas le moment d'attirer l'attention des médias vers lui. La négligence de ce sénateur le navra. Le non-respect des règles de consultation des documents classifiés était passible de prison, et il comptait bien faire appliquer cette sentence. La transparence exigée par la démocratie exposait le pays à de graves dangers. Fort heureusement pour la sécurité nationale, l'objectif, le financement, voire parfois même l'existence de certaines opérations, comme le plan Aleph, restaient hors de la connaissance du Sénat.

— Votre tâche de communication sera donc des plus passionnantes, Prescott ! Ne perdez pas un instant. Il en va de la réussite d'Aleph.

JOUR 4, BIOSPHERE 2,
ARIZONA, ÉTATS-UNIS.

— OK, Peter. On se voit donc la semaine prochaine !
dit Abel en raccrochant.

Lucy était à ses côtés. Ils venaient d'obtenir leur rendez-vous à la NASA pour la semaine suivante. Et pas avec
n'importe qui. Dix ans plus tôt, Abel avait effectué un
stage au Johnson Space Center sous la houlette de Peter
Brown. Il avait gravi les échelons et était maintenant directeur du prestigieux centre de Houston. Il avait reconnu
que c'était le moment opportun pour envisager d'utiliser
Biosphere 2 au sein du programme Odyssey. Comme le
couple était ami de Paul Gardner, Brown leur avait octroyé
une autorisation spéciale pour qu'ils puissent se rendre au
centre de commande de Houston en pleine mission
Columbus 11.

Lucy et Abel étaient survoltés, tant ce rendez-vous
ouvrait de nouvelles perspectives pour Biosphere Economics. Ils partirent annoncer la nouvelle à leurs équipes
et l'accueil fut unanime. Avec ce projet, le rêve qu'ils
avaient tous formulé en venant dans ce désert prenait corps.
Ensemble, ils redonneraient bientôt sa fonction originelle
à la Grande Serre et l'inscriraient au cœur d'une des plus
belles aventures humaines : l'exploration spatiale. Ils char-
gèrent chacun des chercheurs de décrire une partie du programme de recherche à soumettre à la NASA.

À l'issue de cette matinée bien remplie, ils se dirigèrent vers la cafétéria. À cent mètres, ils pouvaient sentir le parfum du riz safrané. Le chef avait préparé une grande paella végétarienne, comme tous les plats servis à la cantine de Biosphere Economics. Lucy en raffolait, mais Abel détestait ça. Déçu, il se rabattit sur quelques fruits tropicaux cultivés dans la Grande Serre, accompagnés d'une bière mexicaine *Dos Equis* bien fraîche. Il avait imposé cette marque au grand dam des amateurs de l'insipide *Budweiser*. Après tout, il était le patron et il s'appelait Valdés Villazón. Il était né à Tijuana, à la frontière américano-mexicaine ; il avait donc voulu honorer son pays. Ce nom, Lucy avait refusé de le porter lorsqu'ils s'étaient mariés, pour marquer son indépendance. Malgré le conflit qui l'opposait à son père, elle avait conservé le sien : Spencer. Même si Abel aimait normalement tout contrôler, les prises de position tranchées de Lucy lui plaisaient ; il avait besoin de quelqu'un capable de le contredire.

Ils gagnèrent la salle à manger située sur la terrasse et s'assirent à une grande table ensoleillée, avec quelques jeunes recrues. Les discussions allaient bon train à côté d'eux. Mark, le stagiaire néo-zélandais de Lucy, et Eugénie, une étudiante française dont il s'était épris, s'entretenaient avec un petit groupe. Le jeune couple avait adopté un look cyberpunk comme de nombreux autres chercheurs sur le campus de Biosphere Economics : dreadlocks façon Bob Marley pour Mark, piercings et crâne rasé pour Eugénie. Ils portaient chacun un tee-shirt qu'Abel connaissait bien : celui des fans de Gaïa. Ornés de l'emblème du groupe – la désormais mythique couronne bleue qui avait défié le Pentagone –, ces tee-shirts n'étaient pas fabriqués par l'organisation, mais par des opportunistes qui les vendaient sur Internet. C'était la première fois qu'Abel en voyait chez Biosphere Economics.

Il masqua son embarras et tendit l'oreille.

— Cette fois-ci, ils sont vraiment allés trop loin, lâcha Dave, un Américain du service informatique.

— Et pourquoi ? l'attaqua Mark. Tu trouves ça bien, ce bouclier antimissile ?

— Je préférais quand ils protégeaient les dauphins. En s'attaquant à notre sécurité nationale, Gaïa nous met en danger.

— Mais, Dave, c'est ce bouclier qui nous met en danger ! s'insurgea le Néo-Zélandais. Il accroît l'hostilité envers les États-Unis et en plus il ne fonctionne pas !

Dave haussa les épaules et avala une grande cuillérée de paella. Comme beaucoup d'Américains, il n'avait pas vraiment songé aux conséquences géopolitiques du bouclier.

Eugénie, la petite amie de Mark, fit monter le ton d'un cran.

— Dave, réfléchis seulement deux secondes ! Ce bouclier est l'arme la plus arrogante que l'Homme ait jamais créée. En supposant qu'il fonctionne un jour, c'est l'impunité assurée pour les États-Unis.

Le bouclier antimissile était l'ultime étape d'un processus infernal d'action/réaction qui avait conduit en quelques millénaires à des armes et des contre-mesures toujours plus sophistiquées : glaive et bouclier, arbalète et cotte de mailles, forteresse et trébuchet, arme à feu et gilet pare-balles, véhicule blindé et mine antichar, missile Stinger et brouilleur infrarouge… Cette spirale mortelle avait aussi été l'un des catalyseurs du progrès technique. L'homme ne serait jamais allé sur la Lune s'il n'avait pas appliqué l'adage romain : *si vis pacem, para bellum*, si tu veux la paix, prépare la guerre. L'arme atomique et le bouclier antimissile, en atteignant les limites du globe, marquaient la fin de ce processus et l'avènement d'un monde petit. Jusqu'à la prochaine contre-mesure.

Dave se sentit agressé.

— Quel est le problème ? contre-attaqua l'informaticien. Après tout, les contribuables américains payent et autorisent la construction de ce qu'ils veulent au-dessus de leurs têtes. Avec ce bouclier, les États-Unis éviteraient aussi de perdre du temps en tergiversations diplomatiques inutiles.

— Ce serait suicidaire ! s'indigna Eugénie. Une machine à fabriquer de la frustration, qui se transformera inexorablement en actes terroristes. Voilà ce que tu auras ! Un beau jour, les États-Unis se retrouveront avec des bombes qui exploseront sur leur sol : dans les écoles, les autobus ou les ports. Contre ça, ton bouclier magique ne pourra rien.

Abel écoutait sans rien dire. Il était content que l'action de Gaïa déclenche de tels débats. C'était drôle aussi de voir une Française et un Néo-Zélandais unis contre les armes nucléaires. Presque trente ans plus tôt, leurs pays s'étaient entredéchirés autour du scandale du Rainbow Warrior, vaisseau amiral du groupe Greenpeace. Sa fascination pour le harcèlement psychologique et l'utilisation des médias remontait certainement à cette époque. Après cette affaire, la France n'avait pour autant pas arrêté ses essais nucléaires souterrains en Polynésie. Abel, avec ses méthodes, espérait bien aller plus loin.

Lucy, qui veillait à la bonne entente entre ses employés, décida d'intervenir.

— Eugénie, Mark, ne pensez-vous pas que les méthodes de Gaïa sont archaïques ? Et dégradantes pour la femme ! Utiliser une prostituée pour faire chanter les gens, je croyais que ça ne faisait plus depuis les années 60. Ils nous ont refait le coup de Mata Hari.

Abel savait que la méthode de cette dernière opération irriterait Lucy. Elle le tuerait si elle apprenait que la Mata Hari en question était l'une de ses meilleures amies de Berkeley, Keilana Akaka. Il l'avait recrutée plusieurs années auparavant. Elle travaillait désormais au département d'océanographie de l'université d'Hawaï où elle étudiait l'impact du sonar à haute intensité de la marine américaine sur l'orientation des dauphins et des baleines. Ce sonar, appelé SURTASS LFA, était utilisé dans la lutte anti-sous-marine. Outre ses grandes capacités intellectuelles, Keilana avait le don de se déguiser, de se transformer physiquement et de se rendre totalement méconnaissable. Cette faculté faisait partie de ce que les Grecs anciens appelaient la *mètis*, l'art de la ruse, dont Ulysse était le maître incontesté. Sur la base du signalement donné par le militaire trompé, les autorités américaines pourraient la chercher très longtemps.

— S'ils croient qu'ils vont arrêter le gouvernement américain en lui faisant peur, continua Lucy, les dirigeants de Gaïa rêvent. En nous menant au bord du conflit avec la Chine, ils nous ont fait courir à tous un risque insensé. En plus, ils ont décrédibilisé leurs actions précédentes. Je viens d'entendre que le Premier ministre japonais était revenu sur sa décision et qu'il allait poursuivre la chasse à la baleine. Les États-Unis font maintenant corps avec lui.

Abel fut surpris car il n'avait pas lu que les Japonais avaient changé d'avis. Mais tant pis, il était certain que Gaïa finirait par avoir raison. Le jaguar noir, jusque-là silencieux, se réveilla.

— Lucy, la mise en place du bouclier américain a exalté les Chinois. Ils ont répliqué en développant de nouveaux missiles qui menacent maintenant aussi le Japon, qui va devoir acheter un bouclier aux États-Unis ! C'est contre eux que le gouvernement japonais devrait se révolter, pas contre Gaïa.

Lucy réfléchit. Tout cela était éminemment politique et son mari n'avait pas forcément tort.

— OK, mais est-ce que tu adhères pour autant à leurs méthodes ?

— Oui, complètement, lâcha Abel.

Sa prise de position tranchée provoqua un grand silence, et des sourires. Mark et Eugénie étaient très heureux de voir que leur patron était aussi un sympathisant de Gaïa.

— De temps en temps, il n'est pas mauvais de rappeler à l'humanité qu'elle peut s'éteindre. Cela fait soixante-dix ans qu'elle traîne l'arme atomique et il y a bien un jour où elle va lui péter à la gueule. Elle ferait mieux de s'en débarrasser maintenant. Le bouclier ne fait que préparer un conflit encore plus dévastateur.

Lucy et Abel étaient lancés, chauffés au fer rouge. Mark, poussé par l'enthousiasme de son patron, versa de l'huile sur ce feu.

— Mais oui ! reprit Mark. On devrait tout arrêter. L'argent donné au Pentagone ou à la NASA est foutu en l'air. Tout le monde se moque de la conquête spatiale. Pendant ce temps, les animaux, les plantes et les hommes crèvent !

Lucy fusilla Mark du regard. Abel n'eut pas le temps de réagir et serra les mâchoires.

— Mark ! vitupéra Lucy. D'accord pour protéger notre planète, mais pas au point d'arrêter notre développement et de retourner aux temps préhistoriques. Si tu ne comprends pas cela, je ne vois même pas pourquoi tu travailles ici. Surtout au moment où nous cherchons à collaborer avec la NASA.

Elle jeta sa serviette et était sur le point de quitter la table. Cette discussion, Lucy et Abel l'avaient eue cent fois : fallait-il arrêter la croissance ? Ou bien faire confiance à l'Homme pour qu'il prenne conscience des limites de la planète et qu'il s'adapte ?

Eugénie, la petite amie de Mark, mordillait son piercing pour évacuer son stress. Le Néo-Zélandais s'était mis sa patronne à dos et ne savait plus comment faire pour rattraper le coup. Elle le voyait déjà repartir à Auckland.

Lucy réalisa qu'elle s'était un peu trop emportée et décida d'apaiser les esprits.

— Parcours le blog de Paul Gardner et tu te persuaderas que partir dans l'espace peut donner une vision d'ensemble, un recul qui sera sûrement un jour très utile à l'humanité pour imaginer son futur. Personne ne lit ou n'écoute les astronautes. Comme ce sont en général des militaires, on les prend pour des machines. Exposés de façon prolongée à la beauté de la Terre, ils ont souvent été transformés par leur séjour en orbite. Nombreux sont devenus d'ardents défenseurs de l'environnement et même des poètes.

Ces dernières paroles plurent beaucoup à Abel. L'incident était clos et ils se mirent tous à cogiter sur les projets qu'ils pourraient proposer à la NASA.

Abel retourna à son bureau, s'allongea sur le canapé et se mit à réfléchir. Il était temps pour Gaïa de passer à la seconde phase. La première phase avait consisté en une vague d'actions de choc, inspirant à la fois crainte et sympathie. Il était dangereux de poursuivre plus loin, et le sabotage du bouclier antimissile était un beau bouquet final.

L'organisation avait maintenant acquis suffisamment de notoriété pour enclencher la seconde phase. Abel avait rédigé un "manifeste Gaïa". Il y définissait à la fois les actions punitives qu'il fallait continuer à mener pour ne pas relâcher la pression, mais surtout les actions régénératives et positives qu'il fallait déclencher ou fédérer pour réenchanter le monde. Mouvement isolé pour l'instant, Gaïa allait devenir une "bannière universelle". Toute organisation qui respecterait ces principes pourrait se revendiquer de la nébuleuse Gaïa. Al Qaida avait procédé de la même façon. Il y avait des centaines de milliers de mouvements à travers le monde qui essayait d'améliorer les choses, par petites touches, à leur échelle. Gaïa serait le mouvement fédérateur des inventeurs, des visionnaires, des amoureux de la Terre et de l'Homme. Gaïa serait le Grand Réenchanteur.

L'alunissage de Columbus 11 allait déclencher un élan de joie planétaire qu'Abel ne voulait pas gâcher. Il décida donc de ne démarrer la seconde phase qu'après. Avec la publication du manifeste, Gaïa montrerait sa véritable ambition. À son retour, Paul trouverait peut-être un monde différent. Et Abel oserait peut-être alors leur dire la vérité, à Lucy et à lui.

JOUR 4, *SPACEBLOG* DE PAUL GARDNER, SITE INTERNET DE LA NASA

Depuis mon départ, je m'aperçois que je vous ai tellement parlé de la Terre, que j'ai omis d'évoquer les étoiles !

D'où nous sommes, nous commençons à prendre conscience de la taille invraisemblable et presque effrayante de l'univers. Proxima du Centaure, l'étoile la plus proche de notre galaxie, se situe tout de même à 4 années-lumière et la plus éloignée à 100 000 années-lumière.

En comparaison, la portée du programme Odyssey paraît dérisoire : la planète Mars n'est située qu'à quelques minutes-lumière et représente déjà la limite accessible pour nos techniques actuelles. La Voie lactée compte à elle seule plusieurs centaines de milliards d'étoiles et il existe cent milliards d'autres galaxies. Le nombre d'étoiles dans l'univers est donc prodigieux. L'astronome Carl Sagan estimait qu'il y en avait plus que de grains de sable sur l'ensemble des plages de la Terre. Nous ne sommes sûrement pas seuls, chacune de ces étoiles pouvant abriter des planètes avec éventuellement des formes de vie et, pourquoi pas, des espèces douées d'intelligence.

Notre galaxie est comme une grande galette en forme de spirale où sont massées les étoiles. La bande blanchâtre, que l'on peut apercevoir dans le ciel par une nuit bien claire, est la tranche de notre galaxie. Les humains ont toujours été fascinés par cette autoroute du ciel, à laquelle ils ont donné le nom de Voie lactée. De la Préhistoire jusqu'aux civilisations antiques, ce lien avec le cosmos était capital. Dans le monde moderne, il a malheureusement été rompu, nous privant de la magie et de l'enchantement qui nous liaient à la nature. À ma modeste échelle, j'essaierai, tout au long de mon voyage, de vous rappeler l'importance de ce lien sacré.

Depuis l'espace, le caractère infini du nombre d'étoiles est flagrant. Il y en a partout, mais le Soleil étant une gigantesque lampe torche, il nous empêche de les voir. En orbite, lorsque notre capsule est passée dans l'ombre de la Terre, après une dizaine de minutes d'adaptation et l'extinction de tous les instruments de bord, elles sont apparues enfin par millions. Les nuages ne les cachaient plus, la pollution lumineuse n'affaiblissait plus leur éclat. Elles ne scintillaient plus non plus – ce phénomène est provoqué par la diffraction à travers l'atmosphère de la lumière qu'elles émettent – et elles avaient même retrouvé leurs couleurs : Rigel était redevenue bleue, Sirius blanche, Arcturus orangée et Bételgeuse rouge. Comme une barre de métal qui a été chauffée, leur teinte dépend de leur température : plus l'étoile est chaude, plus elle est blanche. Même si maintenant nous ne les voyons plus, nous sentons leur présence. Elles atténuent l'angoisse provoquée par l'éloignement progressif de la Terre, notre unique maison.

Nous sommes maintenant à mi-chemin et notre planète n'est plus qu'une orange bleue plongée dans l'obscurité. J'ai la terrible impression de dériver au milieu de l'océan à bord d'un frêle esquif. Il faut que je cesse d'y songer pour éviter la panique. Je préfère penser à la Lune qui se rapproche, et sur laquelle nous nous poserons dans deux jours. Je fais confiance à tous nos collègues de Houston pour nous emmener à bon port. Nous serons alors happés par son champ gravitationnel et nous survolerons sa face cachée, celle qui tourne toujours le dos à la Terre.

Pendant cinquante minutes, les communications avec la Terre seront interrompues. Nos familles et les ingénieurs de Houston attendront avec impatience de nous voir ressortir de l'autre côté. Cette opération est en effet délicate : si notre trajectoire est déviée, nous risquons, par effet de fronde, d'être catapultés vers le fin fond du système solaire. Mieux vaut ne pas y penser !

Houston nous a aussi tenus au courant du sabotage du bouclier antimissile et de l'issue de cette crise. D'ici, on ne pouvait pas croire qu'une guerre puisse embraser notre belle planète. On se demande tous qui peut bien se cacher derrière Gaïa.

Continuez d'envoyer vos messages sur mon blog, cela donne du courage et permet d'oublier notre fragile situation. J'avais promis hier de répondre à tous vos messages en rentrant, mais on m'a indiqué qu'il y en avait déjà des millions… Cela m'occupera jusqu'à la retraite !

À demain.

JOUR 5, MAISON BLANCHE, WASHINGTON, D.C., ÉTATS-UNIS.

Le président Carlson se sentait un peu mieux depuis qu'il connaissait les auteurs du sabotage de Kauai. Son anxiété était redescendue. Dans le bureau ovale, il tenait sa réunion quotidienne sur la sécurité nationale avec le directeur de la CIA, Albert Carpenter. Il n'écoutait que d'une oreille et avait les yeux rivés sur le globe lunaire que lui avait offert Cornelius Fox, au lendemain de son élection. Même si c'était moins grave qu'une attaque perpétrée par les Chinois, Gaïa venait tout de même de compliquer la mise en œuvre du plan Aleph.

Compte tenu des événements, Mike Prescott s'était joint à eux, avec le général Owen, administrateur de la NSA. Pamela Whitehead, secrétaire à la Sécurité intérieure, était occupée à coordonner ses équipes pour éviter un nouveau coup de Gaïa. Elle participait cependant à la réunion par visioconférence. Carpenter avait déjà résumé brièvement les faits.

— Al, que savez-vous de plus par rapport à hier sur Gaïa ? l'interrogea Carlson.

— Monsieur le Président, mes hommes, comme ceux du FBI, sont malheureusement très peu infiltrés parmi les activistes écologistes, répondit Carpenter. Nous avons bien des taupes dans les grands mouvements comme Greenpeace ou le WWF, mais personne dans ces groupuscules.

— Mais qu'est-ce que vous attendez ?

Carpenter était confus. Son agence s'était montrée une fois de plus inutile alors que, bien avant l'apparition de Gaïa, la menace éco-terroriste avait été identifiée comme critique. Au Royaume-Uni, par exemple, le Front de libération animale avait provoqué des dégâts considérables dans des laboratoires de cosmétiques où étaient menées des expérimentations sur des cobayes. Aux États-Unis, des mouvements comme le Front de libération de la Terre ou les Cellules Révolutionnaires avaient déclenché des incendies contre des projets immobiliers, des établissements pharmaceutiques et des vendeurs de 4 × 4. Ces mouvements étaient considérés comme des menaces très dangereuses par le FBI et avaient été les cibles de l'opération "*Backfire*" quelques années auparavant. Mais depuis, la CIA et le FBI avaient baissé la garde.

— Monsieur le Président, répondit Carpenter, vous savez comme moi que nos moyens humains de renseignement ont été mobilisés pour contrer la menace terroriste islamiste. Le danger éco-terroriste ne fait pas partie des priorités de l'Agence ni du FBI. On ne peut pas inventer un réseau d'informateurs du jour au lendemain.

— Toujours la même rengaine ! ragea le président américain en tapant du poing sur son bureau. Douze ans après la chute du mur de Berlin, vous étiez toujours incapables d'espionner autre chose que les communistes. Il aura fallu attendre le 11 septembre pour que vous commenciez à vous bouger. Quel gâchis, quand on pense aux budgets qui vous sont alloués…

— Monsieur le Président, murmura le directeur de la CIA, nous y œuvrons et à l'instant même nous essayons de voir comment pénétrer ces mouvances. Nous tentons aussi d'exploiter les indices qu'ils auraient pu laisser à l'étranger. Le gouvernement japonais va nous prêter main-forte.

Même avec plus d'informations sur Gaïa, on n'aurait pas pu s'imaginer qu'ils s'attaqueraient au bouclier antimissile.

— Et vous croyez Al, qu'en septembre 2001 on pensait qu'Al Qaida raserait les *Twin Towers* avec des avions de ligne ? C'est justement pour cela que l'on vous paye : prévoir l'impossible ! Et empêcher qu'il survienne !

Carlson jeta un regard méprisant à Carpenter. Les États-Unis ne pouvaient pas compter sur la CIA pour anticiper de nouvelles menaces.

— Et du côté de la NSA ? s'enquit le président sans trop d'espoir.

La NSA, à ne pas confondre avec la NASA, était l'organisme très secret en charge de la protection des communications des États-Unis. Elle était également capable d'écouter et d'analyser tous types de signaux électroniques. Le général Owen enfonça ses grosses lunettes sur le haut de son nez et ajusta son uniforme.

— Certains leaders écologistes radicaux sont surveillés depuis longtemps, avança Owen. Nous sommes en train d'analyser les communications qu'ils ont passées au cours des dernières années.

— Pour y rechercher le mot Gaïa ? demanda le président américain intéressé.

— On l'a trouvé des dizaines de milliers de fois. C'est un des noms qui revient souvent chez ces groupes qui vénèrent Gaïa, la déesse de la Terre. Cependant aucune communication n'a pour l'instant fait allusion simultanément à Gaïa et à l'organisation d'actes de sabotage. De nombreuses associations écologiques portent aussi ce nom, les créateurs du mouvement ont été malins lorsqu'ils l'ont choisi.

— D'accord, continuez ces analyses et tenez-nous au courant de vos avancées, maugréa Carlson. La mission Columbus 11 arrivera demain sur la Lune, pensez-vous qu'il y ait une chance pour que Gaïa frappe à nouveau d'ici là ?

Ce serait regrettable que le prestige des États-Unis puisse être entaché à quelques heures d'une si grande victoire sur les Chinois. Vous voyez ce que je veux dire ?

— Monsieur, tous nos agents sont en état d'alerte et n'ont pour l'instant enregistré aucun signe de préparation d'un nouvel acte, répondit Owen.

— Pas plus qu'ils n'en avaient détecté pour la précédente attaque, murmura mesquinement Carpenter.

Depuis leur création, la NSA et la CIA avaient toujours été des rivales. Le général Owen haussa les épaules, attirant l'attention sur les quatre étoiles qui ornaient chacune de ses épaulettes.

Carlson fit intervenir Pamela Whitehead, secrétaire à la Sécurité intérieure, qui était en liaison vidéo. Elle, au moins, veillait à ce que rien n'advienne à Columbus 11, c'était l'essentiel pour le président. Puis il mit fin à cette réunion qui n'apportait rien. Les directeurs de la CIA et de la NSA prirent congé et il resta en tête-à-tête avec Mike Prescott.

— Bon dispositif de communication hier, Prescott.

— Merci, Monsieur le Président. Cela n'a pas été aisé.

Comme Carlson le lui avait demandé, Prescott était parvenu à diaboliser le mouvement : en s'immisçant dans les affaires militaires, Gaïa avait montré son vrai visage. C'était une secte très dangereuse, dont les parents devaient éloigner leurs enfants. Quelques grands médias, que le gouvernement ou ses soutiens contrôlaient, avaient inondé la population d'images négatives et sauvages sur le groupe, tout en esquivant la discussion de fond sur la pertinence du bouclier et l'implication du groupe CorFox. Ils avaient également omis d'évoquer les nombreuses manifestations contre l'usage des armes nucléaires.

Les réseaux sociaux en revanche ne décoléraient pas et leur soutien à Gaïa n'avait fait que croître. Mais cette prise de position était très peu visible de l'extérieur. Prescott trouvait que l'invention des blogs et des réseaux sociaux était extraordinaire : plutôt que de rassembler les contestataires, ils les avaient divisés. Au lieu de former des mouvements d'ampleur, les influenceurs regardaient leur nombril, développaient leur propre vision du monde et se déchiraient pour savoir qui avait raison. L'ego, toujours l'ego. En interdisant à un leader d'émerger, cette frange de la population s'était donc neutralisée elle-même. Et puis cette activité était extrêmement chronophage. D'innombrables révolutionnaires en herbe étaient occupés toute la journée à commenter les publications des autres, au lieu de défiler dans les rues ou de fomenter des coups d'État.

L'opinion de Prescott sur les réseaux sociaux n'était pas la seule. Certains experts avaient une autre lecture du phénomène, inspirée par la théorie des percolations. La percolation est un concept de physique statistique qui permet d'expliquer l'émergence de propriétés macroscopiques complètement nouvelles à partir d'évolutions graduelles à l'échelle microscopique. Si par exemple vous lancez aléatoirement des pierres dans un étang peu profond, elles seront au départ disjointes les unes des autres. Puis il arrivera un moment où un seuil sera franchi et où vous pourrez traverser l'étang à pied, propriété macroscopique nouvelle. Dans ce cas, on dit que l'amas constitué par les pierres a "percolé".

Les réseaux contestataires devenaient justement tellement denses que l'on s'approchait du seuil de percolation. Le jour où un événement majeur transcenderait les intérêts individuels, ces contestataires isolés s'uniraient et la tornade serait dévastatrice. Le réseau décentralisé était tissé et n'attendait qu'à être activé. Gaïa, par exemple, en avait pleinement conscience.

— Monsieur le Président il y a une bonne nouvelle. J'étais tout à l'heure avec le général Kirkpatrick. Il a reçu un signal du major Gary Tyler à bord de Columbus 11, confirmant que tout se passe bien et que les trois autres astronautes ne se doutent toujours de rien.

Cette information réjouit le président. Kirkpatrick était le chef d'état-major de l'US Air Force et l'un des rares à partager le secret de Carlson, Prescott et Fox sur le plan Aleph. Il n'y avait plus qu'une journée avant l'alunissage de Columbus 11 et ce serait certainement la plus longue de la vie de Carlson.

JOUR 5, BIOSPHERE 2, ARIZONA, ÉTATS-UNIS

Abel avait passé le début de la matinée, isolé dans son bureau, à peaufiner le lancement de la seconde phase de Gaïa. Il était maintenant avec Lucy en train de finaliser le projet qu'ils allaient proposer à la NASA. Toujours cette schizophrénie.

Son téléphone sonna. Abel décrocha. C'était sa tante Clara.

— Ça va, mon chéri ? lui demanda-t-elle. Je ne te dérange pas ?

— Non, Clara tu ne me déranges pas du tout. Que puis-je faire pour toi ?

Clara était très maternelle. Elle avait adopté Abel après la mort de ses parents, Laura et Fernando. Ils avaient été assassinés sous les yeux d'Abel lorsqu'il n'avait que cinq ans. Depuis, ces images étaient gravées au fer rouge dans sa mémoire.

Ils étaient en famille tous les trois sur une plage paisible de l'océan Pacifique. C'était l'un des rares dimanches où son père avait pu se libérer de ses obligations professionnelles. Ils se voyaient peu, mais Fernando vouait à son fils unique un amour sans limites. Lorsqu'ils avaient regagné leur véhicule sur le parking, deux motos s'étaient approchées lentement dans leur direction. Sur chacune d'elles, deux hommes sans casque tenaient à la main de grands sacs en toile. Lorsqu'ils furent parvenus au niveau de la voiture, les motards sortirent des fusils à canon scié et lâchèrent une série de décharges sur son père et sa mère. Leurs corps furent déchiquetés. Terrorisé, Abel avait regardé s'enfuir les quatre lâches.

C'est sans doute ce jour qu'il se forgea sa vocation de justicier. Inconsciemment, il avait décidé de continuer l'œuvre de son père. Fernando Salazar Chacón était le juge le plus respecté de sa région : il avait eu le courage – ou l'imprudence – de s'attaquer de front au cartel de Tijuana dont il venait de condamner les principaux responsables. Située à la frontière entre les États-Unis et le Mexique, Tijuana occupait un emplacement stratégique. C'était l'un des principaux points de passage des clandestins et de la cocaïne en partance pour la Californie ; des trafics très rentables gérés par le cartel.

Le meurtre du juge Salazar et de son épouse provoqua l'effroi de la population locale. Qui protégerait dorénavant les habitants de la région ? Aujourd'hui encore, le cartel faisait la loi dans les rues de Tijuana. Au Mexique, les Salazar étaient aussi célèbres que le couple Falcone en Italie. Le juge Falcone avait fait condamner près de trois cents membres de la *Cosa Nostra*, à la suite du plus grand procès antimafia de tous les temps. Cinq ans après le jugement, toujours sous haute protection, la voiture conduisant le juge Falcone et sa femme fut détruite par une explosion terrible. Une tonne de tolite avait été placée dans une canalisation sous l'autoroute. On ne leur avait laissé aucune chance.

L'avenir du petit Abel Salazar avait fait débat. Depuis l'assassinat, il s'était enfermé dans un mutisme complet. Afin de le protéger de futures représailles du cartel de Tijuana, le gouvernement mexicain choisit de faire croire qu'il était mort des suites d'une maladie infantile. Il fut ensuite placé chez sa tante Clara aux États-Unis, sous la protection du

FBI. On lui donna le nom de sa mère, Valdés Villazón, que portait également sa tante. Avant de quitter le Mexique, le jeune enfant, seul témoin, identifia les quatre motards qui avaient ôté la vie à ses parents. Sa détermination et surtout ses yeux verts si particuliers, profonds et durs, avaient marqué les policiers. Même si les assassins croupissaient toujours dans un pénitencier, Abel n'avait pas étanché sa soif de vengeance.

Sa tante Clara résidait seule en périphérie de Boulder, dans le Colorado. Elle était chercheuse au NCAR*, un laboratoire du gouvernement américain en charge des études de l'atmosphère. Elle éleva Abel comme son propre fils, celui qu'elle n'avait jamais eu. Officiellement, il s'agissait d'un enfant mexicain qu'elle avait adopté. Elle vivait à l'extérieur de la ville dans une grande maison isolée. Les premiers mois, avant d'être scolarisé, le jeune garçon s'y sentit un peu seul. Il était habitué aux parties de foot avec ses copains dans les rues de TJ, le surnom que l'on donnait à Tijuana. Une fois à l'école, il se lia tout de suite d'amitié avec un enfant blond, rêveur et souriant, Paul Gardner, dont la famille demeurait dans une ferme voisine. Paul avait deux sœurs et un frère ; l'animation de leur maison et les loisirs multiples qu'offraient leurs champs rappelaient à Abel le Mexique. Clara et lui y passèrent bientôt le plus clair de leur temps.

— Tu as vu Paul à la télévision ? demanda sa tante.

— Évidemment, Clara.

— Je n'arrive pas à y croire ! Paul bientôt sur la Lune !

Lucy était toujours aux côtés d'Abel et écoutait la conversation. Elle connaissait la véritable identité des parents d'Abel et admirait ce que Clara avait fait pour lui. Avec Paul, elle était la seule à être dans la confidence.

* NCAR (*National Center for Atmospheric Research*) : Centre National pour les Recherches Atmosphériques.

— Je sais que tu es très occupé, mais les Gardner organisent une fête chez eux demain soir pour l'arrivée de Paul sur la Lune. Ils seraient ravis que vous veniez avec Lucy. Vous n'êtes qu'à une heure d'avion, après tout.

— Clara, ça va être difficile, nous avons déjà prévu de regarder l'alunissage ici, avec toute l'équipe, répondit-il en regardant sa femme.

Lucy s'impatientait et attendait Abel pour continuer leurs travaux pour la NASA.

— Mais je te promets que j'appellerai les Gardner, reprit Abel. Dès que Paul sera revenu, on ira passer quelques jours à Boulder tous ensemble, en famille.

Lucy acquiesça.

— D'accord ! Comme tu préfères mon chéri, se résigna-t-elle. Je pense bien à toi et fais une bise à Lucy pour moi.

Elle raccrocha et ils reprirent leurs travaux.

Abel devait beaucoup à sa tante. En dépit du traumatisme qu'il avait subi, il eut une enfance très heureuse auprès d'elle et des Gardner. C'était la seule famille qu'il lui restait puisqu'il avait l'interdiction de retourner au Mexique.

Malgré la grande confiance qu'il accordait à Paul, il lui avait longtemps caché son secret. Ce n'est qu'à dix-huit ans, au terme d'un long périple en Europe effectué à la fin du lycée, qu'Abel lui avait finalement révélé que ses parents naturels avaient été assassinés. Il lui fit cette confidence au moment où, pour la première fois, leurs routes allaient se séparer. Ils avaient choisi des universités différentes : Paul, attiré par les étoiles, partait pour Caltech à Pasadena et Abel pour San Diego afin d'y étudier l'informatique et les sciences du climat. Le ciel pour l'un ; la Terre pour l'autre. Cela collait parfaitement à leurs personnalités diamétralement opposées mais si complémentaires : Paul le rêveur, détaché du monde, et Abel le pragmatique, ancré dans la réalité.

C'est à cet âge également qu'Abel demanda au gouvernement américain de ne plus être sous la protection du FBI. Sa tante trouva cela très dangereux, surtout que San Diego – où il partait faire ses études – se trouvait à seulement quinze kilomètres de Tijuana. Mais il avait le droit de vivre librement et elle lui faisait confiance. Elle avait eu rétrospectivement raison car il avait choisi un autre combat, plus global : la défense de la planète, une lutte que Clara menait également, sur le plan scientifique, au sein du NCAR. Abel n'avait pas oublié pour autant le cartel de Tijuana, mais avait décidé qu'il réglerait ses comptes avec eux plus tard.

Son premier acte de vengeance contre le cartel n'eut lieu que récemment, lorsqu'il eut besoin de sources de financement pour Gaïa. Il avait vaguement envisagé d'utiliser les bénéfices de Biosphere Economics, mais il voyait mal comment les soustraire aux contrôles de Lucy et de leur directeur financier psychorigide. Et surtout, cela n'aurait été ni discret ni suffisant. Il avait un jour appris que le cartel de Tijuana blanchissait une partie de son argent via un casino sur Internet, le *Golden Peacock*.

Depuis l'adolescence, Abel s'était intéressé à l'informatique, au départ pour le décryptage des codes secrets. Cette passion l'avait mené vers un autre domaine adjacent et souterrain de l'informatique : le *hacking*, l'art de l'intrusion, dans lequel il était passé maître. Il avait infiltré les systèmes du casino, désactivé les automates de surveillance et pris le contrôle des algorithmes de génération de nombres aléatoires pour piloter les gains. Il avait ainsi soutiré plus de 100 millions de dollars au cartel. Compte tenu du caractère douteux de l'établissement, ce casse, qui était peut-être l'un des plus grands de l'Histoire, n'avait jamais été dévoilé au public ni bien sûr revendiqué par Gaïa.

Il n'y avait donc jamais eu de plainte officielle, mais le cartel avait dû dépêcher ses propres enquêteurs. Les fonds ayant été immédiatement transférés vers différents paradis fiscaux via une succession de sociétés-écrans, ils n'avaient pas pu trouver la moindre chose. Ces zones occultes, protégées par la chape du secret bancaire, constituaient le terreau idéal pour le développement des mafias.

L'économie parallèle irriguée par l'argent du crime organisé et de la corruption était invisible. Pourtant elle était présente partout. Comme des termites dissimulés dans la charpente, elle rongeait en silence l'économie réelle. Peu à peu, elle en contrôlait des maillons entiers et en biaisait tout le fonctionnement. Si rien n'était fait pour arrêter ce fléau, c'était toute la société humaine qui s'effondrerait et vivrait sous le joug des mafias. Les liens entre les hommes, resserrés par un siècle de lutte sociale, se disloqueraient. Mais les politiques, corrompus par l'argent sale ou n'ayant pas d'autres choix que d'accepter ces règles pour que leurs entreprises ne mettent pas la clef sous la porte, fermaient les yeux.

Fernando, son père, s'était mis en travers de ces circuits et y avait laissé la vie. Abel reprenait maintenant le flambeau : après le casse du *Golden Peacock*, la révélation des irrégularités sur le financement du bouclier antimissile était le deuxième trophée à son tableau de chasse contre le crime organisé et la corruption, son corollaire. Sans éradication de ce fléau, la lutte pour la protection de l'environnement serait vaine. Un vieil ami lui avait un jour dit que les coraux s'arrêteraient de blanchir le jour où l'on ne blanchirait plus l'argent sale.

Abel pensait à tout cela alors que sa femme lui parlait de la NASA. Il n'écoutait pas et elle s'en rendait compte. Il était à nouveau ailleurs. Ce n'était donc pas l'avenir de Biosphere Economics et le projet pour la NASA qui le tracassaient. Lucy regarda la porte de la bibliothèque qu'il tenait toujours fermée. La raison de ses absences se dissimulait certainement derrière. Elle se mit à réfléchir à la façon d'y pénétrer.

JOUR 5, *SPACEBLOG* DE PAUL GARDNER,
SITE INTERNET DE LA NASA

Nous entamons notre troisième et avant-dernier jour de
voyage. Plus que quelques manœuvres et nous serons à
pied d'œuvre pour une courte semaine de mission. Celle-ci
préparera l'installation prochaine d'une base permanente
sur la Lune, projet ambitieux tant le milieu est hostile.

Premier danger majeur : la Lune est dépourvue d'atmosphère. En l'absence de cette couche protectrice, impossible de respirer évidemment, mais surtout les météorites
qui parcourent le système solaire ne sont pas détruites. Au
cours des derniers milliards d'années, elles se sont écra-
sées sur la surface de la Lune et ont formé les cratères aux
tailles variées qui grêlent son visage. Les gros projectiles
célestes sont heureusement très rares, mais le moindre
d'entre eux pourrait détruire une base lunaire.

Autre danger : le noyau de la Lune n'est pas, comme
celui de la Terre, constitué de fer et de nickel. Par effet
dynamo, la rotation du noyau terrestre entretient un gigantesque champ magnétique : la magnétosphère. Située à
1 000 kilomètres dans l'espace, celle-ci agit comme un
bouclier et nous protège des agressions du vent solaire. Le
Soleil est en effet le lieu de constantes explosions thermonucléaires, qui produisent des jets de particules à hautes
énergies et des rayons ultraviolets. Ils traversent le système
solaire et sont extrêmement nocifs pour les équipements

électroniques et les cellules vivantes. Le niveau de l'activité solaire fluctue en suivant des cycles de onze années et le dernier pic d'intensité a été atteint l'an dernier. De nouvelles éruptions violentes peuvent donc encore se produire et fortement perturber notre mission. Heureusement la NASA veille et nous préviendrait à l'avance.

Sur la Lune, chacun de nous aura des tâches bien précises, répétées des centaines de fois à notre centre d'entraînement de Houston. Je vais m'efforcer aujourd'hui de vous expliquer ce que chacun de nous va faire là-bas avec l'argent du contribuable. Je m'excuse à l'avance pour ces explications parfois très techniques.

Eileen s'occupera des problèmes liés au régolithe, la fameuse poussière lunaire. Cette couche poudreuse grisâtre, ultrafine, collante et abrasive peut endommager les matériels électroniques, mais surtout ronger les joints qui assurent l'étanchéité de nos vaisseaux, habitats et combinaisons. Si on en inhale, ces microparticules peuvent provoquer des troubles pulmonaires – qui s'apparentent à la silicose, la maladie des mineurs – et même des problèmes cardiaques sévères. Les astronautes d'Apollo 15 en avaient fait la pénible expérience et avaient souffert de crises spectaculaires d'hypertension, d'arythmie et même de syncope. Comme il est inévitable d'en rapporter à l'intérieur de nos habitacles après nos escapades, Eileen testera un prototype d'aspirateur électrostatique pour collecter ces particules et en réduire les effets sur notre santé.

Scott s'intéressera aux ressources minières de la Lune qui fourniront une partie de leurs matières premières aux futurs colons, mais surtout il étudiera l'hélium 3. Les scientifiques mettent actuellement au point des centrales à fusion nucléaire qui offriraient une source d'énergie propre et quasi inépuisable. Plusieurs combustibles sont envisageables, mais l'hélium 3 dispose des meilleures propriétés.

Il est malheureusement presque inexistant sur Terre car il est déposé par les vents solaires qui sont détournés par la magnétosphère. En revanche, le régolithe lunaire en contient et son exploitation serait rentable. C'est l'un des grands enjeux économiques du retour sur la Lune, à tel point que la NASA a décidé de déplacer, voici deux ans, notre site d'alunissage du pôle Nord vers l'équateur lunaire, où l'hélium 3 semble plus abondant.

Le pôle Nord offrait pourtant plusieurs avantages : des gisements potentiels de glace d'eau et de hauts sommets toujours ensoleillés – les "pics de lumière éternelle" – sur lesquels nous aurions pu installer des panneaux solaires. Tous les États et toutes les compagnies privées en lice dans la course à la Lune recherchent une part de l'eldorado de l'hélium 3. En premier lieu les Chinois, qui, d'après Houston, seront prêts à partir dans moins de trois semaines.

Dans le caisson-laboratoire botanique que la NASA a déjà envoyé sur la base par cargo automatique, Gary analysera la croissance des végétaux, connaissance là encore indispensable aux futurs colons. La NASA a mis du temps, mais elle est maintenant persuadée de l'importance des systèmes biorégénératifs pour les missions de longue durée.

Afin de protéger durablement les futurs colons des effets des météorites et des vents solaires, ma mission sera d'explorer des tubes de lave solidifiée proches de notre zone d'alunissage, et de déterminer si nous pourrions y installer des habitats souterrains. Comme sur Terre, l'aventure humaine sur la Lune pourrait donc aussi démarrer dans les cavernes. Aucun risque cependant d'y trouver un tigre à dents de sabre !

Les astronautes de la prochaine mission Columbus, qui partiront dans six mois, auront un programme assez étonnant puisqu'ils embarqueront des chiens. Ils les laisseront quelques mois sur la Lune dans des niches spéciales, également parvenues sur notre lieu d'alunissage par cargo automatique. Ils testeront leur résistance, notamment à la terrible nuit lunaire. Je vous rassure, une autre mission reviendra les chercher. Des chiens à bord de la capsule, ça va leur faire bizarre... Bonjour l'entretien de la cabine !

Je vous quitte maintenant et je vous retrouve dans quelques heures, depuis la surface de la Lune... Si tout se passe bien !

À demain.

JOUR 6, BIOSPHERE 2, ARIZONA, ÉTATS-UNIS

Abel s'était donné encore deux jours avant de publier le manifeste Gaïa et de débuter la grande offensive, la seconde phase. Les organisations respectant l'esprit du manifeste s'uniraient, et ensemble elles rétabliraient les liens rompus entre l'Homme et la Nature, mais aussi ceux qui soudaient les hommes entre eux.

Abel était assis sur le sol de sa bibliothèque. Les murs étaient tapissés de milliers d'ouvrages. Dans un fracas de musique électronique, il lisait. *Ibiza* d'Amnesia grondait. La musique le transportait et l'aidait à s'imprégner de la substance de ces amonts de cellulose. D'autres grands révolutionnaires aimaient aussi les livres et relisaient leurs classiques avant les batailles majeures. Quand il avait commencé à imaginer Gaïa, une dizaine d'années auparavant, Abel avait compris que pour réussir sa révolution, il devrait éviter de reproduire les erreurs du passé, mais aussi s'inspirer des bonnes idées qui avaient été mal exploitées. Pour prétendre changer le système, il fallait d'abord le comprendre dans toutes ses dimensions. Il avait donc commencé à se constituer une bibliothèque. La Bibliothèque. La tanière du jaguar noir.

Ouverts autour de lui, quelques-uns de ses ouvrages favoris étaient étalés. Son téléphone portable se mit à sonner. C'était Lucy. Elle tolérait toujours mal son isolement et il devait être vigilant. Il baissa la musique et prit l'appel. Elle était devant la porte de son bureau et lui demandait d'ouvrir. Il était plus sage d'obéir. Il ferma soigneusement la bibliothèque et fit entrer Lucy.

Elle n'avait pas l'air de mauvaise humeur, bien au contraire. Elle portait une robe noire légère et un foulard autour du cou. Elle s'approcha de lui et l'embrassa suavement. D'un mouvement presque imperceptible, elle fit glisser sa robe à ses pieds, dévoilant son corps. Elle ne portait plus que son foulard. Abel avait du mal à avaler sa salive. Elle ne lui en laissa pas le temps et commença à le déshabiller. Il l'agrippa pour la plaquer contre le sol, mais elle refusa en agitant son doigt. Elle lui montra la porte blindée.

Abel venait de comprendre le manège de Lucy. Les explications qu'il lui avait fournies trois jours auparavant n'avaient pas suffi, et elle se posait toujours des questions. Elle soupçonnait que la clé de son comportement était dans la bibliothèque. Comme il avait tout remis en place, il n'y avait aucun risque. Il se dirigea donc vers la porte et plaça son iris devant le lecteur biométrique. Les verrous hydrauliques se rétractèrent et il ouvrit la porte. L'excitation de Lucy monta d'un cran.

Elle pénétra dans la pièce et y lança un regard circulaire. Elle fut un peu déçue, c'était plus petit qu'elle ne le pensait. La pièce était rectangulaire et les quatre murs étaient tapissés de livres. Une alcôve abritait un miroir, et c'était tout. Pas un ordinateur, pas un lit caché, rien. Elle comptait quand même bien inspecter la pièce.

Elle dénoua son foulard et banda avec les yeux d'Abel. Celui-ci gémit de plaisir et s'en remit à ses caresses expertes. Au cours de leurs jeux amoureux, elle le mena de rayonnage en rayonnage ; au fur et à mesure, sa déception grandissait. Des centaines d'ouvrages d'informatique, de mathématiques, de climatologie, d'ingénierie, d'histoire et de management. C'était tout ce qu'il y avait. À l'exception de quelques éditions anciennes de traités scientifiques, il n'y avait pas la moindre fantaisie. Elle qui espérait percer un mystère, elle était maintenant dépitée. Pour oublier cette déconvenue, elle s'abandonna à son mari qui l'emmena de l'autre côté, hors de la bibliothèque. À son tour, il recouvrit les yeux bleu-violet de Lucy avec le foulard et lui restitua toute l'excitation qu'il avait emmagasinée.

Comme à son habitude, Abel s'endormit ensuite dans le canapé. Lucy se dirigea vers la petite douche. En se savonnant, elle réfléchit. Quel était l'intérêt d'enfermer des livres si banals ? C'était bizarre. Elle sortit de la douche, mais laissa l'eau couler. Abel dormait toujours profondément. Elle se sécha, drapa son corps d'une serviette puis, sur la pointe des pieds, elle retourna dans la bibliothèque restée ouverte.

Elle passa à nouveau en revue les étagères. Au milieu des ouvrages scientifiques, l'une d'elles attira son attention. Y étaient réunis les écrits des créateurs d'utopies : Platon et sa *République*, Francis Bacon et sa *Nouvelle Atlantide*, Campanella et sa *Cité du Soleil*, Aldous Huxley et son *Île*, Saint-Simon et sa foi dans une industrie humanisée, Sri Aurobindo et Mirra Alfassa, et leur communauté idéale d'Auroville, et bien d'autres encore. À côté de ces volumes, Abel avait rangé les écrits de Marx, de l'anarchiste Proudhon, pourfendeur de la propriété, et de Georges Sorel, théoricien du syndicalisme révolutionnaire. Sous McCarthy, ces textes, maintenant banalisés, lui auraient valu une surveillance du gouvernement. Sur le rayonnage voisin, il avait aligné tous les classiques de la science-fiction de Jules Verne à Stanislas Lem, en passant par Philip K. Dick. Chacun explorait d'autres possibles pour l'humanité qui pourraient un jour influencer positivement le réel. C'est pour cette raison que cette bibliothèque comportait aussi de nombreux romanciers tels qu'Hermann Hesse, Georges Perec ou Jorge Luis

Borges. Au moment où il avait commencé à réfléchir à Gaïa, il s'était même demandé s'il ne serait pas plus efficace, pour changer les choses à grande échelle d'écrire un roman utopique plutôt que de créer un mouvement clandestin. La situation était tellement critique qu'il s'était décidé à agir plutôt qu'à écrire.

Lucy sursauta. Ce n'était qu'Abel qui se raclait la gorge dans son sommeil. Elle poursuivit son exploration. Sur une autre étagère, étaient alignés les textes fondateurs de l'écologie et de la pensée globale : Hildegarde de Bingen, Buckminster Fuller, Vladimir Vernadsky, René Dubos, Pierre Teilhard de Chardin, Barbara Ward, James Lovelock, etc. Rien d'étonnant dans ce choix car ces ouvrages avaient tous inspiré les créateurs de Biosphere 2. Tous avaient apporté leur pierre à l'émergence d'une conscience planétaire. Il y avait aussi les écrits des philosophes Hannah Arendt, Hans Jonas, Günther Anders ou Ivan Illich, qui depuis longtemps avaient prédit une catastrophe à l'espèce humaine si elle ne changeait pas de voie.

Des pans entiers de la bibliothèque étaient ensuite occupés par des classeurs d'un blanc immaculé. Lucy en saisit un et y trouva, soigneusement rangés dans des pochettes en plastique, des articles de journaux témoignant d'expériences qui, à plus ou moins grande échelle, avaient réenchanté le monde : la *Grameen Bank* de Muhammad Yunus pour le microcrédit, les Missionnaires de la Charité de Mère Teresa, *Sadhana Forest* d'Aviram Rozin à Auroville, le *Rocky Mountain Institute* d'Amory Lovins, les arbres de la Ceinture verte de Wangari Maathaï, les hôpitaux du Dr Venkataswamy pour soigner la cataracte… Le monde comptait des centaines de milliers d'expériences de ce type et Gaïa avait pour ambition d'unir leurs efforts.

Tout cela sembla à Lucy en droite ligne avec les travaux de Biosphere Economics. Il n'y avait donc rien à tirer de cette bibliothèque. Avant de sortir, elle s'arrêta devant le miroir. Elle se regarda et ajusta sa serviette de bain. Des traces de doigts sur la glace attirèrent son attention. Elle exerça une pression sur cette zone du miroir, et à sa grande surprise, il se décolla légèrement du mur. Il était monté sur une charnière invisible. Elle fit pivoter le miroir et derrière elle découvrit une seconde porte blindée. Voilà qui était plus intéressant. Elle n'était pas protégée par un système biométrique, mais par une serrure.

Silencieusement, elle sortit de la pièce, saisit le bermuda de son mari qui traînait par terre et en extirpa son trousseau de clefs. Abel toussa à nouveau. Elle sursauta. Fausse alerte, il dormait toujours. Elle regagna la bibliothèque et trouva sans difficulté la clef qui correspondait à la serrure. Son cœur se mit à battre la chamade. Le plus silencieusement possible, elle fit coulisser les pênes métalliques et tira la porte vers elle. Elle donnait sur une seconde bibliothèque, plus vaste. Lucy alluma la lumière et prit une profonde inspiration. Par terre, Abel avait laissé quelques livres ouverts : *Le Traité des Cinq Anneaux* du samouraï Miyamoto Musashi, *Guerre du peuple, armée du peuple* du général Giap, le vainqueur des Français à Diên Biên Phu, mais aussi *Illusions populaires extraordinaires et la folie des foules* de l'Écossais Charles Mackay. Il faisait plus frais dans cette pièce abondamment climatisée, Lucy frissonna.

Autour d'elle, tout était méticuleusement rangé. Elle repéra facilement les emplacements habituels des ouvrages étalés sur le sol. Les deux premiers livres provenaient du panneau qui lui faisait face. Y étaient rassemblés des ouvrages de stratégie militaire parmi lesquels elle distingua : *Principes fondamentaux de stratégie militaire* de Carl von Clausewitz, *L'Art de la guerre* de Sun Tzu, *Les 36 Stratagèmes*, traité anonyme chinois de l'époque Ming, *La Guerre des Gaules* de Jules César ou *Les Chroniques* de Jean

Froissart sur la guerre de Cent Ans. Sur le même panneau, mais à l'étage supérieur où Abel avait certainement pris celui du général Giap, étaient classés des ouvrages sur la guérilla. Lucy aperçut ainsi *Guérilla dans le désert* de Lawrence d'Arabie, *L'Art de faire tomber un dictateur lorsque l'on est seul, tout petit et sans armes* de Srdja Popovic, *Total Resistance* du Major H. Von Dach, des textes de Nestor Makhno, mais aussi les manuels de Mao et du commandant Che Guevara, ou enfin *Technique du coup d'État* de Curzio Malaparte.

C'est alors qu'elle entendit Abel qui la cherchait. D'un dernier coup d'œil, elle eut juste le temps d'apercevoir une section consacrée aux pionniers de la désobéissance civile et de la résistance non violente : Thoreau, Tolstoï, Gandhi et Luther King. Elle tira promptement la porte blindée puis le miroir derrière elle, et Abel arriva juste à cet instant dans la première bibliothèque.

— Que fais-tu ? lui demanda Abel.

— J'explore ta bibliothèque qui m'intriguait, tu permets ? Au fait, je t'ai laissé couler la douche pour qu'elle soit bien chaude.

Ce n'était pas un geste très écologique, mais Abel accepta volontiers la proposition. Pendant ce temps, elle replaça les clefs dans la poche de son bermuda. Elle n'avait eu que très peu de temps pour inspecter la pièce cachée. Elle avait appris qu'il s'intéressait à la fois aux utopies et à l'histoire militaire, ce qui n'était finalement pas une découverte, compte tenu de sa curiosité d'esprit et ses propos parfois radicaux. Elle n'avait pas établi de lien entre les deux et encore moins avec Gaïa.

Le terme "utopie" ne désignait pas ce qui était "irréalisable", mais ce qui était "irréalisé". Grande nuance. L'humanité avait besoin d'utopies pour avancer, et ce XXIᵉ siècle n'en produisait quasiment plus. Abel en avait imaginé une et pour qu'elle s'impose à grande échelle, il fallait préparer le terrain et les esprits. Il avait donc amassé des écrits sur le comportement des masses comme celui de Mackay, sur le fonctionnement des médias avec Marshall McLuhan ou plus généralement sur les stratégies d'influence et de manipulation. Il avait des ouvrages classiques tels que *L'Homme de cour* de Baltasar Gracián, *L'Art d'avoir toujours raison* d'Arthur Schopenhauer ou *Comment tirer profit de ses ennemis* de Plutarque, mais aussi des traités beaucoup moins conventionnels relevant de la magie et de l'hypnose. Non pas l'hypnose de foire, mais la véritable science ancestrale du contrôle des esprits, celle qui a fait gagner des guerres et effondrer des empires.

Abel possédait par ailleurs des ouvrages sur les techniques de recrutement et d'interrogation des services secrets, sur l'organisation des sectes, sur l'émergence des religions, des groupes terroristes, brefs sur tous les mouvements qui s'étaient donné les moyens de durer et réussir. Il s'était également procuré une documentation abondante sur des initiatives individuelles, comme celle du terroriste Ted Kaczynski – le *Unabomber** – qui a fait l'objet d'une traque sans équivalent, la plus longue et la plus coûteuse de l'histoire du FBI. Inspiré par l'ouvrage de Jacques Ellul, Le Système technicien, le *Unabomber* s'était dressé contre le progrès technologique, destructeur pour l'Homme et la nature. Il avait publié un manifeste resté mémorable. Même s'il réprouvait ses méthodes et ses idées, Abel était admiratif des stratagèmes imaginés par cet homme qui vivait isolé dans la montagne pour ne pas se faire prendre. Il collait par exemple des semelles plus petites sous ses chaussures pour

* *Unabomber* (UNiversity and Airline bomber) : mathématicien et terroriste américain qui a harcelé les États-Unis avec ses colis piégés entre 1978 et 1996. Ses principales cibles étaient les universitaires, les informaticiens et les compagnies d'aviation.

tromper les enquêteurs ! Abel collectionnait d'ailleurs aussi les manuels ou les récits les plus divers expliquant comment survivre en forêt, sur la banquise – dont *L'Odyssée de l'"Endurance"* de Sir Ernest Shackleton –, dans le désert, au milieu d'un océan infesté de requins, pendant une émeute ou après un cataclysme nucléaire.

Dans sa courte inspection, Lucy n'avait pas eu le temps non plus de voir ce qu'Abel appelait la "Chambre noire". Ce coin, dans lequel s'entassaient des dizaines de classeurs noirs, était le pendant de la "Chambre blanche", ces classeurs blancs pleins d'espoir que Lucy avait feuilletés dans la première bibliothèque. Il y accumulait de la documentation sur toutes les exactions commises par l'humanité : génocide, trafics (drogue, armes, animaux, humains, organes…), torture, maltraitance, esclavage, pédophilie, corruption, blanchiment, enfants soldats, crimes contre l'environnement, etc. Ces classeurs renfermaient la fiente de l'humanité. Si elle n'avait fait que ça, il aurait sans doute mieux valu mettre fin à l'aventure humaine.

Mais Abel avait foi en l'homme, une foi cependant lucide. Pour se remémorer ses travers, il lui suffisait de lire des passages de la *Cartea Neagra* de Matatias Carp sur la destruction du peuple juif de Roumanie, de *Gomorra* de Roberto Saviano sur l'anéantissement de la région de Campanie par la Camorra, ou de regarder cette photo d'un requin-baleine agonisant, privé de son aileron qui avait été sectionné pour être vendu au marché noir. Pour changer le monde, il faudrait s'attaquer à ce que l'homme avait de plus sombre et qui faisait aussi partie de son patrimoine génétique. Ces atrocités donnaient la mesure du combat à mener. La perspective d'y mettre fin motivait Abel plus que tout. L'homme ne pouvait pas baisser les bras.

Cette bibliothèque était donc son arme secrète. Compte tenu du caractère subversif des volumes qu'elle renfermait, il l'avait constituée avec précaution lors de ses déplacements professionnels et privés. Les achats de livres et les emprunts dans les bibliothèques étaient scrupuleusement surveillés. Tout avait été payé en liquide, en privilégiant les petits bouquinistes aux grandes enseignes qui regorgeaient de caméras de surveillance et de puces radiofréquences dissimulées dans les étiquettes. C'était la dernière marotte de la NSA pour espionner les citoyens. Aucun ouvrage n'avait été acheté sur Internet. Cette prudence extrême était nécessaire, car dans le monde digital, on traîne ses errements de jeunesse à vie, comme un casier judiciaire. Tout ce qui touchait à Gaïa proprement dit, son organisation, les communications avec ses membres, le financement des opérations, faisait l'objet de mesures de dissimulation encore plus drastiques. Sans même qu'il ne s'en rende compte, Lucy venait cependant presque de le débusquer.

Abel sortit de la douche, regarda sa montre et réalisa qu'il était déjà tard.

— Lucy, on a laissé filer le temps. Columbus 11 ne va pas tarder à alunir, dépêchons-nous !

Ils se rhabillèrent à toute vitesse et partirent retrouver leurs équipes. Ils avaient placé un écran géant et une sono à l'extérieur de la Grande Serre. Une nouvelle nuit de liesse était prévue.

JOUR 6, *SPACEBLOG* DE PAUL GARDNER, SITE INTERNET DE LA NASA

Ça y est ! Je n'arrive pas à y croire. Je reviens de ma première escapade sur la Lune !

Après plus de quarante ans d'absence, l'Homme est de retour. Cette fois-ci, nous n'abandonnerons plus la Lune, nous comptons bien nous y installer durablement. Je souhaite un grand succès aux futures missions chinoises, indiennes, européennes, japonaises, russes, ainsi qu'aux missions privées qui feront prochainement le voyage. J'espère que l'accès à la Lune se démocratisera et que d'autres Terriens éprouveront ce bonheur.

La capsule Columbus 11 orbite en pilotage automatique à cent kilomètres autour de la Lune et sera au rendez-vous pour notre retour dans une semaine. Grâce au pilotage minutieux d'Eileen, le module lunaire s'est posé à quelques dizaines de mètres des caissons contenant le laboratoire botanique de Gary et les niches destinées aux chiens de la prochaine mission Columbus. La NASA les avait envoyés par convoi automatique.

Notre première sortie extravéhiculaire s'est effectuée sous une température de 100 °C. Lorsque la nuit tombera – elle commencera dans sept jours et durera quatorze jours – le thermomètre descendra jusqu'à – 170 °C. Tous les astronautes des missions Apollo étaient repartis avant la tombée de la nuit, et bien heureusement nous ferons de même.

Les paysages lunaires sont surprenants. Les montagnes et les cratères s'étendent à perte de vue et en l'absence de repères – pylônes, maisons, voitures, arbres… – il est impossible d'en apprécier la taille. Ici tout est gris à l'exception de quelques roches qui paraissent vaguement orangées. Sans atmosphère pour atténuer les rayons du soleil, la lumière est extrêmement violente. Comme le disait Buzz Aldrin : "C'est une magnifique désolation." Les seules notes vraiment colorées sont le drapeau américain, et le croissant bleuté de la Terre qui orne le ciel sombre. La beauté et la diversité des teintes de notre planète manqueront aux futurs colons.

Pour se déplacer, il est plus aisé de progresser par bonds que de marcher, ou alors très lentement, sinon c'est la chute. J'en ai fait l'expérience tout à l'heure et ma combinaison a été alors recouverte d'une épaisse couche de poussière qui s'incruste profondément entre les fibres. Le régolithe dont je vous ai parlé hier.

Lorsque j'ai regagné le module d'atterrissage et enlevé mon scaphandre, la poussière s'est dispersée dans la cabine et a répandu une odeur désagréable rappelant la poudre de pistolet. Nous avions tous la gorge irritée. Heureusement l'aspirateur électrostatique d'Eileen a quasiment tout éliminé et nous avons cessé de tousser.

Un remerciement tout particulier va à nos CAPCOMs ("*Capsule Communicator*"), tous astronautes des prochaines missions Columbus et qui sont nos relais radio à Houston. Cela fait des années que nous vivons ensemble et partageons les joies et les peines des rudes entraînements. Nous nous connaissons comme des frères et des sœurs ; une confiance absolue nous lie. Les CAPCOMs sont en général les seuls à dialoguer avec nous. Ce sont d'ailleurs eux qui me font une sélection des messages laissés sur les réseaux sociaux. Ils connaissent mieux que quiconque notre stress ; ils savent donc comment nous calmer et nous divertir. Cette pratique remonte au début de l'ère spatiale : Alan Shepard, premier Américain dans l'espace en 1961 lors du programme Mercury, avait déjà son CAPCOM.

Pour les astronautes qui partiront vers Mars, il faudra inventer de nouvelles méthodes de soutien psychologique durant la traversée – qui durera au moins six mois – mais surtout sur place. Les délais de communication avec Mars pouvant atteindre vingt minutes, les CAPCOMs ne pourront plus apporter la même présence si réconfortante.

En plus des CAPCOMs, je voudrais remercier l'ensemble du personnel de la NASA et des partenaires privés du programme qui nous ont permis d'arriver ici sains et saufs. L'exploration spatiale est une formidable aventure collective. Nous autres astronautes, nous ne sommes que les humbles émissaires et opérateurs d'une immense équipe qui a travaillé d'arrache-pied pendant près de dix ans sur les programmes Constellation et Odyssey.

Vous avez dû voir sur vos télévisions que j'ai finalement été le premier des quatre astronautes à poser le pied sur la Lune. Normalement, cet honneur devait revenir à Eileen qui est notre commandant. Par superstition, elle n'a finalement pas souhaité être le treizième être humain à fouler le sol lunaire. Gary et Scott ont alors décidé que le privilège reviendrait au benjamin de l'équipage : votre serviteur. Pour ma part, je ne suis pas superstitieux et le chiffre 13 me porte même plutôt chance.

Je ne sais pas comment vous remercier, vous et le gouvernement américain !

À demain, pour la suite de nos aventures !

JOUR 6, ZHONGNANHAI, SIÈGE DU PARTI COMMUNISTE, PÉKIN, RÉPUBLIQUE POPULAIRE DE CHINE

Les Américains avaient réussi. Une profonde déception avait envahi l'entourage du président chinois Li Jinsong.

Le plus affecté était sans nul doute Meng Shaozu, vieil homme aux traits lisses, qui sanglotait devant l'écran de télévision. Il ne supportait pas de voir le drapeau américain flotter sur l'astre des nuits. Il avait tant travaillé pour y placer en premier celui de la République Populaire de Chine.

Il était depuis quarante ans le grand architecte du très secret programme lunaire chinois Chang'E et il avait échoué de quelques semaines seulement. Ses concurrents américains retireraient un prestige gigantesque de cette victoire.

Le président Li ne l'entendait pas de cette oreille et rassura son fidèle Meng Shaozu sur ce qui n'était pour lui qu'un contretemps. Le programme lunaire chinois s'inscrivait dans la durée et son peuple savait se montrer patient. Chang'E plongeait de plus ses racines au cœur de la culture ancestrale chinoise. Dans la tradition taoïste, Chang'E était la déesse de la Lune, épouse du tyrannique roi Hou Yi. Afin d'éviter des souffrances éternelles à ses sujets, elle avait avalé l'élixir d'immortalité destiné à Hou Yi. Elle avait alors dû fuir et se réfugier sur la Lune, seul endroit où les flèches de son mari, archer légendaire, ne pouvaient l'atteindre. Elle s'y était établie dans un palais de jade baptisé "Vaste Froidure", appellation que les astronautes n'auraient pas contredite.

Le triomphe de ce jour n'était donc qu'apparent et ne comptait surtout qu'aux yeux des Occidentaux. Les Américains, obsédés par leur objectif, avaient, une fois de plus, oublié dans l'action le sens de leur conquête. Le succès des Chinois éclaterait, lui, avec le temps. Ils étaient habitués aux grandes réalisations dont la construction s'étalait sur des décennies, voire des siècles.

Un retard de trois semaines n'était donc rien ; à moins d'une catastrophe, le programme Chang'E se poursuivrait. Sa motivation était beaucoup plus profonde que la seule concurrence avec les États-Unis et les considérations politiques de court terme. Avec ce programme, la Chine pensait effacer les conséquences d'une erreur stratégique commise six cents ans plus tôt, qui lui avait fait perdre son rang de civilisation la plus rayonnante. Au début du XVe siècle, la Chine disposait de la plus importante et plus moderne flotte du monde. Sous la direction du grand explorateur Zheng He, la Chine avait visité pacifiquement une grande partie de l'océan Indien, de l'Asie du Sud-Est et la côte est de l'Afrique. Ces expéditions avaient eu pour seul but de promouvoir la splendeur de l'Empire. La Chine, qui voulait apparaître comme un empire sans besoins, donnait alors plus aux pays visités qu'elle ne recevait d'eux. Murée dans cette satisfaction de soi, la Chine, sous la pression des fonctionnaires confucéens, décida un beau jour de mettre fin à ces explorations jugées coûteuses et sans intérêt. L'Empereur interdit même la construction des navires de haute mer. Cette décision de refermer la Chine sur elle-même entraîna le déclin de la dynastie Ming et laissa le champ libre aux puissances européennes qui s'engagèrent plus tard dans leurs grandes campagnes d'exploration et de conversion religieuse.

En ce début de XXIe siècle, la Chine était en passe de retrouver sa première place. Elle ne comptait pas s'arrêter là : elle souhaitait devenir la pionnière de l'expansion de l'humanité à travers le cosmos et faire bénéficier son peuple des ressources naturelles qu'elle trouverait sur les astres voisins, l'hélium 3 lunaire en premier lieu. Pour cela, il fallait bâtir une flotte spatiale aussi performante que l'avait été celle de Zheng He. Le président Li et ses prédécesseurs avaient toujours conseillé à Meng Shaozu de privilégier la fiabilité, le coût et les perspectives à long terme. Les Américains, qui avaient pris beaucoup de risques dans la conception du vaisseau Columbus et des fusées Athena, en paieraient tôt ou tard les conséquences.

Le président Li Jinsong téléphona à son homologue américain et lui adressa ses félicitations. Carlson fut quelque peu décontenancé par cet appel courtois qui le priva d'une partie de sa joie. Après quelques minutes de discussions, en bon Yankee arrogant, il lui proposa de lui offrir la combinaison de Paul Gardner afin qu'il l'expose dans un de ses musées nationaux. Il n'avait décidément rien compris à la culture chinoise. Li Jinsong le remercia et lui promit également de lui envoyer la combinaison de l'un de ses taïkonautes à leur retour sur Terre. Carlson sourit intérieurement. Les Chinois ne lâchaient pas, mais ils ne tarderaient pas à goûter au plan Aleph.

JOUR 7, SAN DIEGO,
CALIFORNIE, ÉTATS-UNIS

La veille, la retransmission de l'alunissage de Columbus 11 avait battu tous les records d'audience : cinq milliards d'humains sur les sept qui peuplaient la Terre l'avaient suivie, à la télévision ou sur Internet. La qualité n'avait rien à voir avec les images saccadées en noir et blanc d'Apollo 11. Les couleurs – ce n'étaient pourtant quasiment que des niveaux de gris – étaient sublimes et avaient été filmées en très haute définition. Avec l'aide de Stan Q, la NASA avait offert aux téléspectateurs un spectacle inédit : l'exploration en direct et en immersion totale d'un nouveau monde. Partout sur les cinq continents, on s'était réunis en famille ou entre amis pour assister à l'événement qui marquait, avec un peu de retard, le commencement d'un siècle résolument moderne. Lorsque Paul Gardner avait descendu les barreaux de la petite échelle et foulé de son pied la surface lunaire, un vent de joie avait soufflé sur la planète, des grandes mégalopoles asiatiques jusqu'aux villages les plus reculés d'Afrique. Ses premiers pas faisaient la une des journaux du monde entier. Il était maintenant aussi célèbre que Neil Armstrong.

Les États-Unis avaient profité de cette vitrine médiatique hors du commun pour montrer au reste du monde un visage plus sympathique. À la demande de Stan Q, les quatre astronautes avaient par exemple exécuté la première "chorégraphie lunaire". Ces images avaient été reprises en boucle par toutes les chaînes de télévision et des centaines de millions d'enfants, des bidonvilles de Rio de Janeiro aux quartiers huppés de l'Ouest parisien, les avaient imitées. Ils regardaient maintenant la Lune différemment, avec respect, et non plus comme un objet bizarre et inutile accroché dans le ciel.

Au-delà de la victoire individuelle de l'Amérique, on assistait à la célébration du génie humain. Les messages de félicitation des dirigeants du monde entier avaient afflué. Le président Carlson et le patron de la NASA Bill Wright connaissaient leur heure de gloire. À l'exception de l'incident sur le bouclier antimissile, il n'y avait pas récemment eu de heurts avec Pékin. La compétition était donc restée en apparence bon enfant et tous les observateurs étaient soulagés que la guerre froide sino-américaine ne se soit pas réchauffée. Pour l'instant.

Du fait du lien particulier qui les unissait à Paul Gardner, l'émotion avait été encore plus vive chez Biosphere Economics. Après la fête, Abel, surexcité, avait décrété une journée de repos et affrété un bus spécial jusqu'à l'océan pour les amateurs de surf. Le soleil se levait. Ils étaient une dizaine à l'eau, faisant face au *Scripps Institute* de San Diego, où Abel avait étudié. Le jaguar noir avait éprouvé le besoin de sentir les forces brutes de la nature et d'y puiser de l'énergie pour ses futurs combats ; le manifeste de Gaïa allait être publié le lendemain. Avant de partir, Abel avait programmé une armée de logiciels zombies répartis sur le réseau Internet, qui enverrait le manifeste à toutes les rédactions au milieu de la nuit.

Avec ce texte, l'action de Gaïa entrerait dans une autre phase. Abel lançait un appel pour lever une armée. C'était excitant mais aussi très dangereux. Sur sa planche de surf, il se connectait aux éléments et se demandait à nouveau pourquoi il s'était lancé dans cette quête. Comme à chaque fois qu'il doutait, il finit par conclure que l'humanité était au bord du gouffre, qu'un changement devait impérativement intervenir et que quelqu'un devait bien se dévouer pour amorcer le processus. En quelques mois, Gaïa avait accompli beaucoup, mais ce n'était encore rien par rapport à la révolution qu'il allait déclencher. Le système réagirait violemment à ce nouvel assaut, Abel était anxieux mais confiant.

Contrairement à João, Abel avait toujours été un piètre surfeur. Il s'était pourtant glissé dans l'océan avec ses amis. Les bras immergés dans l'eau froide, il attendait une vague. Il sentit soudain une nageoire lisse contre sa main. Sous les regards éberlués de ses collègues, il abandonna sa planche et partit jouer avec un dauphin.

JOUR 7, MAISON BLANCHE,
WASHINGTON, D.C., ÉTATS-UNIS

Le président Carlson avait fait installer un écran géant sur un pan de mur du bureau ovale pour suivre l'équipage de Columbus 11. Prescott était encore à ses côtés, mais un nouvel acolyte les accompagnait : le général Kirkpatrick, chef d'état-major de l'US Air Force. Cette soirée était décisive pour le déroulement du plan Aleph. Prescott regardait sa montre sans arrêt. Il était dix heures moins dix. D'ici quelques minutes, Tyler devait les informer par un signal convenu entre eux du succès des préparatifs. Ils pourraient alors déboucher le champagne qu'ils avaient mis au frais.

Tout comme l'observation d'un aquarium, les images diffusées par NASA TV étaient reposantes. Les astronautes étaient tous en sortie extravéhiculaire et s'affairaient dans leurs scaphandres autour du module lunaire. Au premier plan, Scott Hughes prélevait des échantillons de régolithe et les plaçait dans un étrange appareil, un extracteur d'hélium 3. Il progressait par petits bonds puis analysait d'autres roches. Eileen Johnson testait pour sa part son aspirateur à poussière lunaire sur la combinaison de son camarade.

Paul Gardner et le major Gary Tyler n'étaient en revanche pas dans le champ de vision. Le réalisateur Stan Q avait le choix entre plusieurs caméras et différents angles de vue déterminés à l'avance par la NASA et surtout par le Pentagone. S'il fallait de la transparence, il ne s'agissait pas non plus de tout montrer, juste d'en donner l'illusion. Ce jour-là, des consignes très strictes interdisaient de filmer le laboratoire botanique dans lequel Tyler se trouvait. Pour s'assurer qu'aucune image indésirable n'était retransmise, les séquences montées par Stan Q n'étaient pas diffusées en direct. Elles étaient d'abord épluchées par des spécialistes de la NASA et du Pentagone, leur diffusion n'intervenant que quinze minutes plus tard. Ce procédé était couramment utilisé pour la retransmission d'événements à haut risque, comme le procès de Saddam Hussein à Bagdad. Les Chinois avaient également essayé d'imposer, sans succès, un tel dispositif lors des Jeux olympiques de 2008, en cas d'éventuelles manifestations pro-tibétaines.

La diffusion de NASA TV s'arrêta soudain, cédant la place à un reportage sur la vie du capitaine Eileen Johnson. Carlson et ses deux invités pestèrent. Ils s'étaient réunis pour constater en direct le succès de Tyler. Pour patienter, les trois hommes se servirent un verre de bourbon. Depuis l'alunissage, le président allait mieux mais n'avait pas pour autant arrêté les médicaments. Il jouait machinalement avec le globe lunaire offert par Cornelius Fox, qui trônait toujours sur son bureau.

Cela faisait maintenant plus de cinq minutes qu'ils suivaient le récit quelque peu ennuyeux de l'enfance du capitaine Johnson dans l'Oregon. Le téléphone retentit. Carlson frémit car il avait demandé qu'on ne le dérange sous aucun prétexte. Shirley, son assistante, insista pour lui transférer un appel de Bill Wright qui se trouvait au centre de Houston. Il prit la communication et enclencha le haut-parleur.

— Bonsoir Monsieur le Président. Je suis navré de vous importuner à cette heure tardive, fit le patron de la NASA d'une voix gênée.

— Bonsoir Bill, ne vous inquiétez pas vous ne me dérangez jamais. Mike Prescott est à mes côtés.

Il ne mentionna pas la présence du général Kirkpatrick, qui aurait pu surprendre Bill Wright.

— De quoi s'agit-il ? demanda le président.

— Nous venons d'avoir un incident, balbutia Bill Wright.

— Est-ce en lien avec l'interruption du programme de NASA TV ? Vos équipes ont dû un peu trop forcer sur le champagne hier soir ! Rien de grave, j'espère ?

— Monsieur le Président, nous nous interdisons d'ouvrir la moindre bouteille avant la fin de la mission, il y a toujours des phases très complexes à gérer. Nous venons d'ailleurs de perdre toutes les communications avec la Lune, il y a quelques minutes, lâcha Bill Wright rapidement, comme pour se soulager.

— Vraiment ? suffoqua Carlson en regardant superstitieusement le globe lunaire.

— La situation est sous contrôle et nous pensons savoir ce qui s'est produit. Depuis quelques jours, nous avons observé une forte activité à la surface du Soleil. Les rayonnements électromagnétiques ont dû interférer avec les systèmes de communication de Columbus 11.

— Et… ? l'interrogea le président avec une pointe d'effroi.

— En présence d'activité magnétique intense, ces systèmes se mettent en veille pendant trente minutes pour éviter d'être endommagés. Le contact devrait donc être rétabli sous peu. Je vous rappelle dès que leur radio fonctionnera à nouveau.

— Très bien, tenez-nous au courant, Bill, conclut Carlson dans un long soupir. Bon courage.

Le général Kirkpatrick rassura le président et le secrétaire à la Défense sur la situation. Ces rayonnements étaient fréquents et l'équipage de Columbus 11 avait appliqué une procédure classique. Ils se versèrent trois autres bourbons pour faire passer le temps. L'alcool fit redescendre la tension de Prescott et Kirkpatrick ; chez Carlson, qui avait déjà plusieurs verres d'avance, il déclencha des maux de tête.

Un peu plus tard, l'assistante de Carlson les mit à nouveau en relation avec Wright.

— Alors, Bill, avez-vous pu rétablir les communications ?

— Monsieur le Président, le problème est peut-être plus sérieux que prévu.

— C'est-à-dire ?

— Les systèmes de communication de Columbus 11 ne se sont pas reconnectés… marmonna Bill Wright avec une voix désemparée.

Une bouffée de chaleur gagna le président, qui dut desserrer le nœud de sa cravate. Prescott et Kirkpatrick étaient également nerveux.

— Qu'est-ce qui a pu se produire ? reprit Carlson.

— Leur système primaire a dû être sérieusement endommagé par les rayonnements solaires. Columbus 11 dispose d'un équipement de secours, mais il leur faudra sans doute plusieurs heures pour l'activer. Normalement, nos équipements primaires sont bien protégés contre ces avaries, mais il a pu y avoir une défaillance. Ce qui reste mystérieux, c'est qu'une telle vague électromagnétique survienne instantanément. Les capteurs de Columbus 11 avaient effectivement indiqué des niveaux élevés, mais rien d'alarmant.

Les faciès de Prescott et Kirkpatrick changèrent d'expression, ils venaient d'avoir simultanément la même révélation. Ce n'était pas le cas de Carlson qui avait le cerveau embrumé par l'alcool.

— OK, espérons que le système de communication secondaire sera opérationnel bientôt.

— Monsieur le Président, même si je ne le souhaite pas, nous ne pouvons pas écarter l'hypothèse d'une panne irréparable des communications.

— Et… ?

— Dans ce cas, le retour sur Terre de l'équipage serait sévèrement compromis, admit Bill Wright sur un ton grave.

Un long silence suivit ces derniers mots. Le président n'osait pas imaginer une fin si lamentable. Prescott et Kirkpatrick s'agitaient et lui faisaient des signes, mais il n'y prêtait pas attention. Il était trop absorbé par ce que lui disait Bill Wright.

— Bill, vous disposez des éléments les plus compétents, que ce soit à Houston et sur la Lune. Je suis persuadé qu'ils trouveront une solution. Vous vous en étiez bien sortis avec Apollo 13.

— Nous ferons tout pour ramener les astronautes, soyez-en assuré.

— Bien. Je reste à votre disposition. Qui d'autre est au courant ?

— Uniquement le personnel du centre de commande. Les journalistes ont été tenus à l'écart. Ils ne sont de toute façon pas nombreux à cette heure-ci. Aux rares curieux, nous avons expliqué qu'une maintenance des caméras avait été planifiée pour la nuit.

— Très bien. Autre chose, Bill ?

— Oui, la capsule en orbite lunaire qui doit ramener l'équipage devrait survoler le site dans une trentaine de minutes. Elle possède un appareil photo de haute précision ; on devrait recevoir un cliché de la base et ainsi pouvoir s'assurer que nos astronautes sont bien sains et saufs.

— Parfait, attendons ces images, conclut le président, avant de raccrocher.

Il songea à l'humiliation et aux conséquences pour les États-Unis si l'équipage ne parvenait pas à revenir. Et à la fureur de Cornelius Fox et de ses amis. La mission ne pouvait pas se terminer ainsi. Le stress l'envahit à nouveau. Il saisit la boîte de bêtabloquants dans sa poche et avala discrètement un comprimé.

Prescott et Kirkpatrick étaient assis face à lui sur le canapé en cuir Chesterfield et affichaient une même mine blême. Carlson les vit enfin.

— Qu'y a-t-il, Mike ? bredouilla-t-il.

— Monsieur le Président, il se pourrait que Tyler soit accidentellement à l'origine du problème. Si c'est le cas, il ne faudrait surtout pas que la NASA survole la zone.

Malgré son mal de crâne, le président comprit tout de suite où Prescott voulait en venir. Il se sentit défaillir. Depuis tout à l'heure, ils étaient restés focalisés sur l'hypothèse des rayonnements solaires de Wright. Si Tyler était à l'origine de la perte de communications, c'était catastrophique.

Les trois hommes se mirent d'accord sur la tactique à adopter, puis Carlson rappela Bill Wright.

— Bill ?

— Monsieur le Président ? demanda le patron de la NASA d'une voix faible.

— Pensez-vous que cela puisse être un acte criminel ?

— On ne peut évidemment pas l'exclure, répondit Bill Wright.

— Dans ce cas, je souhaiterais que l'armée soit impliquée et coordonne une partie des opérations.

— C'est envisageable, consentit Wright en voilant son mécontentement. Tant qu'évidemment son rôle reste raisonnable et qu'elle n'entrave pas nos actions.

— Très bien. Pouvez-vous donc demander que toutes les communications en provenance de la Lune soient dirigées d'abord vers le Pentagone. Après les avoir analysées, ils vous les feront parvenir dans les meilleurs délais.

— Monsieur le Président, je suis navré, mais c'est contraire au protocole. La NASA est une administration civile et les militaires ne peuvent pas y exercer un tel contrôle. Cette décision pourrait aussi réduire drastiquement nos chances de résoudre le problème.

— Bill, faites ce que je vous dis ! ordonna le président en haussant le ton. Sinon, je vais commencer par appliquer le protocole en vous destituant de vos fonctions… Pour faute grave.

Bill Wright avait le souffle coupé par la menace proférée par le président. La préparation de la mission Columbus 11 avait créé une profonde complicité entre eux et il n'aurait jamais pensé que Carlson le traiterait un jour de la sorte. Surtout dans un moment pareil.

— Dès que l'incident sera clos, vous reprendrez bien sûr les rênes, lui dit le président pour calmer le jeu. Je suis sincèrement navré, mais la gravité de la situation l'impose.

— Bien entendu Monsieur le Président, répondit Wright qui n'en revenait toujours pas.

— Une dernière chose. Basculez également les commandes de la capsule en orbite lunaire vers le département de la Défense. Prescott et ses hommes la prendront également en charge.

Après quelques coups de fil aux plus hauts gradés de l'armée américaine, ils quittèrent le bureau ovale pour rejoindre le Pentagone.

DEUXIÈME PARTIE

DERNIER QUARTIER

Ceux qui aiment la paix doivent apprendre à s'organiser aussi efficacement que ceux qui aiment la guerre.

MARTIN LUTHER KING

JOUR 8. PENTAGONE, ARLINGTON, VIRGINIE, ÉTATS-UNIS

À cette heure avancée de la nuit, seules quelques-unes des fenêtres du Pentagone étaient encore éclairées. Ce calme relatif dissimulait la tension qui régnait au cœur de l'enceinte de béton.

Le président avait réveillé le gratin de l'armée américaine. À se voir ainsi réunis, les chefs d'état-major spéculaient sur les raisons de leur convocation. Le mot "guerre" était sur toutes les lèvres. Un puissant éclairage, censé simuler la lumière du jour, se reflétait sur la table vernie et accentuait l'atmosphère stressante du lieu. Les architectes d'intérieur qui avaient conçu cette salle de crise avaient pourtant essayé de la rendre plus chaleureuse : les murs avaient été lambrissés de bois sombre et des rideaux avaient été disposés à intervalles réguliers pour faire croire à la présence d'hypothétiques ouvertures, ce qui était manifestement impossible dans ce bunker.

Carlson et Prescott pénétrèrent dans la salle d'un pas déterminé mais amorti par l'épaisse moquette. Ils s'assirent devant les drapeaux portant les armoiries des différentes forces armées. Les murmures continuaient ; le président tapa du plat de la main sur la table et prit la parole vigoureusement.

— Messieurs, nous venons de perdre l'équipage de Columbus 11. Les explications que vous allez entendre ne doivent jamais sortir de cette salle.

Prescott observait le président. L'assurance et l'énergie de son introduction tranchaient avec ses dernières interventions qui trahissaient un être déprimé et anxieux. Conscient qu'il ne pouvait pas parler aux généraux dans cet état, Prescott lui avait trouvé de la cocaïne. L'effet avait été immédiat et Carlson se sentait maintenant invincible. On lisait la stupéfaction sur les visages de son auditoire. Ils ne s'attendaient visiblement pas à cela.

— Il y a un peu plus de deux heures, la NASA a perdu le contact avec la base lunaire. Le Pentagone a pris le contrôle des communications et aucun signal ne nous est parvenu depuis, à l'exception de deux séries de photos prises par l'orbiteur.

Les pupilles dilatées, il fixa le regard des militaires. Il sortit d'une enveloppe en papier kraft un premier cliché. La NASA ne l'avait pas encore vu. Un frisson parcourut les généraux. Le sol lunaire était jonché de débris. Le président commenta la photo : le caisson-laboratoire botanique et son occupant, le major Tyler, avaient été pulvérisés. Non loin de là, des parties entières de l'habitacle du module lunaire étaient arrachées.

Il n'était certainement plus opérationnel, mais de toute façon il n'y avait aucun survivant. Devant le vaisseau, on discernait deux taches blanches : les corps de Scott Hugues et d'Eileen Jonhson. Ils se trouvaient là où ils avaient été aperçus pour la dernière fois sur NASA TV. De l'autre côté de l'atterrisseur, une autre forme blanche gisait : le scaphandre de Paul Gardner. Tous vraisemblablement transpercés par des parties du caisson éjectées durant l'explosion.

— Un deuxième cliché, pris il y a quelques minutes, ne laisse aucun doute sur le sort de nos compatriotes, poursuivit Carlson.

Prescott distribua une autre photo. Les chefs des armées comparaient les images. Rien n'avait bougé. Les trois combinaisons étaient toujours à la même place. Celle de Tyler, pulvérisée, manquait toujours. Même si les militaires appréciaient cet équipage, ils restèrent impassibles, avides d'écouter la suite.

Le général Jones, de l'US Army, brisa la glace et posa la question qui leur brûlait les lèvres :

— Qui a fait ça Monsieur le Président ? l'interrogea-t-il. Les Chinois ?

— Cela va vous surprendre, mais non. C'est nous, lui répondit tout simplement le président.

Un grondement se fit entendre. Les généraux, décontenancés, attendaient des éclaircissements. Carlson bénit la cocaïne pour l'assurance qu'elle lui donnait. L'effet des bourbons absorbés à la Maison Blanche s'était dissipé.

— Accidentellement, compléta-t-il. Nous vous devons quelques explications et après nous explorerons ensemble les solutions pour réparer cette catastrophe.

Son audience était laminée. Il alluma l'écran mural et projeta une photo d'un observatoire dans le désert. Il passa la parole au général Kirkpatrick, de l'US Air Force.

— Vous avez devant vous une photo du *Starfire Optical Range Center*, laboratoire de recherche de l'US Air Force installé au cœur du Nouveau-Mexique. Officiellement, on y développe un procédé qui corrige les images spatiales à partir de l'analyse de la composition de l'atmosphère.

Kirkpatrick montra deux images : sur la première une étoile scintillait, sur la seconde, après corrections, elle était d'une netteté impeccable.

— Quel est le rapport avec la destruction de Columbus 11 ? l'interrompit le général Jones, visiblement impatient.

— J'y viens, lui répondit Kirkpatrick. En connaissant la composition atmosphérique et en inversant le processus, on peut viser avec précision une pièce de monnaie dans l'atmosphère. À l'aide d'un laser à très haute énergie, on peut alors détruire n'importe quel objet volant en orbite basse : par exemple, un missile ou un satellite. Cette arme existe, elle a été secrètement mise au point dans ce laboratoire avec l'aide du groupe CorFox. Elle est opérationnelle depuis maintenant presque dix ans et fait partie de la panoplie antimissile dont dispose l'agence du général McClough.

McClough, qui étonnamment n'avait toujours pas été limogé depuis l'incident de Kauai, était heureux que le chef d'état-major de l'US Air Force mentionne ce projet dont les autres généraux n'avaient que vaguement entendu parler. Les chercheurs de l'US Air Force avaient construit le "rayon de la mort" que l'on rencontrait dans les scénarios de mauvais films de science-fiction. Le recours à la fiction cinématographique était d'ailleurs parfois utilisé par l'armée comme vecteur de désinformation : le meilleur moyen de dissimuler l'existence d'une nouvelle arme était de la mettre en scène dans un film futuriste. S'il y avait des témoins, il était ainsi aisé de les décrédibiliser en les faisant passer pour fous.

L'audience ne voyait toujours pas le lien avec Columbus 11 et l'explosion.

— Voici quatre ans, poursuivit Kirkpatrick, le président Carlson et le secrétaire à la Défense m'ont demandé si ce dispositif pouvait être utilisé dans l'espace. Le groupe CorFox a effectué quelques adaptations et conclu qu'il pouvait fonctionner dans le vide, et même mieux que sur Terre, car en l'absence d'atmosphère, il atteignait une précision absolue.

En ces temps de disette, Kirkpatrick se sentit obligé de préciser que le groupe CorFox avait financé toute l'opération. Le général Jones, toujours prêt à émettre des critiques lorsqu'une affaire touchait sa rivale l'US Air Force, fit remarquer que les États-Unis étaient signataires depuis 1967 du Traité de l'Espace de l'ONU qui interdit l'envoi en orbite d'armes de destruction massive. Kirkpatrick lui rétorqua que ce laser à haute énergie n'était pas une arme de destruction

186

massive. Pendant la Guerre froide, ce traité avait été malmené lorsque Reagan avait lancé son programme "Guerre des étoiles" en 1983. Après avoir recherché une issue pacifique à cette crise, le leader soviétique Andropov avait autorisé en représailles le lancement de Polyus, un engin spatial top secret doté de systèmes d'armement très perfectionnés, dont la mise sur orbite échoua en 1986. Suspectée, l'administration américaine avait nié évidemment toute connaissance du programme Polyus. Gorbatchev avait indiqué pour sa part avoir personnellement vérifié qu'il ne transportait pas d'armes. On ne saura certainement jamais ce qui s'est réellement passé au cours de cet épisode qui aurait pu changer l'issue de la Guerre froide. Depuis cet incident, le Traité de l'Espace avait été peu ou prou respecté.

Le général Jones continua à s'en prendre à Kirkpatrick.

— Vous croyez que mettre ce laser en orbite va remédier à la situation de Columbus 11 ?

Kirkpatrick le fusilla du regard.

— Général Jones, sachez qu'il a déjà été envoyé dans l'espace. Non pas en orbite terrestre, mais sur la Lune. On a donc violé un autre traité, celui de 1979 qui interdit toute activité militaire sur la Lune. Mais celui-ci n'a jamais été ratifié. Le laser se trouvait donc hier sur la Lune, il a explosé et causé la mort de l'équipage. Le président a personnellement conçu ce plan, baptisé Aleph, qui ne s'est pas déroulé comme prévu, vous le devinez.

Carlson opina du chef. La cocaïne lui donnait toujours la force de faire face aux huiles du Pentagone. L'assistance était abasourdie par les déclarations de Kirkpatrick. McClough en particulier n'en revenait pas. Les États-Unis avaient adapté et envoyé dans l'espace une arme conçue pour son agence et il n'en avait même pas été informé.

Il n'osa pas signifier sa colère au président qui voulait sa peau depuis Kauai. Jones et les autres généraux étaient pour leur part sidérés qu'une décision aussi dangereuse ait pu être prise sans eux.

Kirkpatrick laissa brièvement la parole à Carlson qui lui avait fait signe.

— Nous sommes donc dans une situation très délicate que nous allons devoir gérer ensemble. C'est l'objet de votre présence ici. Je comprends votre surprise, mais ce plan ne devait être connu que par un minimum de personnes. À part les services secrets de la présidence et certains représentants de l'US Air Force, personne n'était au courant du plan Aleph. La NASA, la CIA et la NSA ont été tenues à l'écart, de même que les corps de l'armée que vous dirigez.

Pour bien souligner qu'il était privilégié, Kirkpatrick regarda ses homologues avec condescendance. Dans d'autres circonstances, les généraux n'auraient pas toléré une telle impertinence, mais ils étaient trop absorbés par l'exposé du président pour réagir à ces bassesses.

Carlson lui fit signe de poursuivre sa présentation.

— Le premier objectif du plan Aleph était donc d'acheminer cette arme sur la Lune. Il a été atteint, il y a six mois. Le contenu d'un des cargos automatiques en partance pour la base lunaire – censé transporter les équipements du laboratoire botanique – a été remplacé. C'est l'US Air Force qui a effectué la substitution, à la barbe de la NASA. Pour cela, nous nous sommes appuyés sur plusieurs sociétés du groupe CorFox, qui ont fabriqué le laser, les cargos automatiques et également contrôlé les cargaisons. Cela nous a permis de dissimuler le plan Aleph aux inspecteurs de la NASA.

Les mines s'allongeaient. Les chefs d'état-major connaissaient bien les penchants du groupe CorFox pour ce type d'opérations clandestines. Les entreprises du conglomérat avaient déjà appuyé la CIA et l'armée américaine dans d'innombrables missions, toujours menées avec efficacité et dans la plus grande discrétion.

— Pour mettre en service le laser, reprit Kirkpatrick, nous avions placé un de nos hommes au sein de l'équipage de Columbus 11 : le major Gary Tyler. Le remplacement du lieutenant Garcia par le major Tyler faisait également partie du plan Aleph. Il devait activer le laser ce soir. C'est à ce moment-là que nous avons perdu les communications.

— Qu'a-t-il pu se passer ? l'interrogea le général Jones qui ne voulait pas le lâcher.

— Nous pensons le savoir. Ce laser à haute énergie contenait un mélange gazeux sensible qui a pu être secoué pendant le vol ou à l'alunissage. Lors de l'enclenchement du laser, le processus chimique a dû s'emballer et Tyler n'a pas eu le temps de réagir. Le mélange a alors probablement explosé, détruisant tout autour de lui, matériel et équipage. Paix à leur âme. L'explosion a été accompagnée d'un mini EMP*, impulsion électromagnétique de haute intensité qui a grillé tous les systèmes de communication.

Les généraux regardèrent à nouveau les clichés de la base dévastée qui leur avaient été remis et songèrent à l'horreur du drame.

— Cette arme, c'était pour protéger les champs d'hélium 3 américains ? interrogea McClough qui se demandait bien ce que l'on avait cherché à faire avec son jouet.

Kirkpatrick fut embarrassé par cette question. La notion juridique de propriété sur la Lune faisait toujours débat, mais ce n'était pas là son problème. Il se tourna vers le président, car il n'était pas sûr d'être autorisé à donner la véritable réponse. Carlson, toujours en confiance, sentit qu'il devait jouer franc-jeu.

— Non, ce n'était pas pour l'hélium 3, répondit-il posément à McClough. Enfin, pas directement. Le laser à haute

---

* *Electro Magnetic Pulse* : impulsion électromagnétique provoquée par un signal radio bref et de forte amplitude.

énergie du plan Aleph devait détruire le vaisseau lunaire chinois qui part dans deux semaines.

Un silence absolu s'installa dans la salle de crise. Il ne manquait plus que l'apesanteur pour se croire dans une capsule en orbite. L'assistance ne parvenait pas à croire ce qu'elle venait d'entendre. La suite allait démolir leurs dernières résistances. Carlson attendait qu'on lui pose une question pour continuer. Les chefs d'état-major de l'US Navy et du corps des Marines ne s'étaient toujours pas exprimés. C'est encore le général Jones qui prit la parole.

— Comment comptiez-vous dissimuler cette destruction ? Les Chinois auraient eu tous leurs radars braqués vers la Lune.

— Oui, mais aucun de ces radars ne peut voir la face cachée, répondit le président. Le choix du site d'alunissage de Columbus 11 a été changé en fonction de cet objectif. Initialement la base lunaire devait être établie près du pôle Nord. Prétextant la présence de zones à forte densité d'hélium 3, nous avons pu convaincre la NASA de déplacer le site au niveau de l'équateur lunaire, à l'extrême limite de la face cachée. De là, il était possible de désintégrer le vaisseau chinois lors de son passage derrière la Lune et sa destruction aurait été invisible depuis la Terre. Les Chinois auraient éprouvé la jubilation de l'amener jusqu'à la Lune, puis le désarroi de ne jamais le voir réapparaître. Ce traumatisme les aurait paralysés pour des décennies et leur crédibilité technique aurait été ruinée.

Ce plan fou avait été imaginé par les cerveaux machiavéliques de Carlson et Prescott. Cornelius Fox avait été emballé. Les risques étaient gigantesques, mais ils y étaient presque parvenus. Le hasard avait empêché la réalisation de ce scénario démoniaque, qui venait s'ajouter à la liste des actes manqués de l'humanité. Le pire n'est jamais sûr.

Le président passa les minutes suivantes à justifier son plan, en insistant sur l'effet dévastateur d'une réussite des

Chinois sur l'économie américaine, même s'ils arrivaient en deuxième. Il insista également sur l'importance pour les États-Unis d'être les seuls à exploiter l'hélium 3. La fin justifiait les moyens, c'était à peu près la teneur de son plaidoyer. Les notables réunis autour de la table n'étaient pas des saints et ne critiquèrent ni l'objectif ni la moralité du plan Aleph. Ils questionnèrent simplement le président sur les solutions qu'il entrevoyait pour s'en sortir. Après tout, c'était à lui de se dépêtrer de la crise qu'il avait déclenchée.

— J'en vois quatre. Je vous préviens qu'elles comportent toutes des risques importants. C'est pour en discuter que je vous ai convoqués. La première possibilité est de tout falsifier. Nous disposons d'éléments de pression sur le réalisateur de films de science-fiction et expert en trucage, Stan Q. Sa vie privée n'est pas irréprochable et nous pourrions le contraindre à accepter un marché. La NASA dispose d'un studio secret qui contient des répliques de tous les engins lunaires et il pourrait l'utiliser. Il faudrait alors trouver des sosies pour chacun des astronautes, au moins pour la durée de la mission. Mais nos astronautes – et en premier lieu ce Paul Gardner – sont de véritables stars, ou, devrais-je plutôt dire "étaient" de véritables stars. L'après-mission serait donc très difficile à gérer. Il faudrait partager ce secret avec un grand nombre de personnes et les risques de fuites seraient immenses. Beaucoup de sang coulerait probablement. Bref, c'est inenvisageable et j'ai mieux à faire que de passer le restant de ma vie à étouffer un scandale plus grand que celui de l'assassinat de JFK.

L'immoralité de cette première solution effarait ses auditeurs. En écoutant sa proposition, on pouvait même se demander si l'équipage de Columbus 11 et ceux des missions Apollo étaient véritablement allés sur la Lune. Carlson avait débité ça sans que sa voix tressaille. Pour eux, il n'était définitivement pas humain. Ils ignoraient qu'il traversait une période de profonde dépression et de stress.

Sans la cocaïne, dont l'effet neurostimulateur commençait à décroître, le président n'aurait pas pu gérer cette réunion de crise. Il était d'ailleurs temps qu'elle s'achève.

— La deuxième option consisterait à tout avouer, accéléra Carlson. Vous conviendrez cependant avec moi que le mea culpa n'est pas une solution. Dans l'éventualité où nous obtiendrions l'absolution auprès de la communauté internationale, ce dont je doute fort, nous serions placés au ban des nations pour des décennies.

Celle-ci ne recueillit évidemment pas le moindre soutien. Tous préféraient noyer cette histoire dans les oubliettes de l'histoire américaine, avec tous les autres plans douteux et avortés de Washington, même si les cadavres avaient la fâcheuse habitude de réapparaître à la surface. Ils attendaient les deux dernières propositions.

— La troisième possibilité serait d'admettre que nous avons eu un accident qui a provoqué la destruction de Columbus 11. On pourrait par exemple invoquer les éruptions solaires, ce qui était le diagnostic initial de la NASA. Notre suprématie technologique serait mise à mal, mais nous bénéficierions sûrement d'un immense élan de compassion à l'égard de l'équipage perdu.

Cette proposition plut davantage, mais ils se demandaient tous quelle pourrait être la quatrième.

— La dernière solution serait de faire croire à un attentat et d'en faire porter la responsabilité à un bouc émissaire. Cette option nous ferait passer pour des victimes et permettrait de sortir la tête haute, à tous les niveaux. Il nous faudrait un responsable crédible, mais facile à vaincre dans une guerre éclair. Tous les pays seraient à nos côtés dans cette lutte, la victoire décuplerait l'effet de notre demi-succès dans la course vers la Lune.

Les regards se mirent à pétiller devant lui. Ils se rallièrent tous à cette dernière option. Elle enchantait même certains hauts dignitaires du Pentagone qui attendaient une nouvelle guerre depuis longtemps.

— En revanche, je n'ai pas encore d'idées sur la cible. Peut-être avez-vous des propositions ? conclut le président en s'adressant à l'assemblée, réjouie de pouvoir apporter sa contribution à ce plan dont elle avait été exclue.

Carlson avait l'art de plaire aux militaires et surtout de retourner les situations les plus défavorables à son avantage. C'est ce talent qui l'avait propulsé à la tête des États-Unis. L'audience commença à discuter avec vivacité des différents États ou organisations à qui ils pourraient faire porter le chapeau de ce soi-disant attentat.

JOUR 8, PALAIS KANTEI,
RÉSIDENCE OFFICIELLE DU
PREMIER MINISTRE, TOKYO, JAPON

Le Premier ministre Akamatsu était plongé dans la lecture d'une dépêche que son assistante lui avait remise en urgence. Il enrageait. Après s'en être pris directement à son gouvernement et à sa personne, Gaïa venait de lancer un nouveau défi en publiant son manifeste. Certains passages étaient relativement modérés et appelaient à réenchanter le monde. D'autres étaient beaucoup plus radicaux comme celui-ci qui attira son attention.

EN MEUTE

Parmi les verrous que nous aurons à faire sauter, certains seront plus complexes et risqués que d'autres. Plus ils nécessiteront de changer les habitudes ou la répartition de pouvoir et de richesses, plus le changement requerra des solutions radicales et sera porteur de dangers.

Les mouvements activistes comme Gaïa ne sont pas les seuls à s'aventurer dans ces zones à risque : lanceurs d'alerte face au système, journalistes d'investigation face aux multinationales ou aux États, zadistes et défenseurs de la nature face aux pelleteuses, juges face aux mafias et aux forces de corruption, groupes de citoyens devant les tribunaux, rangers face aux braconniers et aux réseaux criminels qui les exploitent, députés face à l'immobilisme et au pouvoir de l'argent, scientifiques face à leurs pairs et aux lobbys, innovateurs face aux tenants du statu quo, dissidents face aux régimes totalitaires… Nous les appelons tous à nous rejoindre.

Tous mettent en jeu leur équilibre mental et leur vie. Les machines à salir et à tuer sont prêtes à les détruire. Pour ne pas sombrer et pour réussir, ces femmes et ces hommes auront besoin que nous les soutenions par tous les moyens. Ce front est capital car seules ces victoires aux avant-postes changeront le système, inspireront les autres pour s'engager dans ces zones minées et permettront au nouveau monde en éclosion de ne pas être broyé.

Pour vaincre sur ces fronts sans s'épuiser, la tactique sera capitale. Le système en place est fragile, viser aux bons endroits est fondamental. Malgré cela il ne manquera pas de réagir violemment avant de s'écrouler. Très violemment. Pour tenir et vaincre, utilisons les techniques de l'aïkido et de la guerre asymétrique. Soyons prudents. Extrêmement prudents. Gérons notre image, utilisons intelligemment les médias et les réseaux sociaux. Prenons garde aux écarts dans nos rangs et aux tentatives d'infiltration.

Mais, plus que tout, nous aurons besoin d'être ensemble. Fédérons nos moyens, soyons lucides sur les forces en présence. Aimons en meute et surtout chassons en meute. En face, ils savent s'accorder malgré leurs différences, nous le pouvons aussi. Avec la bonne énergie et par le surnombre, sous la bannière Gaïa ou une autre, nous ferons imploser ce système obsolète pour laisser place au suivant.

Le Premier ministre Akamatsu était fou de rage. Gaïa appelait le monde entier à les rejoindre dans leur combat. Ils étaient en train de lever une armée et risquaient de devenir invincibles. Quand il en eut fini avec la lecture de ce long texte, il demanda à ce qu'on le mette en relation avec le président des États-Unis. Il fallait en terminer avec Gaïa. Une fois pour toutes.

JOUR 8. BIOSPHERE 2,
ARIZONA, ÉTATS-UNIS

Un téléphone sonnait avec insistance. Abel fuyait. Il était poursuivi. Son salut se trouvait loin de ce téléphone maléfique qui l'assourdissait. Abel courait. Ses poursuivants se rapprochaient de lui. Il se retrouva soudain bloqué dans une voie sans issue. Il n'eut pas d'autre choix que d'escalader le grillage tendu sur un mur immense. Parvenu en haut, il sauta de l'autre côté sans savoir ce qui l'attendait. La chute n'en finissait pas, mais il atterrit pourtant sur ses deux jambes et sans se faire la moindre blessure. Il resta plaqué contre le mur, haletant, les mains contre les genoux. Il pensait les avoir semés mais le répit ne dura pas. La sonnerie stridente du téléphone retentit de plus belle. C'est alors qu'il reçut un grand coup de pied dans le tibia. Il émergea des draps et entendit Lucy lui crier :

— Abel ! C'est ton portable ! Qu'est-ce que tu attends pour répondre ?

Il venait à nouveau de faire un cauchemar. Depuis son enfance, Abel rêvait de façon récurrente qu'il était poursuivi : par des gangs armés jusqu'aux dents, par des espions, par des inconnus qui parlaient des langues incompréhensibles, des militaires, des meutes de chiens, des hommes politiques... Il passait ses nuits à se cacher pour leur échapper. Un autre que lui aurait trouvé cela bizarre et aurait consulté un psy. Mais Abel s'était fait une raison :

compte tenu de son enfance et de ses activités parallèles, il ne s'imaginait pas que son inconscient puisse lui fabriquer des scènes d'une autre nature. Et avec la publication du Manifeste Gaïa, le niveau de danger auquel il s'exposait allait croître d'un cran.

Le soleil n'était toujours pas levé. La pièce était plongée dans l'obscurité. Sa main tâtonna sur la table de chevet et renversa plusieurs objets. Il finit par trouver l'interrupteur de la lampe et répondit.

— Allô ? dit-il avec une voix rauque, les bières bues la veille sur la plage de San Diego lui ayant laissé la bouche pâteuse.

À l'autre bout de la ligne, une voix féminine se fit entendre. C'était sa tante.

— Clara… murmura-t-il pour ne pas déranger Lucy. Pourquoi m'appelles-tu à cette heure-ci ?

Peu à peu, il quittait son rêve. Ses poursuivants avaient regagné le fond de son inconscient. Il sentait les courbatures du voyage en bus qui le lançaient dans le bas du dos. Il revenait à la réalité. Lucy se retourna sous la couette et plaqua son oreiller contre sa joue. Abel comprit qu'il allait devoir s'excuser pour ce coup de fil si matinal.

Sa tante était paniquée, elle parlait sans s'arrêter. Il espérait que cela n'ait rien à voir avec le Manifeste, mais elle ne pouvait pas être au courant.

— Comment ? l'arrêta soudain Abel en haussant le ton.

Il se redressa sur le bord du lit et se concentra sur ce que sa tante lui disait afin d'être sûr d'avoir bien compris.

— Non ! hurla Abel avant de commencer à sangloter. Ce n'est pas possible !

Inquiète, Lucy sortit la tête de sous son oreiller.

— Très bien, Clara, on arrive dès que possible, souffla-t-il d'une voix tremblante. Tenez bon.

Il reposa son portable et se tint le crâne entre les mains. Il gémissait.

— Qu'y a-t-il ?

— Paul est mort ! cria Abel.

— …

Lucy était bouche bée.

— Des terroristes ont fait sauter la base lunaire.

— …

— Il n'y a aucun survivant.

— …

— John et Christie Gardner ont été prévenus par le président Carlson et la NASA. Ils viennent d'appeler Clara pour lui dire.

Abel éclata en sanglots. Lucy le serra contre elle et se mit aussi à verser de grosses larmes, sans pour autant vraiment comprendre la situation.

— Les salauds ! se mit à hurler Abel. Ils m'ont déjà pris mes parents, et maintenant Paul ! Je vais les exterminer !

Il se leva. Il était dans un état second. Ses muscles étaient tétanisés. Lucy ne savait pas comment le calmer. Elle perçut des bruits de portes qui battaient, en provenance du couloir. Leur appartement se situait dans l'un des bâtiments communs du campus où les employés de Biosphere Economics logeaient. Les cris d'Abel avaient dû les réveiller.

— Qui a pu faire ça ? lui demanda-t-elle pour le faire redescendre.

— Clara et les Gardner ne le savent pas encore. Le président va donner des détails dans une conférence de presse, d'ici quelques minutes.

Tout en lui répondant, il enfila son tee-shirt et son bermuda. Il hurla comme un damné, défonça la cloison d'une armoire d'un puissant coup de poing et sortit prestement de l'appartement en claquant la porte derrière lui. Lucy passa une robe et le poursuivit dans le couloir, en direction de la cafétéria. Dans les embrasures des portes, elle aperçut des visages à moitié endormis qui s'interrogeaient sur les raisons de ce vacarme. L'un des employés, qui écoutait la radio, apprit la mort des astronautes. La nouvelle se répandit dans les bâtiments de Biosphere Economics comme une traînée de poudre.

Abel arriva dans la salle à manger et attrapa la télécommande qui était rangée derrière le bar. Il alluma la télévision et commença à zapper, à la recherche d'un programme d'informations. Les chaînes défilaient. Il tomba enfin sur un envoyé spécial posté devant le Johnson Space Center à Houston. Un autre journaliste, en direct de Washington, attendait l'intervention du président. Lucy s'approcha et l'embrassa dans le cou. Ils furent bientôt rejoints par d'autres employés qui voulaient aussi découvrir l'identité des coupables et soutenir Abel. Des enfants en pyjama arrivaient en se frottant les yeux.

Le visage sombre du président Carlson apparut soudain à l'écran. Ses traits tirés trahissaient un manque de sommeil.

> *"Hier soir, peu avant dix heures, notre pays a subi une des plus infâmes attaques de son histoire. Une bombe a été déclenchée sur la Lune et a ôté la vie de celle et ceux que nous célébrions hier comme nos héros. Le capitaine Eileen Johnson, le major Gary Tyler, le professeur Scott Hugues et l'astronaute Paul Gardner n'ont pas survécu à l'explosion. Je vous demande de prier avec moi pour les victimes et leurs familles."*

Les employés de Biosphere Economics avaient la confirmation de la rumeur qui s'était propagée dans les couloirs. Pour masquer sa tristesse, Abel détourna le regard vers l'extérieur. Derrière la baie vitrée qui le séparait de la terrasse, le jour commençait à poindre. La Lune n'était plus visible dans ce ciel de velours bleu. Difficile de s'imaginer des hommes là-haut, et encore moins des cadavres.

"L'exploration du cosmos est inscrite dans la destinée de chacun, quelles que soient sa couleur, sa religion et sa patrie. Cet acte de barbarie sans précédent visait les États-Unis, mais c'est l'humanité tout entière qui est en deuil. Soyez-en convaincus, l'aventure spatiale ne s'arrêtera pas aujourd'hui. Nous retournerons sur la Lune dans les plus brefs délais pour aller rechercher les corps de nos enfants et poursuivre la colonisation du système solaire. Pour la première fois, du sang humain a été versé sur un corps céleste. Nous ne laisserons pas la violence et la terreur gagner l'espace. Les États-Unis mettront tout en œuvre pour que cette zone demeure pacifique."

Abel, Lucy et ceux qui les entouraient écoutaient avec attention. L'instinct du jaguar noir lui disait que ces mots sonnaient faux.

"Les nerfs de notre grande nation sont une fois de plus mis à l'épreuve. Nous ne céderons pas à la peur et nous ne nous mettrons pas à genoux. À nouveau, nous ferons corps et nous surmonterons ce traumatisme. Nous rechercherons et nous punirons les responsables de ces actes infects. Les coupables se sont d'ailleurs déclarés."

Abel essuya ses yeux humides et retint son souffle.

"Le groupe éco-terroriste Gaïa a revendiqué l'attentat."

Son cœur faillit lâcher. Il s'attendait à tout sauf à cela. Le jaguar noir venait de se faire tirer dessus par surprise. La balle qui l'avait transpercé était tellement inattendue qu'il n'eut même pas le temps de se demander qui pouvait être le chasseur. Autour de lui, les insultes sur Gaïa fusèrent de toute part. Il eut envie de crier que c'était absolument impossible, mais il ne le pouvait pas.

"Le groupe Gaïa est bien connu de nos services. Ils viennent d'ailleurs de publier ce matin un dangereux manifeste. Ses dirigeants et ses partisans seront traqués sans relâche. Nous sommes déjà à leurs trousses. Ils incarnent une nouvelle forme de fanatisme, encore plus dangereux que l'intégrisme religieux : le fanatisme environnemental. Sous prétexte de défendre la Terre, ils veulent anéantir l'Homme. Nous les en empêcherons et nous vengerons nos héros. Que Dieu bénisse l'Amérique !"

Abel éteignit le poste de télévision pour mettre fin à son calvaire. Lucy et ses collaborateurs vinrent l'étreindre et lui témoigner leur sympathie, mais aucun d'eux ne comprenait la véritable nature des forces qui bouillonnaient en lui.

Dans un coin de la cafétéria, Eugénie et Mark, qui portaient quelques jours auparavant des tee-shirts arborant le sigle de Gaïa, étaient pris à partie par leurs collègues, notamment par Dave, l'informaticien ardent supporter du bouclier antimissile.

Le regard d'Abel était vide. Ses bras pendaient le long de son corps.

— Les États-Unis tiennent les coupables, lui souffla Lucy à l'oreille. Je suis certaine qu'ils vont les faire payer, leur arrestation n'est qu'une question d'heures.

Sans qu'elle le sache, elle venait de lui porter un coup presque fatal. Il demanda à sa femme de le laisser seul. Il se sentait mal. Le sol se dérobait sous ses pieds. Les sons autour de lui devenaient imperceptibles. Son passé et son avenir se refermaient sur lui, rendant l'instant présent encore plus oppressant. Des forces invisibles comprimaient sa cage thoracique. Il étouffait.

Il sortit sur la terrasse. Ses collègues l'observaient avec inquiétude. Il les pria de l'excuser et partit en se traînant vers la colline désertique. Il s'assit sur un rocher chauffé par les premiers rayons du soleil et demeura immobile un long moment, en pleurant. Le jaguar noir était atrocement blessé. La plaie était béante. Il fallait qu'il survive, sinon son espèce disparaîtrait. Il devait résister.

L'air frais du matin lui fit un peu de bien. Le soleil était maintenant levé, sa lumière tiède l'apaisait également. Il avait retrouvé une respiration normale. Il fallait impérativement élaborer un plan de secours. Dans une telle configuration, les traités de stratégie militaire prônaient le pragmatisme : admettre l'évidence de la défaite et organiser la retraite en préservant les forces vives restantes. Viendrait ensuite le temps de la réflexion, de la réévaluation des rapports de force et de la riposte. La publication du manifeste Gaïa était faite mais le déclenchement de la seconde phase devait être reporté *sine die*. En plus de lui avoir pris Paul, ils avaient tué son rêve le plus cher.

La première priorité était de suspendre sur-le-champ les opérations de Gaïa et de préserver l'organisation. Préserver l'espèce. Le chasseur était certainement toujours dans les parages et une autre balle pourrait alors être fatale. Il se leva et marcha en direction de son bureau. Il connecta son ordinateur et se rendit sur le site Internet d'une star américaine de la pop. Sur le blog de la chanteuse, il inscrivit un message anodin : "Je recherche une photo d'elle dans sa robe en vinyle rouge." Des dizaines de milliers de personnes étaient connectées sur ce site, mais le message n'avait un sens que pour les automates informatiques des membres du Premier Cercle de Gaïa. Compte tenu des déclarations du président américain, ils attendaient forcément des instructions. Abel eut une pensée pour João, Keilana et les autres. L'alerte rouge qu'il avait déclenchée était claire : ils devaient arrêter toutes les actions en cours de préparation, détruire les documents suspects dont ils pourraient être en possession et disparaître jusqu'à nouvel ordre. C'était nécessaire. Si l'un d'eux était capturé, c'est le Centre qui serait menacé. Et le Centre, c'était lui.

À contrecœur, Abel s'appliqua la même discipline. Il ouvrit la boîte murale qui se trouvait à côté de la seconde porte de sa bibliothèque. Il hésita à composer le code fatidique, se rendit une dernière fois à l'intérieur de l'enceinte fraîche où il aimait se ressourcer. Sa tanière. Il voulut conserver quelques livres, mais il se retint. Il n'aurait de toute façon pas su lesquels choisir. Il referma la lourde porte et le miroir puis, sans entrain, il composa le code qu'il n'aurait jamais voulu utiliser. La température dans la bibliothèque allait lentement monter jusqu'au seuil fatidique de 451 degrés Fahrenheit, seuil au-delà duquel le papier commencerait à se consumer spontanément dans l'air. Une heure plus tard, de puissants extracteurs d'air répandraient dans la nature les résidus de ce trésor d'informations patiemment amassé.

En attendant la destruction de sa bibliothèque, il sortit d'une des armoires un bidon dont il vida le contenu dans un bac en verre. L'odeur piquante du liquide lui irrita le nez. Il monta sur son bureau et défit une des dalles du faux plafond. Il saisit un objet qui ressemblait à un disque dur et le plaça au fond du récipient en verre. Une minute plus tard, il n'en restait plus qu'une mélasse informe.

Ensuite, il songea aux sympathisants de Gaïa. À part le Premier Cercle, personne ne connaissait l'identité du dirigeant de Gaïa. Le Deuxième Cercle ne savait donc pas qu'Abel n'aurait jamais pu s'en prendre à Paul Gardner, son ami. Ils devaient être traumatisés d'avoir rejoint un groupe qui commettait de telles ignominies et ils risquaient d'être tentés de dénoncer leurs supérieurs. Peut-être le Deuxième Cercle pourrait-il conclure seul que la méthode ne collait pas aux pratiques habituelles de Gaïa ? L'organisation ne tuait jamais, elle avait adopté le principe édicté par Gandhi : "Je suis prêt à mourir pour plusieurs causes ; à tuer pour aucune." Elle maniait toujours l'humour pour accroître son pouvoir sur les médias et son capital de sympathie.

L'acte perpétré sur la Lune ne correspondait en rien à sa ligne de conduite. Mais ce n'était pas suffisant, il fallait au Deuxième Cercle une preuve de l'innocence de Gaïa. Une idée lui traversa l'esprit.

Abel se rendit sur le site Internet de la Maison Blanche et y trouva le faux communiqué. Il lut la première phrase : "Consciente d'avoir dévasté la Terre, l'humanité a commencé à préparer sa fuite en retournant sur la Lune." Un grand sourire éclaira enfin son visage. Il se dépêcha de lire la suite. Les falsificateurs avaient fait globalement du bon travail, mais avaient commis sans le savoir de graves erreurs. Chaque communiqué de Gaïa comportait quatre marques de fabrication. Aucune d'elles n'était respectée. Le premier mot du communiqué comportait par exemple toujours six lettres, ici il en comptait dix. Cette règle était connue des deux premiers cercles. Deux autres règles n'avaient été partagées qu'avec le Premier Cercle, et enfin la dernière règle n'était connue que du Centre, qui était le seul habilité à rédiger des communiqués. Il repensa avec soulagement au jour où il avait édicté ces règles, véritables remparts contre les campagnes de désinformation.

Il s'attela donc à la rédaction d'un démenti, respectant ces quatre lois, pour rassurer les deux premiers cercles. Un inconnu avait usurpé leur identité ; le gouvernement et le peuple avaient mordu à l'hameçon. Ils tenaient là un bouc émissaire crédible et il faudrait beaucoup plus qu'un démenti pour les faire changer d'avis. Cela viendrait même au contraire renforcer la culpabilité de Gaïa. Il y apporta quelques dernières retouches et le diffusa sur Internet en appliquant scrupuleusement la procédure.

Abel avait temporairement placé Gaïa à l'abri, mais il ne fallait pas que la NSA ou les autres services secrets avancent trop rapidement. Il avait besoin de temps pour élucider les questions qui seules pourraient réhabiliter son mouvement :

qui a pu provoquer l'explosion sur la Lune et tuer son ami ? Pourquoi viser ces astronautes ? Pourquoi faire porter le chapeau à Gaïa ? Pour y parvenir, il ne pouvait compter que sur lui-même et n'avait pas la moindre idée des réponses. En revanche, il savait par où commencer à chercher : Houston et le Johnson Space Center de la NASA, où ils avaient rendez-vous avec Lucy deux jours plus tard.

Le jaguar noir avait pour l'instant survécu et il allait partir à la chasse de son agresseur. Celui qui avait tué Paul, son frère de sang. Il le pisterait et ne lui laisserait aucune chance. Sa vengeance serait terrible et les éclairs qui striaient ses yeux émeraude montraient la violence de sa détermination.

Pour l'instant, il devait se rendre à Boulder chez les Gardner. Il ressentit la peine sourdre à nouveau en lui, profonde, abyssale.

JOUR 8, MAISON BLANCHE, WASHINGTON, D.C., ÉTATS-UNIS

Après sa conférence de presse du matin, Carlson avait regagné le bureau ovale. Pendant plusieurs heures, il avait reçu des appels d'une multitude de chefs d'État qui lui avaient témoigné leur sympathie et apporté leur soutien inconditionnel dans la lutte contre Gaïa. Leurs réactions avaient dépassé toutes ses espérances.

Seulement quelques minutes après son intervention télévisée, le président français fut le premier à l'appeler. Il n'attendait que cela pour resserrer les liens avec son grand frère américain. Le président chinois Li Jinsong n'avait pas tardé non plus. Il lui présenta des condoléances à la sincérité douteuse et lui proposa de mettre à profit la mission du programme Chang'E, qui devait partir deux semaines plus tard, pour aller chercher les corps des malheureux astronautes. Carlson refusa poliment, indiquant qu'il s'était engagé envers son peuple à ce que les États-Unis retournent eux-mêmes chercher les défunts. Afin de respecter le deuil des Américains, il lui demanda de ne pas s'approcher de la zone d'alunissage, ce que son homologue chinois accepta.

Il lui souhaita ensuite de réussir dans sa mission vers la Lune et ils se quittèrent. Un peu plus tard, le secrétaire général des Nations Unies s'engagea à faire voter, dès que possible, une résolution à l'encontre de Gaïa. Carlson le remercia chaleureusement, tout en lui signifiant que les

États-Unis n'attendraient pas l'ONU pour réagir. Le Premier ministre japonais Akamatsu s'était montré de loin le plus déterminé, il avait promis de mobiliser des moyens importants pour traquer les représentants de Gaïa. Dans l'éventualité où les Japonais les trouveraient en premier, Carlson lui avait proposé que leurs services secrets travaillent de concert. Même le Pape l'avait appelé, une messe serait donnée à la basilique Saint-Pierre de Rome à la mémoire des quatre disparus.

Le président n'en revenait toujours pas d'être parvenu à renverser la vapeur si facilement. Satisfait de la tournure prise par les événements, il s'accorda un moment de détente. Il ôta sa veste, la posa sur un fauteuil puis défit le nœud de sa cravate. Il s'observa dans un miroir et trouva qu'il avait vraiment un ventre trop rond. Il alla chercher l'aiguière en cristal posée sur une des commodes et se versa un grand verre de bourbon. Il accompagna ce remontant d'un cigare qu'il jugea bien mérité. Il s'enfonça ensuite dans son fauteuil, plaqua les mains derrière sa nuque et posa les pieds sur le bureau. Tout en s'appliquant à produire des ronds de fumée qui traversaient le bureau présidentiel, il se remémora les événements qui s'étaient enchaînés à un rythme effréné depuis le matin.

Tout d'abord, le choix de Gaïa. Lors de la réunion de crise au Pentagone, de nombreuses autres propositions de boucs émissaires avaient fusé : les islamistes, les Chinois, les cartels colombiens, les Russes, les mafias du monde entier, les Français, les Cubains… Toutes ces cibles étaient trop vastes et le risque d'élargissement du conflit était réel. Le président et les généraux voulaient s'en tenir à un conflit circonscrit, qu'ils soient de surcroît certains de gagner en un temps record.

Ce fut finalement le général McClough, de l'Agence de Défense antimissile, qui eut l'éclair de génie. Les autres participants avaient adhéré tout de suite à l'idée. Gaïa était le bouc émissaire idéal : a priori ni trop gros ni trop petit – alors qu'ils ignoraient tout de cette organisation –, des antécédents crédibles avec les Américains, de nombreux ennemis à travers le monde et un soutien populaire qui s'effondrerait après l'annonce de leur culpabilité. La NSA les identifierait rapidement et l'armée les réduirait à néant. Le scénario était limpide et la publication de leur manifeste radical donnait tous les arguments pour les désigner comme coupables. Pour McClough, c'était le moyen de régler aussi ses comptes après le sabotage du test de Kauai. Cet épisode avait d'ailleurs pris une autre dimension dans les médias qui insistaient maintenant sur la nécessité du bouclier pour parer les menaces de groupes "terroristes" comme Gaïa. Il n'avait pas fallu longtemps pour que le terme "militant écologiste" devienne un synonyme de "terroriste", tout comme l'était devenu en son temps l'adjectif "musulman".

Pour cette campagne de désinformation, Carlson et Prescott avaient choisi le nom de code "Beth", deuxième lettre de l'alphabet hébreu après "Aleph".

Carlson avait indiqué en plaisantant qu'il espérait ne pas avoir à utiliser les vingt lettres suivantes. La boutade avait beaucoup fait rire les généraux. Eux seuls connaîtraient donc l'existence du plan "Beth" et ils en étaient fiers. Pour beaucoup, ce serait le secret de leur vie. Il ne restait plus qu'à falsifier des preuves, gérer la désinformation, décomposer en tâches anodines le travail des subalternes impliqués et veiller au cloisonnement entre les enquêteurs afin que tous passent à côté de la vérité. Les États-Unis, et en particulier Prescott, disposaient d'une grande expertise dans ce jeu où la main droite des uns devait ignorer ce que faisait la main gauche des autres.

La chose la plus dure à faire pour Carlson fut de prévenir Bill Wright, juste avant son intervention à la télévision. L'administrateur de la NASA avait mariné toute la nuit, sans nouvelles. À l'annonce de la catastrophe, il fut terrassé. Il aimait ces astronautes plus que tout. Après avoir repris ses esprits, il culpabilisa et se demanda comment une bombe avait pu être acheminée vers la Lune alors que les convois automatiques avaient été scrupuleusement vérifiés. Wright ignorait que la société de contrôle appartenait à Cornelius Fox. Carlson tenta de le réconforter : Gaïa disposait de moyens considérables et la NASA n'aurait pas pu en faire plus pour protéger les astronautes. Il lui promit que toute la lumière sur cette affaire serait faite, une commission d'enquête serait pilotée par Mike Prescott en personne, élément capital pour la réussite du plan Beth.

Wright gardait encore le souvenir indélébile des accidents des navettes Challenger et Columbia. La NASA risquait de ne pas se relever de cette nouvelle tragédie. Il présenta sa démission à Carlson, qui la refusa. Le président lui garantit que l'attentat ne remettrait pas en cause le programme Odyssey et que la mission Columbus 12 pourrait partir quelques mois après la fin des travaux de la commission d'enquête. Comme Wright semblait douter que ce soit suffisant pour tirer la NASA du désarroi, il lui annonça qu'il ferait évidemment le déplacement dans trois jours à Houston pour la cérémonie d'hommage aux astronautes et qu'il s'adresserait au personnel du Johnson Space Center pour les rassurer sur leur avenir. Carlson s'était ensuite excusé pour la rudesse de son attitude la veille, que la gravité des prétendus événements avait rétrospectivement justifiée.

Carlson appréciait la douceur des manières de Wright et son dévouement sans limites à l'égard de la science et de la nation. Cela avait été profondément écœurant d'abuser de sa confiance et de lui mentir pendant toutes ces années, et encore plus en cette journée. La cocaïne l'avait aidé à traverser la nuit et la matinée, mais une fois l'euphorie passée, il était entré dans un état quasi dépressif. Il avait été à deux doigts de craquer et il avait eu besoin de prendre à nouveau de la cocaïne pour tenir. Il avait ensuite appelé les familles des astronautes, autre moment chargé d'émotions fortes, puis il s'était adressé au peuple américain à la télévision.

Shirley, son assistante, frappa à la porte et passa la tête dans le bureau. Elle fut surprise de le trouver détendu, en train de fumer un cigare alors que le pays traversait une de ses plus graves crises. En bonne professionnelle, elle s'efforça de ne pas laisser transparaître son étonnement et se contenta d'annoncer l'arrivée de Mike Prescott.

Carlson se leva pour l'accueillir. Malgré l'absence de sommeil, Prescott avait l'air en pleine forme ; le président savait maintenant à quelle substance il devait son dynamisme matinal. Il le complimenta pour la qualité de son faux communiqué et des preuves falsifiées qui avaient trompé l'ensemble de la planète. Prescott et ses équipes avaient inventé l'existence d'un ordinateur qui appartenait à Gaïa, retrouvé sur le site de Cap Canaveral, qui contenait les plans d'une bombe. Le mensonge était si grossier qu'il fut avalé par tous.

Le président et le secrétaire à la Défense sourirent en pensant à la réaction des dirigeants et des partisans de Gaïa. Leur démenti, complètement ignoré par la presse, signifiait qu'ils étaient acculés, désespérés. Ce mouvement n'aurait jamais dû s'attaquer au bouclier antimissile et au pouvoir américain.

Il allait le regretter. Carlson avait proposé 50 millions de dollars pour toute information conduisant à l'arrestation du chef de l'organisation éco-terroriste. Son identité était toujours inconnue, mais il figurait maintenant en première position sur le site Internet des criminels les plus recherchés par le FBI. Avec une telle récompense, les informations abonderaient bientôt et le mouvement serait mis en pièces.

Afin d'accélérer encore la chute de Gaïa, Prescott présenta à Carlson une ordonnance présidentielle autorisant la mise sur écoute et la détention de tout individu appartenant ou étant suspecté d'appartenir à une organisation écologique ou altermondialiste. L'ordonnance généralisait aussi le statut de "combattant illégal", introduit dans le Patriot Act d'octobre 2001, et allait donc permettre aux États-Unis de s'affranchir des dispositions prévues par la convention de Genève pour cette nouvelle classe de "terroristes". Carlson s'empressa d'apposer sa signature et son sceau sur le document. Le capitalisme sauvage n'aurait bientôt plus d'ennemis.

Carlson et Prescott assistèrent ensuite à une réunion sur la sécurité nationale en présence du directeur de la CIA Albert Carpenter, de l'administrateur de la NSA John Owen et du secrétaire d'État à la Sécurité intérieure Pamela Whitehead, jeune femme brune aux yeux pétillants pour laquelle le président avait toujours eu un faible. Le matin même, elle avait porté le niveau d'alerte terroriste à son degré maximal. Tous les aéroports du pays avaient été fermés, ce qui n'était pas arrivé depuis le 11 septembre 2001. Il n'était pas question que les auteurs des attentats puissent quitter le sol des États-Unis, si évidemment ils s'y trouvaient. Les frontières terrestres et maritimes avaient également été bouclées. Un pays qui a peur est toujours plus facile à gouverner.

Quand ils se furent tous retirés, Carlson ralluma son cigare et s'accorda une nouvelle séance de repos jusqu'au début de soirée. Mais il fut dérangé par son assistante qui lui annonça l'arrivée d'un visiteur impromptu, celui que Carlson redoutait plus que quiconque. Son pouls s'accéléra et il eut juste le temps d'avaler un nouveau bêtabloquant. Lorsque Cornelius Fox pénétra dans le bureau ovale, son cœur se mit à battre la chamade.

— Bonsoir Carlson, lâcha son interlocuteur sur un ton sévère.

— Bonsoir Monsieur Fox, marmonna le président. Je vous ai fait prévenir ce matin et je comptais justement vous appeler.

— Compte tenu des circonstances, cela aurait été effectivement plus convenable et m'aurait évité de m'exposer en venant jusqu'ici, poursuivit Fox très énervé. Comment avez-vous pu échouer si lamentablement ?

Dans la voix du vieil homme, il n'y avait pas le moindre soupçon d'émotion lié à la disparition des quatre astronautes américains. Ils n'étaient pour lui que de vulgaires pions. Carlson sentit qu'il allait tourner de l'œil. Il inspira profondément puis se lança :

— Le laser, envoyé sur la Lune pour détruire le vaisseau chinois et fabriqué par votre entreprise, a été endommagé dans le transfert. Il a explosé pendant les tests de mise en service que Gary Tyler effectuait la nuit dernière, tuant tous les astronautes et nous plongeant dans une situation délicate. Gaïa est une façade.

— Oui, je sais déjà tout ça, j'ai parlé à Prescott. C'est effectivement fort dommageable pour notre plan et pour vous. Si vous ne remédiez pas immédiatement à la situation, nous serons dans l'obligation d'envisager d'autres options en ce qui vous concerne.

Un frisson parcourut sa colonne vertébrale. Carlson préférait ne pas trop imaginer ce qui se tramait derrière cette menace. Fox et ses amis du *New American Dream* étaient capables de tout pour parvenir à leurs fins. Carlson avait pu s'en apercevoir durant ces quarante années au cours desquelles ils avaient orchestré son ascension vers le poste suprême. Carlson leur devait tout, à commencer par son admission au sein de la confrérie des *Skull and Bones** à Yale, société secrète réservée aux futures élites de la nation. Ils avaient ensuite financé grassement et salement ses campagnes pour accéder aux postes de maire de Nashville, de gouverneur du Tennessee et enfin de locataire de la Maison Blanche. Cette aide n'avait rien de philanthropique. En retour, Fox et ses amis attendaient des résultats irréprochables. S'ils étaient déçus, ils se débarrasseraient de lui comme d'un vieux canasson blessé. Ils avaient d'autres poulains dans leurs écuries, prêts à être lancés à tout moment.

— Monsieur Fox, je comprends votre déception et celle de vos amis. La situation est sous contrôle. L'honneur des États-Unis est sauf et pour le monde entier nous avons gagné la course à la Lune. Le démantèlement de Gaïa nous permettra aussi d'anéantir la mouvance écologique. C'est une occasion inespérée de se débarrasser de ces vermines qui auraient pu un jour se montrer dangereuses pour certaines de vos affaires dans l'énergie ou la construction du bouclier antimissile.

— Carlson, ce n'est pas le sort de Gaïa qui m'inquiète, je suis certain que vous les réduirez en bouillie. C'est encore dans vos cordes. Ce sont les Chinois qui m'intéressent. Nous ne voulons pas qu'ils posent le moindre orteil sur la Lune. Que comptez-vous faire pour les en empêcher ?

— Monsieur Fox, le plan Beth, que nous avons échafaudé ce matin, vise pour l'instant à protéger l'Amérique d'un scandale international en faisant porter le chapeau à Gaïa. Concernant les Chinois…

* "Crâne et Os" en référence au squelette de Jeronimo que ses membres auraient dérobé.

Il avala sa salive puis continua.

— Concernant les Chinois, nous ne nous sommes pas encore attelés à cette partie du problème. Leur mission part dans deux semaines, ce qui nous laisse un peu de temps.

— OK, vous savez de toute façon ce à quoi vous vous exposez. Je veux vous voir avec Prescott dans deux jours, démerdez-vous, lança sèchement Fox.

Le vieil homme fusilla le président de son regard de vipère et quitta le bureau ovale. Carlson soupira longuement. Il avait clairement senti le souffle de la mort. Son front était couvert de sueur et deux larges auréoles ornaient sa chemise au niveau des aisselles. Son numéro d'équilibriste l'avait épuisé. Il se demandait bien comment il avait pu en arriver là.

Pour se calmer, il se servit un grand verre de bourbon et alluma la télévision. L'écran mural était resté programmé sur NASA TV qui diffusait un reportage sur la vie de Paul Gardner, réalisé par Stan Q. Après avoir évoqué son enfance tranquille dans le Colorado et son parcours studieux à Caltech, le réalisateur était allé interviewer les parents de Paul Gardner. Devant la caméra, ces fermiers admirables contenaient leur peine, mais Carlson voyait bien que leur vie était brisée. Il avait les yeux humides. Son fils était un peu plus jeune que l'astronaute et il se demandait comment il réagirait à l'annonce de sa disparition.

Il sentit la culpabilité grandir, mais surtout il constata avec effroi qu'il était devenu un monstre. Cette transformation s'était opérée graduellement, au cours d'une succession de compromissions et de mensonges au départ anodins. Il avait été manipulé par Fox et son clan, qui avaient joué avec son insatiable soif de pouvoir. Il n'aurait jamais dû accepter les premiers services qu'ils lui avaient demandés. Maintenant il portait sur ses mains le sang d'un héros de la nation.

Carlson sécha ses larmes, se moucha et inhala une nouvelle dose de poudre blanche. Il était le président des

États-Unis, il devait faire face et aider le pays à traverser la crise qu'il avait déclenchée. Un autre n'aurait certainement pas fait mieux pour tenter de contrer la menace chinoise, se dit-il. Pour se prouver qu'il n'était pas un monstre, il décida d'aller dîner avec sa femme, qui vivait non loin du bureau ovale dans une autre aile de la Maison Blanche, mais qu'il avait très peu vue ces derniers temps.

JOUR 8, DÉSERTS D'ARIZONA ET DU NOUVEAU-MEXIQUE, ÉTATS-UNIS

Abel portait deux gros sacs de voyage et marchait avec Lucy vers le parking de Biosphere 2. Ils ne disaient pas un mot. Arrivé devant la voiture, Abel ouvrit le coffre, y plaça les sacs et referma le hayon d'un geste lent. Il était à bout de forces. Il se tourna vers sa femme et releva ses grandes lunettes noires sur son front. En le voyant, Lucy eut pitié de lui. Elle regrettait de ne pas lui avoir fait confiance et d'avoir fouillé sa bibliothèque. Elle se blottit dans le creux de son épaule. Il lui caressa les cheveux. Contrairement à lui, qui avait perdu ses parents, c'était la première fois qu'elle était confrontée à la disparition d'un être cher. La mort de Paul était injuste et incompréhensible. Outre un désir de vengeance, Lucy était traversée par un mélange confus de sentiments qui allaient de la frustration à la colère : la frustration de ne pas avoir assez profité de lui, d'avoir gâché certains instants magiques pour des motifs absurdes, de ne pas lui avoir dit "au revoir" ; la colère contre le destin et surtout contre ceux qui venaient d'emporter une personne admirable. Elle avait du mal à imaginer qu'elle ne reverrait plus jamais Paul, leur ami. C'était un pan entier de leur vie commune qui s'évaporait et qui laisserait un vide impossible à combler.

Malgré la fatigue, il avait insisté pour conduire. En se retournant pour faire sa marche arrière, il aperçut la Grande Serre qui brillait sous les derniers rayons du soleil, aussi éclatante que la première fois où il était venu sur le site, il y a bien longtemps, avec João. Ce jour où ses pouvoirs de chaman et le jaguar qui sommeillait en lui s'étaient réveillés. Depuis, la Grande Serre de Biosphere 2 s'adressait à lui à travers l'esprit de cette petite fille indienne, Ké. Après l'annonce du président américain, leurs contacts avaient été très intenses, elle éprouvait une peur proche de la panique. L'acharnement contre son organisation risquait de mettre un terme à l'aventure de Biosphere Economics. Il ne pourrait alors plus envoyer la Grande Serre dans l'espace, ce que la petite fille lui avait demandé au cours d'un rêve. S'il n'élucidait pas le mystère Columbus 11, elle resterait à jamais orpheline et elle continuerait à dépérir au milieu du désert. Abel lui avait aussi promis de sauver sa mère, Biosphere 1, notre Terre. Il était toujours décidé à le faire, mais il ne savait plus comment.

La voiture passa devant le bâtiment où se situait son bureau. Il aperçut le filet de fumée qui s'échappait de la cheminée, dernière trace de sa bibliothèque. La Biosphere disparut bientôt de son rétroviseur. Abel eut le cœur serré. Sur le chemin caillouteux qui menait à la route principale, ils croisèrent une autre voiture. Ils reconnurent Eugénie et Mark, leurs stagiaires, qui leur firent de grands signes amicaux. Ces marques d'affection des employés de Biosphere Economics soulageaient un peu leur chagrin.

Abel s'engagea sur la route 77 qui filait à travers les réserves apache et navajo d'Arizona, en direction du nord-est. Lucy aurait préféré prendre l'avion, mais le gouvernement avait fermé l'espace aérien. Quatorze heures de route, s'ils respectaient les limites de vitesse, les séparaient de Boulder. La route donnerait à Abel le temps de réfléchir. Il appréhendait l'émotion auprès de la famille Gardner et de sa tante Clara. Il ne pourrait malheureusement pas s'y attarder : ils avaient rendez-vous le surlendemain à la NASA et devraient donc rapidement reprendre la route vers le sud. Le véhicule qu'il utilisait était un prototype ultraléger électrique en matériaux composites conçu par ses ingénieurs, qui consommait quatre fois moins qu'un véhicule normal. Il avait toujours trouvé absurde qu'une automobile dépense 90 % de son carburant à déplacer son propre poids. Abel avait essayé de vendre le concept à plusieurs constructeurs automobiles, mais il s'était heurté à un mur, car dans l'inconscient collectif une voiture légère était une voiture fragile.

Les montagnes Santa Catalina rougeoyaient sous la lumière rasante du soleil. De part et d'autre de la route, on pouvait apercevoir à perte de vue des *Joshua Trees*, les arbres de Josué. Ce nom leur avait été donné par des mormons en mémoire du successeur de Moïse qui avait fait entrer le peuple juif en Terre promise. Le plus grand représentant de la famille des yuccas, avec son tronc noueux et ses branches terminées par de petites touffes piquantes, faisait en effet penser à un homme aux bras tendus vers le ciel en signe de victoire. Les *Joshua Trees* s'adressaient à Abel, comme beaucoup de végétaux, de minéraux et d'animaux de la région. Ils étaient en colère. L'armée immobile qu'ils constituaient s'était mise en marche, le poing levé, pour faire front avec lui.

Sur le bord de la route, il aperçut un groupe de coyotes. Il gara sa voiture. Il demanda à Lucy de l'accompagner. Ils marchèrent à leur rencontre et se retrouvèrent face à eux. Les animaux, habituellement craintifs, se laissèrent caresser puis se mirent à hurler leur détresse. Leur chant funèbre fut bientôt accompagné par le sifflement d'un serpent-roi qui était tapi sous une pierre. Les montagnes, les *Joshua Trees*, les coyotes et les serpents partageaient le chagrin et la colère d'Abel. Il s'approcha du reptile et le prit dans ses bras. Lucy recula d'un pas. Malgré sa peau noire et ses anneaux blancs effrayants, c'était un serpent inoffensif pour l'homme. Il était pourtant l'un des rares prédateurs du dangereux crotale, dont il ne craignait pas le venin. Abel tendit le reptile à sa femme pour qu'elle le caresse et, pour une fois, elle le fit.

Après cet interlude, ils regagnèrent leur voiture. Lucy marchait derrière Abel et elle le trouva fort élégant dans son pantalon en toile crème et sa chemise de lin. La nuit était presque tombée et un beau croissant de lune était apparu dans le ciel. Cette image ramena Abel à la dure réalité : le corps de Paul reposait là-haut.

Il redémarra le véhicule et alluma l'autoradio. Sur toutes les stations, on ne parlait que de ça. La disparition des quatre astronautes avait déclenché un élan de solidarité sans précédent à travers le monde ; Lucy et Abel n'étaient pas les seuls à éprouver du chagrin. Paul Gardner était le plus regretté. Sa mort brutale à un si jeune âge avait fait de lui un martyr, une idole, un héros. Le déferlement de haine contre Gaïa était effrayant. Comme Abel s'y attendait, son démenti n'avait fait qu'attiser la violence des médias. Le FBI avait découvert un ordinateur sur la base de lancement de Cap Canaveral contenant les plans de la bombe utilisée. C'était impossible. Celui qui maniait les ficelles de cette imposture était très malin. Soit il était parvenu à tromper le FBI, soit il était de mèche avec le gouvernement américain. Tous les journalistes étaient tombés dans le panneau, ce qui ne l'étonna pas. Quand il entendit le président japonais Akamatsu décréter une intensification de la chasse aux cétacés, il fut consterné. Lorsqu'il apprit enfin que le président Carlson avait mis à prix la tête du chef de Gaïa pour 50 millions de dollars, il faillit perdre pied. Lucy, qui ignorait les raisons de sa gêne, réagit différemment :

— 50 millions, ce n'est même pas assez pour ce salaud, fit-elle. Je t'avais bien dit qu'ils étaient dangereux et prêts à tout.

Abel pensa que c'était le bon moment pour semer le doute dans l'esprit de sa femme. Il ne pourrait pas continuer longtemps ses recherches si elle n'était pas un minimum de son côté.

— Il faudrait néanmoins être certain que Gaïa soit bien responsable de l'attentat, fit remarquer Abel.

— Qu'est-ce que tu veux insinuer ? l'interrogea-t-elle sur un ton dubitatif.

— Imagine juste une minute la logistique et les moyens nécessaires pour une telle opération. Tu les sens capables d'un tel truc ?

— Mais on ne sait rien sur Gaïa ! Peut-être disposent-ils de ressources financières considérables ? Après tout, ils ont réussi à saboter le bouclier antimissile.

— Admettons. Mais alors, pourquoi cet attentat ? OK, par le passé, ils ont mené des actions violentes, mais ils n'ont jamais tué et ne s'en sont pris qu'à des cibles que tout le monde conteste. Lis leur manifeste, ils ne sont pas fous. Un truc cloche et j'ai l'impression que Gaïa sert de bouc émissaire pour masquer quelque chose de plus grave. Leur démenti paraissait sincère.

— Mais le gouvernement américain a des preuves qui accusent Gaïa ! reprit Lucy.

— Cet ordinateur qu'ils ont prétendument trouvé, pour moi cela ne prouve rien du tout. Ton gouvernement a déjà montré par le passé que la notion de preuve était très relative. Je ne vais pas te rappeler celles qui ont été fabriquées de toutes pièces par la CIA et le Pentagone pour justifier la seconde guerre d'Irak.

Abel sentit que Lucy allait s'énerver. D'habitude, elle se fiait à l'instinct de son mari, mais là il sombrait dans la paranoïa. Elle choisit quand même de le laisser tranquille. Elle était fatiguée et ne tarda pas à s'endormir. Abel coupa la radio, il en avait déjà assez entendu. Il mit tout bas un vieil album d'Underworld, *Second Toughest In The Infants*. La musique techno l'aiderait à se concentrer sur la route et sur la stratégie à mettre en œuvre.

L'étau se refermait sur lui. Si l'un des membres du Premier Cercle tombait, Abel ne disposerait au mieux que de quelques heures avant que le prisonnier ne cède. Le meurtre des astronautes lui vaudrait de façon certaine la peine capitale et il préférait ne pas y penser. Il avait confiance en ses lieutenants pour qu'ils se rendent invisibles, mais personne n'était à l'abri d'une erreur. D'autant plus que la récompense de 50 millions de dollars allait encourager les délations et rendre le moindre faux pas fatal. La règle numéro un pour la réussite d'une guérilla était de bénéficier du soutien inconditionnel de la population. Che Guevara, qui avait pourtant repris cette règle dans son manuel de guérilla, s'était entêté en Bolivie, sans l'appui ni des paysans ni du parti communiste bolivien. Cette attitude suicidaire avait conduit à sa capture et à son exécution par l'armée bolivienne et la CIA. Abel ne voulait pas terminer comme lui.

Il était le meilleur ami de Paul Gardner, ce qui le plaçait pour un temps à l'abri de la NSA et des autres services secrets. Ils ne chercheraient pas tout de suite de ce côté. Tant que le Premier Cercle de Gaïa n'était pas découvert, sa couverture officielle tiendrait. Il avait même intérêt à se montrer un maximum en public. La visite prochaine à la NASA tombait bien.

Il revint ensuite sur les questions qu'il se posait depuis le matin. Qui avait pu provoquer l'explosion sur la Lune et tuer son ami ? Pourquoi viser ces astronautes ? Pourquoi faire porter le chapeau à Gaïa ?

La préparation d'un attentat de cette envergure impliquait un grand nombre de personnes et il était pour le moins étonnant que personne n'eût pressenti un danger. C'est alors qu'il se remémora sa dernière conversation avec Paul, une semaine avant le décollage, juste avant qu'il n'entre en quarantaine : "Abel, j'ai peur. Il y a certaines choses que je ne sens pas du tout dans la mission. Si ça tournait mal, je ne pourrais compter que sur toi." Abel avait complètement oublié ces paroles, alors ambiguës et aujourd'hui peut-être prophétiques. Ce jour-là, il lui avait semblé que cette appréhension était normale pour un astronaute qui partait pour une mission périlleuse. Mais d'habitude, et même dans des circonstances extrêmes, Paul était toujours très calme. Cet appel était a posteriori troublant et il fallait qu'il en sache davantage. Tout en conduisant, il prit son téléphone portable et rechercha dans la mémoire la trace de cette conversation. Il fit défiler la liste des appels de ce jour-là mais il ne trouva pas le numéro de Paul. Pourtant, ils avaient bien discuté ensemble. L'appareil indiquait qu'il n'avait reçu qu'un seul coup de téléphone à ce moment-là et le numéro de son interlocuteur n'était pas enregistré dans son répertoire : Paul n'avait donc pas appelé de son portable.

Abel réfléchit quelques instants et ralentit son allure. Avec son mobile, il se connecta à un service d'annuaire inversé et saisit le numéro en question. Il s'agissait d'un téléphone public situé en Floride, probablement l'un des derniers en service. La cabine était située au "5401 Riveredge Drive, Titusville, Florida". Il rechercha l'adresse sur Google Maps et le plan apparut sur son écran. Titusville était localisée sur la rive du lagon qui séparait la côte de la Floride de la presqu'île de Cap Canaveral. Paul était donc sorti du centre spatial Kennedy pour passer cet appel. Cela était d'autant plus surprenant qu'avant d'entrer en quarantaine, les astronautes avaient eu un planning très chargé et étaient sous étroite surveillance.

Sur la carte, une icône indiquait qu'un bar-restaurant se situait à cette adresse : le New York – New York. Abel regarda sa montre : avec un peu de chance, le bar était encore ouvert. Après trois sonneries, quelqu'un décrocha.

— New York – New York, Sandy j'écoute ? fit une jeune femme à la voix rocailleuse.

— Bonsoir, Sandy, navré de vous déranger à cette heure, ici Louis, des services techniques d'AT & T.

— Louis, qu'est-ce que je peux faire pour toi ?

— Je cherche un de mes gars qui n'est pas revenu de son service. Il devait mettre à jour le logiciel du téléphone public de votre bar en fin d'après-midi. Serait-il encore chez vous ?

— Je n'ai vu personne et je suis là depuis l'ouverture.

— Très bien, il a dû rester se saouler dans un autre bar. Vous avez bien un téléphone public chez vous ?

— Ouais, Louis, répondit la jeune femme dont la voix était masquée par la musique. Au fond du bar, dans les toilettes des mecs.

L'information intéressa fortement Abel. Comme elle était coopérative, il décida de la questionner un peu plus.

— Juste par pure curiosité, vous qui êtes en face de Cap Canaveral, vous devez côtoyer les astronautes, non ? L'ambiance doit être sinistre depuis l'attentat.

— D'habitude, nous ne recevons jamais d'astronautes, ils sont trop sérieux pour venir ici. Mais figure-toi, Louis, qu'il y a deux semaines, le petit jeune est passé boire un coup dans mon bar. Il était avec deux gros malabars. Tu sais, c'est celui qui était mignon et qui passait tout le temps à la télé. Paul Carter ou un nom comme ça.

— Il s'appelait Paul Gardner, je crois, feignit Abel.

— Ouais, c'est ça, le Paul de la télé. Tu te rends compte, Paul l'astronaute au New York – New York, juste avant son départ ! C'est vraiment dommage qu'il ait fini comme ça. J'espère qu'on va buter ces salopards.

— Oui, c'est très dommage en effet. Allez, je ne vous retiens pas plus longtemps. Merci et bonne soirée, Sandy !

— Y'a pas de quoi, bonne soirée à toi aussi, Louis. J'attends la visite de ton gars.

Les soupçons d'Abel se confirmaient. En temps normal, Paul ne serait pas sorti de Cap Canaveral pour s'enfermer dans les toilettes d'un bar qu'il ne fréquentait jamais et l'appeler d'un téléphone public. S'il l'avait fait, c'était pour fausser compagnie à ses gardes du corps. Il se savait épié et en danger.

Il décida de réveiller Lucy pour lui faire part de l'appel de Paul et de sa conversation avec le New York – New York.

— C'est effectivement très troublant, convint-elle en émergeant péniblement de son sommeil. Ce comportement ne correspond pas à celui de Paul. Il devait se méfier de quelque chose ou de quelqu'un.

— Si Paul avait senti une menace, elle ne pouvait pas être d'ordre terroriste, rebondit Abel. Par définition, les terroristes frappent toujours à l'improviste et si Paul était au courant, les services secrets l'auraient su aussi et auraient décalé le lancement.

— Où veux-tu en venir, Abel ?

— Eh bien, ce coup de téléphone me fait encore plus douter de la culpabilité de Gaïa.

— C'est vrai, c'est quand même curieux, admit Lucy, inquiète.

Elle marqua un temps d'arrêt avant de reprendre.

— Abel, ne me dis pas que tu vas essayer de trouver les coupables ? Qu'est-ce que ça change de toute façon ? Paul est mort maintenant.

Elle prononça ces mots sans aucune conviction. Quand il avait une idée en tête, il ne la lâchait jamais.

— Paul était mon meilleur ami. Si Gaïa est innocent, je dois essayer de faire quelque chose, pour lui et pour sa famille.

Lucy le regarda fixement et vit dans le feu de ses yeux à quel point il était déterminé. Abel ne s'arrêterait pas. Il tenait ça de son père, Fernando Salazar Chacón, qui avait cette même âme de justicier, prêt à endosser n'importe quelle cause. Mais la détermination de Fernando face aux cartels de Tijuana lui avait coûté la vie.

— Pourquoi n'alertes-tu pas les médias ? Après tout, c'est leur boulot de fouiller.

— Les journalistes ne trouveront jamais rien. Si, par surprise, l'un d'eux découvrait quelque chose, des pressions énormes seraient exercées sur lui et il lui serait de toute façon très difficile de changer la thèse officielle qui convient si bien. On le fera passer pour un illuminé ou un amateur des théories conspirationnistes, c'est tout simple.

Lucy se déclara vaincue. Cette recherche risquait d'exposer son mari à de graves dangers et elle eut soudain très peur.

— OK, mais à une seule condition, lui dit-elle.

Abel estimait ne pas avoir besoin de l'autorisation de sa femme, mais diplomatiquement il préféra l'écouter.

— Laquelle ?

— Que l'on mène cette enquête ensemble.

À peine avait-elle lâché ces mots que Lucy commença à les regretter. Ils allaient changer le cours de son existence.

— Je fais vraiment ça par amitié pour Paul, crut-elle bon d'ajouter.

Abel fut surpris mais heureux de l'aide qu'elle venait de lui proposer. Il avait besoin de son soutien total, mais le moment n'était cependant pas encore venu de lui révéler son "implication" dans Gaïa, qui risquerait de la terrifier. Et à juste titre, car à peu près tous les habitants de la planète le recherchaient et voulaient sa peau. Une battue gigantesque pour éliminer le jaguar noir.

Il se concentra sur la route qui devenait plus sinueuse. Pendant de longues minutes, il retourna le problème dans tous les sens. Il commençait peu à peu à y voir plus clair. Lucy somnolait.

— Lucy, si Gaïa n'est pas derrière l'attentat, ce n'est pas non plus un groupe de taille modeste. On a forcément affaire à une grosse machinerie.

— Jusque-là, je suis d'accord avec toi. À quoi penses-tu ?

— Bon, à ce stade, j'entrevois trois possibilités. Première possibilité : un groupe puissant a voulu porter atteinte à la suprématie américaine : un État, une mafia ou un mouvement terroriste. Ce groupe, ne souhaitant pas s'attirer directement les foudres de l'armée américaine, désigne un coupable sans défense qui va se faire balayer et le tour est joué.

— Et qui ça pourrait être ? lui demanda-t-elle d'un air dubitatif.

— Je ne sais pas trop, convint Abel. La Chine apparaîtrait comme le candidat le plus naturel, compte tenu de l'enjeu stratégique du retour sur la Lune. Mais il y a certainement d'autres prétendants.

— Et ces deux autres possibilités, c'est quoi ?

— Attends, je n'ai pas fini, l'arrêta Abel. Cette première hypothèse me semble improbable. Si les États-Unis découvraient le véritable responsable, celui-ci s'exposerait à des représailles démesurées. Je serais étonné que quiconque prenne ce risque.

Entre deux bâillements, Lucy lui fit signe de poursuivre.

— La deuxième possibilité rejoint un peu la première. Imaginons qu'une puissance, comme un État ou un groupe terroriste, se rende compte qu'un de ses éléments ou de ses sous-groupes incontrôlés est à l'origine de l'attentat. Le risque de représailles encouru étant immense, cette puissance aurait eu intérêt à entrer en tractations avec les États-Unis pour négocier leur silence et minimiser la casse, en échange par exemple d'un gros contrat commercial ou d'une concession dans des négociations internationales. Si c'est le cas, il faudra suivre l'actualité avec attention dans les prochaines semaines.

— Et ils auraient fait en sorte que Gaïa porte le chapeau, compléta Lucy.

— Exactement. Les services secrets seraient alors guidés par le gouvernement américain pour ne jamais découvrir le véritable coupable et surtout pour confirmer la thèse officielle. Ça sera intéressant de voir qui pilotera la commission d'enquête.

— Ça te semble crédible, un truc pareil ?

— Plus que la première possibilité. À ce stade, il ne faut éliminer aucune piste et celle-ci est tout à fait plausible. Dans l'affaire du Koursk en 2000, un scénario de ce type avait été échafaudé par un journaliste : les États-Unis auraient coulé par mégarde le sous-marin au cours d'un exercice où les Russes présentaient une nouvelle technologie de torpilles à super cavitation, les *Shkval*, à des officiels chinois. Ces torpilles sont capables de se déplacer dans l'eau à une vitesse vertigineuse et de détruire n'importe quel porte-avions. Pour éviter une guerre nucléaire à la suite de la destruction du Koursk, les États-Unis auraient annulé une partie de la dette de la Russie en échange de son silence.

— On a des preuves de ça ? l'interrogea Lucy, l'air médusé.

— Malheureusement non. Cette théorie est séduisante pour les amateurs de conspirations, mais l'hypothèse la plus crédible reste la décrépitude de l'armée russe. Compte tenu de l'opacité de Moscou, on ne connaîtra probablement jamais la vérité.

Lucy se dit que la surveillance prolongée par le FBI lorsqu'il était enfant avait laissé des séquelles chez son mari. Cette paranoïa l'avait sans doute conduit à dissimuler sa bibliothèque. Elle ne fit pas de commentaire car elle commençait à se prendre au jeu.

— Et la dernière possibilité ?

— Les États-Unis pourraient avoir eux-mêmes orchestré l'explosion sur la Lune.

— Peux-tu répéter ? fit Lucy interloquée.

— Ça peut te paraître fou, mais par le passé les États-Unis auraient déjà perpétré des attentats contre eux-mêmes pour déclencher des guerres : on appelle ça des opérations de *false flags* ("faux pavillons"). Je dis bien "auraient" car de nombreuses spéculations entourent ces opérations.

— Ah bon ? Quelles opérations ?

— Par exemple en 1898, lorsque l'USS *Maine* a été coulé dans le port de La Havane, les États-Unis ont utilisé ce prétexte pour entrer en guerre contre l'Espagne. L'implication du gouvernement américain dans ce naufrage a été maintes fois suspectée, mais n'a jamais pu être prouvée. Plus près de nous, en 1962, l'opération Northwoods devait falsifier une attaque cubaine contre le sol américain. Kennedy n'autorisa finalement pas l'opération. Dans ce cas précis, des documents déclassifiés par le Pentagone attestent de l'authenticité des plans de l'opération.

— Et qu'y avait-il dans ces documents ? demanda Lucy, intriguée.

— Diverses propositions odieuses qui allaient très loin : couler un navire américain dans la baie de Guantanamo – réminiscence de l'USS *Maine* ? –, faire abattre un avion militaire sans pilote par un faux MiG, ou même descendre un avion de ligne, également sans pilote, prétendument rempli d'étudiants en vacances !

— C'est stupéfiant !

— Oui, ça l'est. D'ailleurs les documents de l'opération Northwoods, que tu peux trouver partout sur Internet, ont servi de base aux théories conspirationnistes qui accusent les États-Unis d'avoir eux-mêmes fomenté les attaques du 11 septembre.

— Tu y crois, Abel, à ces théories ?

— A priori non, il ne faut pas sombrer dans l'irrationnel. Compte tenu de son ampleur, l'opération du 11 septembre aurait été très difficile à dissimuler. Néanmoins, ce n'est pas inconcevable. Les États-Unis sont les maîtres des techniques de désinformation et d'influence : ruse de guerre, intoxication, propagande blanche, propagande noire… Le mensonge, quand il est bien manié, est une arme redoutable.

En l'écoutant, Lucy repensa aux amis de son père, des hommes d'affaires qui se réunissaient souvent chez eux dans le Connecticut. Ils avaient bien la tournure d'esprit pour préparer ce genre d'actions foireuses.

— Les États-Unis sont probablement obligés de recourir à ces techniques, vu que les autres pays ne doivent pas s'en priver non plus, remarqua-t-elle.

— C'est vrai. Si les États-Unis avaient refusé de les utiliser, ils ne feraient plus partie depuis longtemps du cercle des nations les plus puissantes. Depuis des siècles, tous les États du monde les pratiquent. Cela fait partie des instruments classiques du pouvoir et de la conduite de la guerre. Les Nazis ont brûlé eux-mêmes le Reichstag en 1933 et fait porter le chapeau aux opposants communistes, facilitant l'abrogation des libertés individuelles. Les Japonais ont organisé la destruction d'une section de chemin de fer appartenant à une de leurs sociétés en Mandchourie du Sud en 1931, pour envahir ce territoire. Les exemples de ce type sont nombreux.

— Tout ça est bon à savoir pour l'affaire qui nous occupe, conclut Lucy.

— Oui, quand on s'intéresse au fonctionnement des hautes sphères de l'État, il faut aborder les choses sans naïveté. Le pire est toujours envisageable. Et puis rappelle-toi bien ça : plus un mensonge est gros, plus il est facile à faire passer.

En prononçant cette phrase, Abel se souvint qu'il mentait à sa femme depuis des années.

— Donc, si je résume bien, tu penches plutôt pour ta deuxième ou ta troisième solution ?

— Oui, même si aucune n'est vraiment satisfaisante. Par exemple pour la troisième, je ne vois absolument pas l'intérêt pour les États-Unis d'organiser un sabotage sur la Lune pour déclarer la guerre à un groupuscule éco-terroriste de rien du tout. Certes, les mouvements écologistes gênent certains industriels, mais cela ne me semble pas suffisamment grave pour faire échouer une mission aussi importante que Columbus 11.

— Gaïa, un groupe de rien du tout ? On n'en sait rien. À mon avis, Gaïa va chercher à se défendre. Ils ont montré qu'ils étaient rusés.

Abel se força à rester silencieux. Il aurait tant aimé lui dire à quel point Gaïa était en colère et ne se laisserait pas faire.

— Bon, on fait quoi alors ? lui demanda Lucy.

— Pour trouver les coupables, il faut commencer par trouver des indices. L'appel de Paul est un bon début, mais c'est insuffisant. Nous en trouverons peut-être chez les Gardner ou à la NASA. En face de nous, nous devons avoir une organisation extraordinaire qui a dû veiller à effacer toutes ses traces. Les preuves, si elles existent, doivent être bien gardées derrière d'épais coffres-forts. Si nous voulons démasquer les auteurs, il nous faut chercher là où ils n'ont pas pensé que quelqu'un irait fouiller.

— Où ça ?

— Je ne sais pas, j'y réfléchis.

Devant l'impasse de leurs réflexions, Abel conseilla à sa femme de se reposer et de prendre des forces.

Ils roulaient depuis près de dix heures et étaient parvenus à la frontière entre le Nouveau-Mexique et le Colorado. Abel était exténué. Même s'il n'avait pas besoin encore de recharger sa batterie avec son véhicule ultraléger, il décida de faire une petite halte dans une station-service pour se dégourdir les jambes. Il laissa Lucy dans la voiture. Il entra et salua les deux Indiens qui tenaient la boutique. Il se promena dans les rayonnages à la recherche de quelque chose à manger et à boire. Au moment de régler, il s'attarda sur les journaux disposés à côté de la caisse. La couverture d'*USA Today*, qui montrait la Lune en gros plan, attira son attention. Si seulement il existait un zoom assez puissant pour photographier la base de Columbus 11, il pourrait peut-être savoir ce qui s'y était réellement passé.

Il retourna à la voiture. Il s'assit sur le siège conducteur et mordit dans son sandwich. Ses ruminements réveillèrent Lucy qui s'attaqua au frugal repas qu'il lui avait ramené. Une fois leurs en-cas terminés, Abel reprit l'Interstate 25 en direction du nord. Il repensa à la photo de la Lune sur le journal. Devant lui, une voiture roulait à faible allure, et en la dépassant il lut sur la plaque d'immatriculation : Albuquerque. Cela provoqua un déclic. Il prit la sortie la plus proche et se gara sur le bas-côté.

— Que fais-tu, Abel ?

— Demi-tour.

— Tu as oublié quelque chose à la station-service ?

— Non. Je t'emmène voir un vieil ami qui pourra peut-être nous aider, lui répondit-il avec un léger rictus.

— Où ça ?

— Surprise, lui répondit Abel, tout excité. Le détour ne prendra que quelques heures. Passe-moi ton portable.

Il saisit le téléphone de Lucy et lui ôta sa batterie. Il fit de même avec le sien. Personne ne pourrait ainsi les localiser. Il emprunta une voie secondaire et appuya sur l'accélérateur. Tant pis pour les limitations de vitesse et la consommation d'essence, il n'y avait plus de temps à perdre. Lucy fut projetée en arrière. Elle se laissa aller. Lorsqu'elle était plus jeune, on la traitait souvent de garçon manqué : elle dissimulait ses formes féminines sous de larges sweat-shirts, mais elle aimait aussi jouer aux jeux de garçons, et plus particulièrement au détective. Désormais elle était heureuse de pouvoir y jouer pour de bon, aux côtés d'Abel.

JOUR 9, PALAIS KANTEI, RÉSIDENCE OFFICIELLE DU PREMIER MINISTRE, TOKYO, JAPON

En une semaine, les recherches sur les actes perpétrés à Taiji n'avaient rien donné. L'inefficacité de la police nippone avait consterné le Premier ministre Akamatsu. Depuis l'attentat sur la Lune, l'enjeu de la traque de Gaïa était devenu tout autre et Akamatsu avait décidé de passer à la vitesse supérieure. En cette fin de journée, il attendait la visite d'un membre éminent du Naicho, son propre service de renseignement, à qui il venait de confier la direction de l'enquête.

L'agent spécial Goro Kuroda se présenta exactement à l'heure convenue. Il mesurait plus de deux mètres et ses épaules étaient tellement larges qu'il eut du mal à franchir la porte. Il portait une veste longue en cuir sombre qui accentuait ses mensurations prodigieuses. L'homme à l'allure de tueur à gages s'inclina pour saluer Akamatsu qui avait bien deux têtes de moins que lui.

Le Premier ministre japonais le fit asseoir et lui exposa pendant plusieurs minutes la situation. L'agent spécial du Naicho l'écouta attentivement, bien qu'il connût déjà parfaitement les éléments du dossier. Akamatsu évitait le regard glacial de son interlocuteur. Cela faisait plusieurs mois qu'il n'avait pas eu recours à ses services et il avait oublié à quel point l'allure de Kuroda était terrifiante.

Quand il eut fini son laïus, il demanda à l'homme, qui ne devait pas avoir quarante ans, comment il comptait procéder.

— Monsieur le Premier Ministre, quels sont les moyens mis à notre disposition ?

— Vous pouvez considérer qu'ils sont illimités.

— Très bien. C'est ce qu'il me semblait avoir compris.

Akamatsu comptait régler ses comptes avec Gaïa mais aussi tirer un crédit international de l'arrestation du premier membre de l'organisation éco-terroriste. Kuroda, qui n'aimait pas les circonvolutions inutiles, sortit de sa mallette un lecteur vidéo portatif et le plaça face au Premier ministre.

— Sur la vidéo de Taiji diffusée la semaine dernière sur Internet, on peut voir qu'un des plongeurs de Gaïa a reçu un coup de lance d'un des pêcheurs de dauphins.

Akamatsu visualisa l'agrandissement de la scène. Le plongeur avait effectivement été sévèrement touché. Il attendait la suite.

— La lance s'est enfoncée profondément au niveau de sa clavicule, puis l'homme est reparti en nageant vers le rivage, reprit Kuroda. La plage étant recouverte du sang des dauphins, il a été impossible d'isoler l'ADN du plongeur. Ce détail a donc été jugé inexploitable par l'autre équipe d'enquêteurs. Mais on peut retrouver cet homme. Et même très rapidement.

— Et comment comptez-vous vous y prendre ?

— En doublant par exemple la prime proposée par le président Carlson, soit 100 millions de dollars, pour toute information nous conduisant à cet homme. Un homme à l'épaule bandée se remarque et il a bien fallu qu'il soigne sa blessure. Avec une telle prime, nous serons tout de suite informés.

Akamatsu trouva que Kuroda y allait fort, mais sa suggestion avait le mérite de sa radicalité. D'ailleurs, ce genre de prime était rarement versé.

— Mais le nageur a pu quitter le pays ? questionna le Premier ministre.

— C'est possible, mais j'en doute. Il doit plutôt être en convalescence quelque part sur l'archipel. Nous donnerons son signalement dans les ports et les aéroports. Nous allons lancer un avis de recherche sur l'ensemble du territoire.

Goro Kuroda promit de trouver l'homme blessé en quelques jours et de remonter grâce à lui la filière Gaïa. Akamatsu se fia à son flair. C'était l'agent le plus efficace de l'archipel et il avait déjà mené plusieurs missions très délicates pour lui. Les dommages collatéraux étaient souvent importants, mais les résultats étaient toujours au rendez-vous.

Avant que Kuroda ne le quitte, le Premier ministre l'informa qu'il pouvait aussi compter sur l'aide des services secrets américains mais qu'en contrepartie, il devrait les tenir au courant de l'avancée de son enquête. Kuroda ne sembla pas apprécier cette forme de tutelle, mais obtempéra tout de même. En le voyant s'éloigner d'un pas déterminé, Akamatsu se dit qu'il ne souhaiterait pour rien au monde être à la place de celui que Kuroda recherchait.

Un majordome vint ensuite chercher le Premier ministre et l'accompagna jusqu'à sa limousine. En prévision de son succès sur Gaïa, il avait réservé pour lui seul le restaurant Kujiraya dans le quartier de Shibuya, un paradis pour les derniers mangeurs de baleine. On pouvait y déguster toutes les parties du corps du cétacé. Comme à son habitude, Akamatsu avait demandé à ce qu'on lui prépare une soupe de *miso* et de peau de baleine, puis un assortiment de nageoire caudale, de langue et d'intestins. Il arrosa ce repas d'une bouteille bien fraîche de saké *Daiginjo*, le meilleur du pays. Les grains de riz qui servaient à sa fabrication étaient polis jusqu'à la moitié de leur poids originel afin de garantir la fermentation la plus pure. Il en consomma jusqu'à l'ivresse.

JOUR 9, PLAINES DE SAN AGUSTIN, NOUVEAU-MEXIQUE, ÉTATS-UNIS

Abel avait conduit toute la nuit à une allure de pilote de rallye, au rythme de l'album *We Are the Night* des Chemical Brothers. Il venait de dépasser Albuquerque et commençait son ascension vers les hauts plateaux avoisinants. À l'aube, il parvint dans une plaine très étendue, quasi désertique et entourée de montagnes. Au centre de ce cirque naturel, on pouvait discerner de minuscules édifices blancs répartis selon un arrangement géométrique précis. Lucy était toujours affalée dans le siège passager, sous une couverture qu'Abel avait posée sur elle. Il lui remua doucement la jambe.

— Nous sommes bientôt arrivés. Regarde ce spectacle merveilleux, lui dit-il tendrement.

Lucy s'étira, redressa son siège et admira le paysage. Elle crut tout d'abord qu'elle était sur une autre planète, Mars ou la Lune. Mais elle était bien sur Terre et c'était effectivement superbe. Elle se demanda ce que faisaient ces constructions blanches au milieu de nulle part.

— Regarde aussi là-haut, ajouta Abel en pointant son doigt vers le ciel.

À travers le pare-brise, elle vit trois grands rapaces qui planaient avec majesté.

— Ce sont des condors de Californie, précisa-t-il.

— J'ignorais qu'il y avait encore des condors dans ce coin.

— Il n'en reste malheureusement que très peu. Les derniers spécimens vivent dans le Grand Canyon et ils sont venus nous saluer.

Lucy sourit et caressa la main d'Abel. Cela ne la surprenait plus. Depuis qu'elle le connaissait, elle ne comptait plus les rencontres extraordinaires avec les animaux sauvages. Ces condors avaient survécu grâce à un naturaliste américain, McMillan. Il avait prononcé cette phrase admirable : *"Il faut sauver les condors. Pas tellement parce que nous avons besoin des condors, mais parce que nous avons besoin de développer les qualités humaines nécessaires pour les sauver. Car ce seront celles-là mêmes dont nous aurons besoin pour nous sauver nous-mêmes."* Abel s'était toujours dit qu'il fallait raisonner de la même façon pour la protection de l'environnement. En guérissant la Terre, l'Homme apprendrait à se guérir lui-même.

Les trois condors les guidèrent à travers la plaine en direction des mystérieux bâtiments blancs. Soudain, Lucy reconnut ce dont il s'agissait. Elle avait déjà vu ce site dans le film, *Contact*, qui avait été adapté du roman de Carl Sagan. Ils avaient devant eux le *Very Large Array Telescope* – "Très Grand Réseau" –, surnommé VLA par les scientifiques. Ce télescope unique était constitué d'un ensemble de 27 paraboles de 25 mètres de diamètre chacune. Elles étaient montées sur des rails et pouvaient se déplacer sur des kilomètres. À l'aide de ce réseau orientable, les scientifiques pouvaient virtuellement reconstituer un télescope dont le miroir avait la superficie d'une ville. Dans sa configuration la plus précise, il était capable de zoomer sur une balle de golf à 150 kilomètres. Mais il avait évidemment été conçu pour photographier le fond de l'univers et étudier le bestiaire des objets célestes : comètes, pulsars, supernovæ, galaxies, quasars, trous noirs, hypernovæ, météorites, nuages d'hydrogène, nébuleuses, planètes, amas globulaires, sursauts gamma, magnétars, naines blanches, astéroïdes, blazars…

Ces objets étaient le royaume de Paul Gardner. Il pouvait disserter pendant des heures sur chacun d'eux. Le monde qui entourait la Terre pouvait paraître peuplé de structures effrayantes et très étranges. Mais pas pour lui, car il savait toujours les rapporter à l'échelle de l'homme. Lucy se rappela le soir où Paul lui avait parlé des géantes bleues. Ces étoiles très massives avaient produit les atomes d'oxygène que nous respirions chaque jour et dont nos corps étaient largement constitués. Elles étaient la preuve du lien profond qui unissait l'homme au cosmos.

Ils longèrent les immenses antennes toutes pointées dans la même direction, vers le ciel. Lucy était subjuguée par ces créations.

— Les humains sont capables de grandes choses.

— Oui, parfois, admit Abel. Sans l'Homme, la Terre-mère, Gaïa, n'aurait pas ces "grandes oreilles", extraordinaires organes sensoriels qui lui permettent d'écouter l'univers.

Il s'aperçut qu'il avait prononcé le nom de Gaïa, mais Lucy ne le releva pas.

— C'est là que nous allons ? demanda-t-elle en montrant les antennes.

— Pas tout à fait, attends encore un peu, lui répondit son mari qui entretenait le suspense.

Les condors dépassèrent les "grandes oreilles" et continuèrent à voler vers le fond de la plaine. Ils se posèrent à proximité d'une autre antenne, isolée et de taille beaucoup plus modeste. Derrière ce petit radiotélescope se trouvaient une baraque en bois délabrée et une antique Chevrolet 57 à la carrosserie couverte de rouille. Abel rangea son véhicule à côté. Ils étaient arrivés à destination. Il regarda sa montre : il était très tôt, mais ce n'était, a priori, pas un problème pour leur hôte. Il fit signe à sa femme de descendre de la voiture et de le suivre. Il frappa à la porte en bois et Lucy se tint en retrait. Elle redoutait la créature qui pourrait jaillir de cette tanière et elle ne fut pas déçue. Dans l'embrasure de la porte, elle vit poindre un très vieil homme, de petite taille, au dos complètement recroquevillé. Il portait une grande barbe en pagaille, de longs cheveux hirsutes et d'étranges lunettes, dont les verres grossissants rappelaient les lentilles d'un télescope. Il ne s'attendait pas à avoir des visiteurs.

— Bonjour, Professeur Pungor ! lui lâcha Abel avec une certaine excitation.

Le vieillard s'approcha à quelques centimètres de lui, mais ne le reconnut pas. Ses yeux, grossis par les verres, avaient la taille de ceux d'une baleine. Il toucha le visage d'Abel avec ses mains flétries aux ongles interminables et sales. Abel recueillit les effluves de son haleine chaude et fétide. Lucy était écœurée.

— Qui êtes-vous ? lui dit le vieil homme.

— Je suis Abel Valdés Villazón. Je vous ai rendu plusieurs fois visite par le passé.

— Ça ne me dit rien du tout. Au revoir !

Pungor tourna les talons et s'apprêta à retourner dans sa cabane. Abel lui retint le bras.

— Attendez, Professeur Pungor. Je venais quand j'étais étudiant avec mon ami Paul Gardner.

Lorsqu'il prononça ce nom, Pungor marqua un temps d'arrêt et souleva ses lunettes.

— C'est toi le petit salopard de Mexicain qui m'as bousillé un amplificateur ? l'interrogea-t-il avec une voix enrouée qui n'avait visiblement pas servi depuis longtemps.

Abel avait totalement oublié cet épisode, qui remontait à plus de dix ans. Le vieil homme, lui, s'en souvenait parfaitement.

— Euh, oui, Professeur, c'est bien moi, répondit-il tout penaud.

— Et vous, qui êtes-vous ? fit Pungor en désignant Lucy du doigt.

— Je suis Lucy, la femme d'Abel.

— Enchanté Lucy, dit-il en prenant la main qu'elle lui tendait mollement, redoutant un baisemain.

— Lucy, je te présente le professeur Laszlo Pungor… Un vieil ami ! lâcha Abel en riant.

— Rentrez donc et excusez-moi pour le désordre. Je n'ai pas souvent de visiteurs.

Juste avant de franchir le pas de la porte, Pungor saisit une pierre ronde qui était posée sur le rebord de son unique fenêtre. Lancé d'un geste vif, le caillou percuta l'un des condors pourtant situé à plus de dix mètres. Les trois rapaces prirent leur envol.

— Ces corbeaux sont insupportables, grogna Pungor. Si je ne les chasse pas, ils viennent déféquer sur ma parabole.

Lucy avait rencontré beaucoup de gens étranges dans sa vie, mais celui-ci s'annonçait comme vraiment unique. Sa voix complètement enrouée le rendait comique. Il commençait à lui plaire.

L'intérieur de la cabane était à l'image du personnage. Un véritable capharnaüm. Les murs étaient recouverts d'appareils électroniques dangereusement empilés les uns sur les autres. Sur le sol, une poule dormait sur un nid constitué de fils électriques.

Pungor passa sa main sous l'oiseau qui se mit à glousser. Il extirpa un bel œuf qu'il goba avec délectation. Lucy l'observait d'un air écœuré. Un des oscillateurs qui remplissaient la pièce se mit subitement à grésiller. Pungor s'en approcha et essaya de faire taire le bruit. Il les pria de l'excuser un instant car il avait un problème avec son antenne à l'extérieur.

Profitant de son absence, Abel raconta à Lucy l'histoire de leur hôte, histoire qu'il tenait de Paul. George Pungor était mécanicien dans un petit atelier de la banlieue de Budapest. Il fit la connaissance d'Eva Friedmann, une jeune femme juive, qui venait d'emménager dans la maison jouxtant l'atelier. Ce fut un coup de foudre mutuel.

Ils se fréquentèrent et un jour, elle tomba enceinte. Cela la plongea dans un profond désarroi car George n'était pas juif. Il la demanda en mariage, mais Eva n'obtint jamais le consentement de ses parents. Ils se marièrent quand même mais George fut contraint de quitter son travail et Eva de couper les ponts avec sa famille. Elle donna naissance à un enfant chétif qu'ils prénommèrent Laszlo. Observant la vague antisémite qui grandissait dans le pays, George Pungor décida de quitter la Hongrie en 1933 pour protéger sa femme et son fils. Le petit Laszlo avait cinq ans lorsqu'ils s'établirent aux États-Unis. Sa mère ne supporta jamais réellement ce départ et elle vécut avec l'anxiété que sa famille soit persécutée. En 1941, les parents d'Eva furent parmi les premiers déportés vers la province polonaise de Galicie occupée par les nazis. Ils périrent lors d'atroces massacres qui préfiguraient le génocide à venir. Eva ne s'en remit pas et mourut en 1942. Laszlo vécut alors seul avec son père qui tenait un garage florissant dans le New Jersey.

Élevé dans ce milieu empli de tristesse et de méfiance, Laszlo était peu doué pour les relations humaines. C'était un marginal et il ne se sentait bien que seul. Le jeune enfant avait en revanche montré des talents exceptionnels pour les travaux techniques manuels, que lui enseignait son père, mais aussi pour les sciences. À seulement vingt ans, il acheva son doctorat et fut titularisé deux ans plus tard comme professeur d'astrophysique et de sciences des planètes à l'université du Colorado, à Boulder. Il y resta plus de quarante ans, pendant lesquelles il épuisa le personnel avec ses excentricités, mais éveilla aussi la vocation de myriades d'étudiants. Professionnellement, il réalisa un parcours hors du commun et contribua à toutes les grandes missions robotisées américaines d'exploration du système solaire : Pioneer, Ranger, Mariner, Lunar Orbiter, Surveyor, Viking, Voyager…

Mais la véritable passion de Pungor était la radioastronomie appliquée à la recherche des signaux extraterrestres. On disait de lui qu'il ne dormait jamais, ce qui était probablement vrai. Dès qu'il revenait de son bureau, il braquait son antenne vers le ciel et écoutait les signaux avec son casque. Ses recherches lui valurent dans les années cinquante de nombreux quolibets. Au départ, il mena ses travaux de façon rudimentaire, presque par amusement. Puis il développa, seul dans son garage, des appareillages et des algorithmes de plus en plus perfectionnés. Un jour, il montra son "laboratoire" à l'un de ses collègues qui constata avec stupeur que Pungor avait développé une nouvelle branche de l'observation astronomique. Ses découvertes furent présentées à la communauté scientifique et elles contribuèrent à l'essor du programme SETI* de Drake et Sagan dans les années soixante. Puis Pungor, préférant travailler seul, retourna se terrer dans son garage et garda pour lui ses nouvelles découvertes. Le jour de sa retraite, il coupa tout lien avec le monde académique. Il vendit son assurance-vie pour acheter d'occasion une grande parabole qu'il installa dans le désert, à côté du VLA pour trouver de l'assistance en cas de problèmes techniques. Lucy commençait à entrevoir pourquoi ils étaient là.

Pungor revint en trépignant. Il passa sa main derrière une pile de livres et en sortit une bouteille couverte de poussière.

* SETI (*Search for Extraterrestrial Intelligence*) : programme de recherche visant à découvrir des signaux émis, volontairement ou involontairement, par des intelligences extraterrestres.

— Je vous sers un verre ? leur demanda le vieux savant.

— Qu'est-ce que c'est ? demanda Lucy

— De la crotaline.

Elle l'observa avec des yeux ronds.

— De l'alcool de crotale, quoi ! reprit Pungor avec un air amusé.

Le vieil homme frotta la poussière et montra à ses deux invités le serpent qui macérait dans l'alcool. Lucy était prête à vomir, mais Abel accepta un verre. Lorsqu'ils étaient étudiants, Pungor leur avait déjà fait passer cette épreuve initiatique. C'était très fort mais, dans son souvenir, ça passait bien. Ils s'assirent sur des tabourets de fortune autour d'une table branlante.

— Quand es-tu venu pour la dernière fois, Abel ? l'interrogea Pungor. L'été dernier ou celui d'avant ?

— Professeur, c'était il y a au moins dix ans, répondit poliment Abel qui ne voulait pas le vexer.

— Ah oui, je vois, comme le temps passe vite, concéda Pungor, un peu triste. Et ton copain Paul, toujours à Caltech ? Il rêvait de devenir astronaute, je crois.

Sur le haut d'une pile de vieux journaux, Abel avait aperçu une édition jaunie du *New York Times* consacrée à l'arrivée de la sonde Cassini-Huygens sur Titan, le plus grand des satellites de Saturne. Cela remontait à 2005. Le professeur n'était certainement pas au courant que l'Homme était retourné sur la Lune, que Paul faisait partie de l'équipage et que les astronautes venaient de mourir. Ses voisins du VLA n'avaient pas dû daigner le prévenir.

Abel avala cul sec son verre de crotaline et résuma les principaux événements des dix dernières années qui avaient échappé à Pungor : le programme Odyssey, la sélection de Paul via le programme de télévision *Moon Walk*, la mission Columbus 11 et l'attentat.

Le vieil homme avait écouté, le cœur serré.

— Quelle idiotie d'envoyer des astronautes dans l'espace… C'est bien trop dangereux. Je l'avais répété à Paul. J'ai toujours refusé de travailler sur Apollo pour cette raison. Les sondes au moins, si elles s'écrasent, elles ne font pleurer que ceux qui les ont conçues ou financées.

Ou assurées, faillit ajouter Lucy, en pensant à son père Terence dont c'était le métier. Abel, lui, ne partageait pas le point de vue de Pungor, mais l'heure n'était pas à la polémique. Grâce aux douze hommes envoyés sur la Lune, les scientifiques avaient appris bien plus qu'avec toutes les missions robotisées qui avaient précédé Apollo. Lors d'Apollo 17, pour la première et dernière fois – avant Paul Gardner et Scott Hughes –, un scientifique était allé sur la Lune : Harrison H. Schmitt, géologue de formation, avait réalisé des observations qui permirent de comprendre la nature de notre satellite et d'éclaircir son origine. L'Homme était doué de prodigieuses capacités d'association, de raisonnement mais aussi d'émotion et il faudrait encore des décennies de travaux sur la robotique et l'intelligence artificielle pour parvenir à de pareils résultats. Par ailleurs, l'Homme était un enfant des étoiles, le fils des géantes bleues. Sa destinée était dans l'espace, c'était inscrit dans ses gènes.

Pungor se retenait pour ne pas verser de larmes. D'habitude, il ne se liait jamais aux êtres humains. Paul était une exception et sa disparition lui faisait très mal. Le jeune étudiant avait cette innocence et cette pureté qui manquaient tant aux autres hommes. Pungor l'avait rencontré adolescent à Boulder par la tante d'Abel. Paul aurait ensuite aimé faire sa thèse de doctorat avec lui, mais Pungor était déjà parti à la retraite dans le désert. Néanmoins ils s'étaient revus régulièrement et un lien très fort s'était tissé entre les deux hommes.

— Pourquoi ne m'a-t-il pas dit qu'il partait sur la Lune ?

— Pour ne pas que vous le détourniez de ce projet, répondit Abel. Il voulait aussi vous faire une surprise en rentrant et vous offrir une pierre de Lune.

Les verres des lunettes de Pungor s'embuèrent, il n'avait pas pleuré depuis des décennies. Enfant, il s'était réfugié dans le monde rationnel et réconfortant des sciences pour se couper des hommes et ne pas avoir à revivre les peines de son enfance.

— Bon, j'imagine que vous n'êtes pas venus jusqu'ici juste pour m'apprendre la mort de Paul ? lâcha-t-il pour couper court à ses émotions grandissantes.

— Effectivement, Professeur, admit Abel presque honteusement.

— Nous avons des doutes sur l'attentat contre Columbus 11, poursuivit Lucy.

— Ah oui, lesquels ? fit Pungor.

— Le gouvernement américain prétend qu'il a été perpétré par un groupe éco-terroriste du nom de Gaïa. Or cette thèse nous semble peu crédible, compléta-t-elle.

— Avec un tel nom, effectivement on les voit mal tuer des astronautes.

Abel sourit. Il regretta que l'opinion américaine ne soit pas aussi aisée à convaincre que le professeur Pungor.

— Abel a reçu un curieux appel téléphonique de Paul, une semaine avant son départ, dans lequel il lui faisait part de dangers entourant la mission.

— Je vois. Encore une bonne magouille du gouvernement américain.

— Nous ne pouvons pas l'affirmer pour l'instant, professeur, intervint Abel. Disons juste que nous souhaitons nous assurer que Paul est bien mort dans les conditions présentées par le gouvernement et pour cela, nous aurions besoin de vous.

— Et comment puis-je vous aider ? demanda le vieil homme.

Lucy se tourna vers Abel. Elle ne savait pas exactement ce qu'il avait en tête.

— Il faut que nous sachions ce qui s'est réellement passé sur la Lune. La base est trop éloignée pour être photographiée. Mais avec vos instruments, pourriez-vous écouter ce qui s'y passe ? En pointant votre antenne vers la Lune et en récupérant tous les signaux qui en proviennent, nous pourrions peut-être trouver un indice.

— Pas de problèmes, ça doit être possible. Je l'ai déjà fait à l'époque d'Apollo. Je m'amusais à écouter les conversations des astronautes, on pouvait les entendre pisser. Et ça me changera des extraterrestres. Ces dix dernières années, ils n'ont pas été très loquaces.

— Merci, professeur. Nous allons rendre visite à la famille de Paul à Boulder et reviendrons vous voir le plus rapidement possible. N'essayez pas de nous contacter, ça pourrait être dangereux. Toute cette affaire doit bien sûr rester strictement confidentielle ?

— Reçu cinq sur cinq. Ravi de pouvoir vous aider, conclut Pungor avec un grand sourire qui dévoilait sa mâchoire dépourvue de dents.

Lucy prit le volant pour qu'Abel puisse dormir à son tour. Derrière eux, le vieux scientifique actionnait déjà le moteur de sa parabole pour la braquer là où la Lune réapparaîtrait en fin de soirée.

JOUR 9, MAISON BLANCHE, WASHINGTON, D.C., ÉTATS-UNIS

Le président Carlson avait passé la soirée précédente auprès de sa femme et de ses enfants. La gestion de la crise et les mensonges de la veille l'avaient ébranlé. À grand renfort de somnifères, il avait tout de même réussi à dormir. Après un petit déjeuner en famille – ce qu'il n'avait pas fait depuis longtemps – il se rendit à son bureau. Le stress le gagnait à nouveau. Il s'était promis de s'en passer, mais il ne résista pas : dans le cabinet de toilette du bureau ovale, il se prépara un rail de cocaïne. Il se regarda dans la glace, se repeigna et ajusta son costume : il était à nouveau en selle, prêt à affronter la réalité et le cynisme de ses fonctions.

La revue de presse du matin était réconfortante : l'attentat contre les astronautes figurait à la une de tous les journaux et avait déclenché un émoi planétaire. La campagne de désinformation du plan Beth fonctionnait à merveille : Gaïa et les autres organisations écologistes étaient sous le feu des journalistes. La journée s'annonçait plutôt paisible pour Carlson, rien ne pouvant a priori être pire que ce qu'il avait enduré la veille.

Sur l'injonction de Cornelius Fox, il avait demandé à Prescott de préparer un plan visant à détruire la fusée chinoise lors de son décollage de la base spatiale de Wenchang. Il l'avait baptisé Gimel, troisième lettre de l'alphabet hébreu.

Le secrétaire à la Défense entra dans le bureau ovale pour lui en présenter les grandes orientations. Il avait sa tête des mauvais jours. Carlson proposa un café à son hôte qui le refusa. Il s'en servit un pour lui.

— Que se passe-t-il, mon cher Mike, une mauvaise nouvelle ? l'interrogea le président, en portant la tasse à sa bouche.

— En effet, un nouvel élément vient compliquer nos affaires.

Le répit de Carlson n'avait donc été que de courte durée. Il trempa ses lèvres dans la tasse et huma les effluves du liquide noirâtre, pour y puiser du courage. Il fit signe à Prescott de poursuivre.

— Il y a un survivant sur la Lune, lâcha Prescott. Le major Tyler est vivant.

Carlson recracha son café par les narines et dévisagea son interlocuteur.

— Comment est-ce possible ? Vous nous avez dit hier que Tyler était mort avec son équipage. Vous nous avez même montré des photos de leurs corps prises par l'orbiteur.

— Oui, les scaphandres des trois autres astronautes, mais pas de celui du major Tyler. Nous pensions qu'il avait été pulvérisé par l'explosion du laser, mais il s'en est apparemment tiré. Il a dû réussir à sortir à temps du caisson botanique.

Le président était songeur.

— Comment le savez-vous ? A-t-il contacté Houston ?

— Non, il ne peut rien émettre, le matériel de communication de la base lunaire a été grillé par les rayonnements de l'explosion. En revanche l'orbiteur a pris un nouveau cliché de la base cette nuit : certains éléments ont changé de place sur la base. Tyler est donc en vie et a bougé ces objets.

— A-t-on les moyens d'aller le secourir ?

— C'est bien là le problème Monsieur le Président. La prochaine mission Columbus ne sera pas prête avant plusieurs mois et notre seul espoir serait de demander de l'aide aux Chinois…

Carlson commençait à entrevoir les ramifications de ce que Prescott lui apprenait.

— Il serait effectivement regrettable que les Chinois tirent le crédit médiatique d'un tel sauvetage, murmura-t-il.

— Et qu'ils découvrent la véritable cause de l'explosion, compléta le secrétaire à la Défense. Tyler les en empêchera certainement, mais on ne peut pas exclure cette possibilité.

Le président était abattu. Debout à côté de son bureau, il s'agrippa très fort au dossier de sa chaise.

— Mike, nous n'allons tout de même pas laisser mourir Tyler ? s'inquiéta Carlson.

— Monsieur le Président, j'ai retourné la question dans tous les sens, c'est malheureusement la seule solution.

En plus d'avoir causé la mort de trois astronautes héroïques, il allait devoir mentir aux Américains et leur cacher l'existence d'un survivant. Tyler avait une petite fille en bas âge, mais les exigences de la realpolitik l'emportaient malheureusement sur la morale et la compassion.

— Qui est au courant ? s'enquit Carlson sur un ton fataliste.

— Le général Kirkpatrick, vous et moi, ainsi que deux autres militaires du Pentagone mais qui ignorent tout du plan Aleph, répondit Prescott. Ils maquilleront les prises de vues de l'orbiteur avant de les passer à la NASA et personne n'en saura jamais rien.

Le président réfléchit à ce que lui proposait son conseiller. Leur plan devenait chaque jour plus bancal et effrayant. Il n'était pas du tout rassuré et Prescott s'en aperçut.

— Si vous pensez à Fox, il n'y a aucune chance pour qu'il soit informé. Ni vous ni moi n'avons intérêt à ce qu'il le soit.

— Est-il possible que Tyler entre en contact avec la Terre ?

— Non, je vous l'ai dit, les communications sont coupées. Au pire, s'il les rétablissait, il utiliserait sagement les fréquences militaires et dans ce cas, il ne dirait rien de gênant. Nous avons de quoi le maintenir silencieux.

Le secrétaire à la Défense afficha un sourire sadique. Carlson devina qu'il avait dû employer un moyen de pression sordide sur Tyler. Il ne chercha pas à en savoir davantage, mais il comprit soudain le regard plein de haine que Tyler lui avait lancé avant le décollage. Avec un sang-froid qui le glaça, Prescott ajouta ensuite :

— De toute façon, Tyler ne tiendra que quelques heures. Quelques jours tout au mieux. Ses réserves d'eau et d'oxygène vont s'épuiser, mais surtout il ne dispose d'aucun endroit hermétique pour ôter sa combinaison, la coque de l'atterrisseur ayant été transpercée par les débris de l'explosion. Un astronaute, même aussi chevronné que lui, ne peut survivre longtemps dans ces conditions.

Le sort de Tyler était donc scellé. Il mourrait abandonné sur la Lune.

Ils passèrent ensuite en revue le plan Gimel. La rencontre que Carlson redoutait avec Cornelius Fox était prévue pour le lendemain, mais heureusement Prescott avait encore eu une idée de génie.

JOUR 9, BOULDER, COLORADO, ÉTATS-UNIS

Épuisée, Lucy roulait toujours sur l'Interstate 25. Elle arriva enfin au niveau de Denver, Boulder n'était plus qu'à une trentaine de kilomètres. Abel émergeait. Il avait très mal dormi et était en nage. Ses angoisses nocturnes – appellation inappropriée puisque c'était le milieu d'après-midi – étaient encore montées d'un cran. Les yeux mi-clos, il vit la jauge de la batterie électrique qui s'approchait du zéro. Normal, ils avaient roulé pendant près de vingt-quatre heures. Ils pourraient encore tenir jusqu'au ranch des Gardner et Abel invita Lucy à faire un petit détour par le centre de Denver pour se rendre compte de la situation dans les grandes villes.

Toutes les stations-service affichaient des panneaux "Vide", "Plus d'essence", "À sec" ou "Revenez plus tard". Comme à chaque fois que les Américains avaient peur, ils constituaient des réserves d'essence. Comme si reculer l'échéance de la fin du monde de quelques kilomètres avait un sens. Les voitures électriques n'étaient pas non plus la panacée mais elles réduisaient quand même la dépendance au pétrole.

Denver, d'habitude plutôt animée, était complètement morte. Une ambiance étrange régnait dans les rues. Depuis le début de la crise, Lucy et Abel n'avaient pas mis les pieds dans une ville.

Au détour d'une grande artère, ils aperçurent un attroupement. Peut-être une pompe était-elle ouverte ? Ils s'approchèrent, mais ce n'était pas ça. Des bandes fluorescentes formaient un périmètre de sécurité et une horde de badauds observait la scène. Certains portaient des banderoles. Sur l'une d'entre elles, Abel lut *"Green Shit"*. Il demanda à Lucy de stopper la voiture. Une dizaine de vans noirs du FBI se trouvaient à l'intérieur du périmètre de sécurité. Ils faisaient le siège d'un bâtiment en verre haut de deux étages. Un homme se mit à hurler dans un mégaphone, recommandant à la foule de reculer. Les passants se mirent à huer et à lancer des projectiles en direction du bâtiment. Un groupe de malabars vêtus de noir en sortit, agrippant des hommes et des femmes menottés qui se débattaient. Ils les placèrent à l'intérieur des vans qui démarrèrent ensuite en trombe. Abel s'approcha d'un agent de police et lui demanda ce qui se passait.

— Nous embarquons toutes ces vermines de Greenpeace, lui rétorqua l'agent.

Devant le bâtiment, il reconnut l'emblème du groupe. Décidément, le gouvernement ne perdait pas de temps.

Ils remontèrent dans la voiture. Lucy mit en marche l'autoradio. Le phénomène n'était pas isolé. Dans tout le pays, le FBI organisait des rafles chez Greenpeace, au WWF, au Sierra Club, chez les Amis de la Terre, chez Sea Shepherd… Les autorités refusaient d'indiquer où les sympathisants étaient conduits. Abel avait bien fait de toujours se tenir à l'écart de ces groupes. Pendant un instant, il se demanda s'il ne serait pas plus prudent pour lui de quitter le pays, mais s'il voulait poursuivre son enquête, il devait rester.

Lucy était choquée par ce qu'elle venait de voir et d'entendre.

— Abel, dans quel monde vit-on ? s'insurgea-t-elle.

— Clairement dans un monde de fous. Le gouvernement abuse de la situation pour régler ses comptes avec des innocents. Il faut absolument que cela cesse.

— Il n'y a plus qu'à prier pour que Pungor trouve quelque chose.

Lucy remit le cap vers le nord avec un œil rivé sur la jauge. Sur leur gauche se dressaient les Rocheuses avec leurs sommets enneigés de plus de 4 000 m. Sur leur droite, Denver, *the mile high city**, s'étendait au pied des montagnes, à l'endroit où elles s'évanouissaient dans les grandes plaines du Midwest. Dans le ciel, d'inquiétants nuages noirs étaient apparus.

Abel la guida jusqu'à la ferme des Gardner. C'était en fait un immense ranch dont les prés s'étendaient à perte de vue. Les nuages se faisaient de plus en plus menaçants. Un éclair fendit le ciel au-dessus des montagnes et le grondement du tonnerre le suivit de peu. L'orage approchait.

À l'entrée de la propriété, ils aperçurent un attroupement. Des centaines de personnes, des anonymes, étaient venues de tout le Colorado, et de plus loin encore, pour témoigner leur soutien à la famille Gardner et dire au revoir à Paul. Outre les couronnes de fleurs multicolores qui étaient accrochées le long de la clôture, il y avait des dizaines d'objets souvenirs : des drapeaux américains, des ballons, des fusées en plastique, des combinaisons argentées, de nombreux dessins d'enfants, des peluches, des tee-shirts de l'émission *Moon Walk*, des photos et des caricatures de Paul, une réplique de Columbus 11 en Lego et des grandes banderoles : "Paul je t'aime", "Paul, nous aurons la peau de Gaïa", "PG dans mon cœur", "Paul dans les étoiles pour l'éternité", "Ta plus belle marche lunaire", "Nous prions pour toi", "Une nouvelle étoile brille dans le ciel"… C'était très émouvant. Des équipes de télévision étaient également présentes et dans certains arbres des

* Denver est perchée à 1 600 m d'altitude.

paparazzis étaient perchés avec leurs téléobjectifs, à l'affût d'un improbable scoop. Peut-être espéraient-ils une apparition de la réincarnation de Paul comme celle d'Elvis Presley dans le jardin de Graceland ?

Des agents de police filtraient l'accès au ranch. Lucy et Abel se présentèrent au poste de garde improvisé. L'agent bredouilla quelques mots dans son talkie-walkie, puis, au bout d'une minute, il leur donna l'autorisation d'entrer. Les badauds se demandèrent qui étaient ces VIP.

La mère de Paul et Clara la tante d'Abel étaient sorties les accueillir sur le perron. En descendant de la voiture, ils ressentirent le souffle frais du vent qui précède toujours l'orage. Abel se jeta dans les bras de Christie Gardner. Lucy alla étreindre Clara. Les premières larmes eurent à peine le temps de couler qu'un déluge de pluie s'abattit sur eux. Ils se dépêchèrent d'entrer. La chaleur de la maison les mit tout de suite à l'aise. Il en émanait un subtil mélange d'amour et de sérénité.

Abel embrassa sa tante qui trépignait d'impatience. Clara était une petite dame brune, très vive et d'habitude souriante. Elle était bouleversée par la mort de Paul, qu'elle aimait autant qu'Abel. Elle était à des lieux de se douter que le jeune homme qu'elle serrait contre elle était l'ennemi public numéro un et que sa tête était mise à prix.

— Je suis heureuse de vous revoir, Lucy. Vous devez avoir froid. Tenez, lui dit gentiment Christie en lui tendant un pull chaud qu'elle avait pris dans une armoire.

— Merci, Christie, répondit-elle en enfilant le pull et en la suivant dans la cuisine.

Une agréable odeur de potage lui fit frémir les narines. Christie Gardner était une parfaite maîtresse de maison et savait recevoir, même dans les circonstances les plus difficiles. Lucy avait toujours eu beaucoup d'affection pour cette femme douce. La mère de Paul se contenait et gardait pour elle sa peine, Lucy se dit qu'elle avait certainement besoin de parler.

— J'aurais préféré que nous nous retrouvions dans d'autres circonstances, lança-t-elle.

Occupée à préparer du thé, Christie Gardner ne tenait pas encore à parler de ce qui s'était passé. Lucy jeta un coup d'œil circulaire à la maison.

— Vous avez vraiment une charmante demeure, Christie, la félicita-t-elle

La maison des Gardner lui faisait penser à celle de ses parents dans le Connecticut, avec la chaleur humaine en plus. Lucy avait depuis longtemps pris des distances avec sa famille, au grand dam de sa mère. Elle avait voulu vivre sa vie sans sentir leur présence, surtout celle de son père, riche assureur qu'elle détestait. Pour les fuir, elle avait refusé d'entrer à l'université de Yale, pourtant voisine et prestigieuse, pour partir étudier à Berkeley, en Californie, l'État le plus éloigné de chez elle. Les relations avec ses parents s'étaient encore dégradées lorsqu'elle avait décidé d'épouser Abel. Terence Spencer, descendant direct de colons puritains anglais du XVIIe siècle, s'était opposé à son union avec ce "bâtard de Mexicain" qu'il avait refusé de rencontrer. Dorothy, la mère de Lucy, s'était donc rendue seule au mariage de sa fille unique. Abel ne s'était jamais plaint de cette situation car il n'avait du coup jamais eu à gérer sa belle-famille. D'ailleurs, compte tenu du portrait que Lucy lui en avait dressé, il se serait probablement étripé avec son beau-père.

— En tout cas, ce soir, vous êtes mes invités, lui annonça Christie Gardner. Vous êtes ici comme chez vous.

— C'est très gentil, malheureusement nous devons reprendre la route dès ce soir. Nous devons être demain en fin de journée à Houston pour un rendez-vous prévu de longue date à la NASA.

La mère de Paul parut déçue.

— Nous nous retrouverons alors là-bas. Nous prenons l'avion demain, les obsèques nationales auront lieu dans deux jours. Vous y serez encore ?

— Oui, certainement, répondit Lucy, étonnée. Je croyais que les aéroports étaient fermés suite à l'attaque terroriste ?

Elle pensa avoir prononcé un mot tabou qui allait déclencher une réaction, mais Christie Gardner fit mine de n'avoir rien entendu. C'était sa manière de ne pas admettre l'évidence ou de faire comme si "cela" ne s'était pas produit.

— Le président a annoncé que les aéroports seraient rouverts demain matin. Allons boire le thé au salon.

Abel et Clara étaient assis au coin du feu avec John, le père de Paul. Lucy alla le saluer. Il avait le regard bleu et doux, tout comme son fils. Ses mains, immenses et calleuses, étaient à son image : fortes et rassurantes. Il parlait peu, mais sa seule présence suffisait à emplir la pièce. Elle lut sur son visage qu'il souffrait le martyre. Elle alla s'asseoir à côté de Clara qui la prit par l'épaule. Christie servit à chacun une tasse de thé bien chaude. La pluie qui clapotait sur le toit redoubla d'intensité, un nouveau coup de tonnerre vint secouer la charpente.

Apeuré, Kevin, le petit frère de Paul, descendit de l'étage où il était resté. Il avait l'air complètement désorienté. Paul était tout pour lui : son compagnon de jeu, son confident et son protecteur. Un vrai grand frère. Sourd de naissance, Kevin avait pu surmonter ce handicap avec l'aide de Paul et d'Abel. Avec eux, il avait appris à lire sur les lèvres puis même à parler. Il était parvenu à vivre presque normalement. Paul avait également deux sœurs, des jumelles, qui habitaient New York. Le trafic aérien étant suspendu, elles n'avaient pas pu se rendre à Boulder et rejoindraient leurs parents directement à Houston, dès que les vols reprendraient.

Kevin se jeta dans les bras d'Abel. Lucy observait la curieuse scène : son mari lui parlait lentement et Kevin le comprenait. Le frère de Paul lui répondait ensuite alors qu'il ne l'entendait pas. Adolescents, Paul et Abel s'étaient eux aussi mis à apprendre la lecture labiale. Ils parvenaient ainsi à décrypter les conversations des adultes à distance, ce qui leur avait souvent été très utile pour anticiper leurs réactions et avoir la paix.

Après le thé, durant lequel personne n'évoqua les "événements", Christie invita tout le monde à passer à table. Le dîner fut délicieux. Abel parvint à briser la glace et à la fin du repas, ils parlaient tous ouvertement de Paul. Chacun y allait de son anecdote. Abel fit même rire Kevin. On lisait sur le visage des Gardner et de Clara que la présence du jeune couple leur faisait du bien.

— Abel, je disais à Lucy que le président Carlson organise un hommage national après-demain pour Paul et son équipage, à Houston. J'ai cru comprendre que vous serez dans les parages ? lui demanda Christie.

— Lucy m'en a déjà parlé. Bien entendu, nous resterons et nous serons à vos côtés.

— Parfait, poursuivit Christie. Pourrais-tu nous faire une petite faveur ?

— Oui, bien sûr, tout ce que vous voudrez, Christie.

— Le cabinet du président a demandé à chaque famille de préparer un texte. Aucun de nous n'a envie de parler en public. Pourrais-tu le faire à notre place ?

— Sans problème, dites-moi juste ce que vous voulez que je dise, déclara-t-il sans hésiter.

Pour Abel, c'était l'occasion de se montrer sous les feux des journalistes et de paraître plus innocent que jamais. C'était aussi une chance inespérée d'approcher le président des États-Unis.

Christie lui tendit une feuille de papier où elle avait couché quelques mots de sa belle écriture élancée. Il les parcourut rapidement. C'était très touchant et, qui plus est, il n'y avait aucune référence religieuse.

— Tu pourras également donner ton propre témoignage, Abel. Tu le connaissais mieux que tous.

La fin du repas approchait. Abel pensa que c'était le moment de sonder la famille Gardner. Il lança une idée en l'air.

— C'est tout de même troublant que des éco-terroristes s'en prennent à des astronautes, vous ne trouvez pas ?

John Gardner, qui n'avait quasiment pas parlé du dîner, réagit instantanément :

— Tu sais, Abel, lorsque Paul a décidé de devenir astronaute, nous avons tous accepté les risques que cela engendrait. Paul est mort en faisant le métier qu'il aimait et pour lequel il a travaillé toute sa vie. Que demander de plus ? Il est allé au bout de ses rêves, c'est l'essentiel. Ce qui compte, c'est l'intensité de ce qu'il a vécu. Les circonstances de sa mort, je m'en moque. On laisse ça au gouvernement et aux journalistes. Une commission d'enquête a été nommée. Je ne dis pas ça contre toi, mais je veux protéger ma famille de toute polémique. C'est déjà assez dur comme cela.

Abel s'excusa. Il était très touché par la dignité des propos de John. Lucy rompit le silence en vantant la qualité de la tarte aux myrtilles que Christie leur avait servie et les discussions reprirent leur cours normal. Quelques minutes plus tard, Abel se rendit dans la cuisine où la maîtresse de maison faisait sa vaisselle. Elle pleurait à grosses larmes. Depuis le début de la soirée, elle s'était contenue et maintenant les barrières cédaient. Elle était embarrassée et Abel s'en voulut de l'avoir surprise ainsi. Il s'approcha et lui glissa à l'oreille :

— Christie, si tu me le permets, je souhaiterais aller quelques minutes dans la chambre de Paul.

— Bien entendu, Abel, tu connais le chemin.

Il gravit les marches de l'escalier. Il connaissait chacune d'elles, il les avait empruntées si souvent depuis qu'il était enfant… Les grincements survenaient toujours aux mêmes endroits. L'odeur de la cire lui emplit les sinus et le replongea dans le passé. Il pénétra dans la chambre de Paul qui, elle non plus, n'avait pas changé. L'astronaute avait conservé telle quelle sa chambre d'adolescent. Aux murs, de grands posters de galaxies étaient épinglés. Il y avait également une affiche du film *Contact* qui, dans son souvenir, n'était pas là. Jodie Foster et Matthew McConaughey posaient devant les antennes du *Very Large Array Telescope* dans le désert du Nouveau-Mexique, un clin d'œil à ce vieux fou de Pungor. Abel s'allongea sur le lit et éteignit la lumière. Des étoiles phosphorescentes apparurent au plafond. Il resta de longues minutes ainsi, dans le noir, à admirer le planétarium que son ami avait patiemment agencé. Tous les objets de la chambre semblaient parfaitement à leur place, immuable, éternelle, comme les étoiles du planétarium. Initialement Abel projetait de fouiller cette pièce, mais il ne voulut pas violer ce qui était maintenant le musée personnel de Paul Gardner.

Il se leva. Dans un coin de la chambre, il aperçut un électrophone antique. Un vieux disque en vinyle était posé sur la platine. Abel regarda le titre : *Space Oddity* de David Bowie. Il hésita un instant puis déplaça le saphir sur le premier sillon et fit démarrer le 45 tours. Il aimait ce souffle et ces crépitements qui annonçaient solennellement le commencement d'un morceau. Dès les premiers accords de guitare folk, Abel fut transporté. Il écoutait attentivement le texte : un astronaute, le major Tom, dialogue avec son centre de commande ("*Ground Control*"). À la fin du compte à rebours, le major Tom s'envole vers la Lune. Arrivé en orbite terrestre, il effectue une sortie extravéhiculaire et décrit les sensations particulières qui l'animent lorsqu'il flotte à l'extérieur. Il évoque ensuite la Terre, les étoiles et le vaisseau dans lequel il se sent à l'étroit. La fin du morceau était plus énigmatique : le major Tom indique qu'il a peur mais qu'il se sent merveilleusement bien. Il demande au centre de commande de dire à sa femme qu'il l'aime. On perd ensuite le contact avec lui à cause d'un circuit défectueux. On ne sait pas si le major Tom a été victime d'un accident ou s'il est devenu fou, détruisant lui-même le circuit. En tout cas, il s'est perdu à jamais autour de la Lune.

Lorsque le morceau se termina, Abel émit un long soupir tant l'émotion avait été intense. Il remit délicatement le saphir à sa place et éteignit la platine. Il regarda le disque, il avait été pressé en 1969, l'année où l'équipage d'Apollo 11 avait effectué ses premiers pas sur la Lune. Année charnière, singularité géométrique autour de laquelle s'étaient noués les espoirs de l'humanité.

L'heure tournait et Abel regagna le salon des Gardner.

— Je t'ai entendu mettre le disque de Bowie, lui dit Christie.

— Oui, je suis désolé, Christie, je me suis permis de toucher à la platine.

— Aucun souci, tu es ici comme chez toi. C'est un disque de John, Paul le lui avait demandé la dernière fois qu'il était venu nous rendre visite, il y a tout juste un mois.

Le choix de ce disque avait été prémonitoire. Paul devait vraiment avoir très peur pour écouter une chanson si lugubre avant de s'envoler vers l'espace.

— Tiens, Abel, ajouta Christie, avant que tu ne partes, j'ai quelque chose à te donner.

Elle partit à l'étage dans la chambre de Paul et en redescendit avec un livre blanc.

— Cette même dernière fois où il est venu ici, il m'a demandé, s'il lui arrivait quelque chose, de te donner impérativement ce livre.

Abel regarda l'ouvrage, c'était un exemplaire du *Petit Prince*, le livre favori de Paul. Il le connaissait par cœur. Il en possédait des éditions dans plus de 180 langues et dialectes. Celui-ci était en français. Paul disait à son ami que Le *Petit Prince* était sa pierre de Rosette, et que ce livre universel pourrait un jour servir de pont entre les hommes qui ne se comprenaient plus. Abel ôta la jaquette, ornée du fameux petit personnage inventé par Antoine de Saint-Exupéry, qui protégeait le livre. Il dévoila une couverture toilée de couleur saumon. Ce n'était pas n'importe quel exemplaire : il s'agissait de l'édition originale publiée en 1943 à New York, numérotée et signée par l'auteur. Saint-Exupéry avait écrit Le *Petit Prince* durant son exil aux États-Unis, période pendant laquelle il s'était efforcé de convaincre les Américains de s'engager dans la Seconde Guerre mondiale.

L'auteur du *Petit Prince* avait été acteur de l'épopée de l'Aéropostale en Afrique et en Amérique du Sud. Son engagement corps et âme dans l'effort de la Ligne avait façonné son être et développé les nobles valeurs que l'on retrouvait dans ses ouvrages : le travail, le dépassement de soi, l'importance accordée aux liens, le sens que l'on donne à sa vie. Paul, à travers son entraînement d'astronaute, avait suivi un parcours initiatique similaire, mais le destin l'avait emporté avant qu'il n'atteigne le même état d'éveil.

L'édition originale qu'Abel tenait entre les mains avait une cote très élevée auprès des bibliophiles et une valeur sentimentale encore plus grande pour Paul. Il remercia Christie pour ce présent et serra l'ouvrage contre sa poitrine. Il appela ensuite Lucy, il était temps de partir. Kevin se mit à sangloter et Abel le prit dans ses bras.

Dehors, la tempête se déchaînait toujours. Ils demandèrent à John s'ils pouvaient lui emprunter un bidon d'essence.

JOUR 10, MCLEAN, VIRGINIE, ÉTATS-UNIS

Le président Carlson n'était pas retourné dans la propriété de Cornelius Fox depuis son élection. Ils étaient donc à nouveau réunis, Prescott, le vieux milliardaire et lui dans la bibliothèque, afin d'étudier le plan Gimel élaboré par le secrétaire à la Défense. C'était la solution de la dernière chance pour barrer la route de la Lune aux Chinois.

Prescott sortit de sa veste une carte qu'il déplia sur la table de lecture. Cornelius Fox ajusta ses lunettes et l'inspecta.

— La base spatiale de Wenchang est située sur l'île de Hainan, dit Prescott en pointant une région sur la carte située à l'extrême sud de la Chine, entre la mer de Chine méridionale et le golfe du Tonkin. C'est de là que s'élancera la fusée Long March 5 que nous allons détruire.

L'évocation du golfe du Tonkin réveilla de vieux souvenirs chez Cornelius Fox. Il se remémora l'un de ses plus beaux coups : en 1964, il avait conseillé au président Lyndon Johnson de mettre en scène une attaque par les Nord-Vietnamiens contre un destroyer américain – l'USS *C. Turner Joy* en patrouille dans la zone – pour justifier l'entrée en guerre des États-Unis. Une très belle opération de faux pavillon. La guerre du Viêtnam avait nécessité ensuite des milliers d'hélicoptères, fabriqués pour la plupart par le groupe CorFox.

— Et quel est votre plan, Prescott ? l'interrogea Fox. L'abattre avec un missile Stinger tiré depuis la mer ?

Le missile sol-air Stinger pouvait être tiré depuis l'épaule d'un fantassin. Il avait une portée de plusieurs kilomètres et son système de guidage infrarouge le rendait fatal pour tout objet volant à basse altitude. Ces missiles américains avaient permis aux moudjahidines afghans de défaire les terribles hélicoptères de l'Armée rouge.

— C'est impossible. Tout d'abord, les Chinois ont équipé leur fusée de leurres thermiques, mais surtout d'innombrables vaisseaux de la marine chinoise empêchent de s'approcher des côtes. L'île de Hainan est gardée comme une forteresse.

— Comment comptez-vous procéder ? Par la terre ? Par les airs ?

— Impossible également. L'armée chinoise est déployée sur tout l'est de l'île. Dans les airs, ce n'est pas mieux. Leurs avions de combat patrouillent et tous leurs satellites de surveillance sont braqués vers l'île.

Prescott entretenait un suspense qui faisait saliver le milliardaire. Le président Carlson les observait sans rien dire.

— Et que proposez-vous alors ? s'impatienta Fox.

— J'y viens. La fusée Long March 5 dispose certes de leurres thermiques, mais son appareillage électronique est vulnérable aux attaques électromagnétiques.

Cornelius Fox connaissait évidemment l'existence des bombes électromagnétiques puisque son groupe les avait mises au point. Les radiations micro-ondes des "bombes E" pouvaient griller des transistors à des dizaines de kilomètres à la ronde. L'explosion du laser sur la Lune avait d'ailleurs provoqué des dégâts similaires, qui empêchaient le major Tyler de communiquer avec la Terre. Prescott et Carlson n'en avaient pas informé le vieil entrepreneur. De toute façon, Tyler était sûrement déjà mort.

— Comment comptez-vous acheminer la bombe E à proximité du pas de tir ? demanda Fox.

— Le dispositif sera acheminé par voie sous-marine.

— Les Chinois n'ont pas de sous-marins dans la région ?

— Si, la région en est même infestée.

Au sud de l'île de Hainan, les Chinois avaient construit une base ultrasecrète souterraine à proximité de la ville de Sanya. Prescott la montra à Fox sur la carte. Une colline affleurant la côte avait été évidée et les sous-marins nucléaires pouvaient directement s'y réfugier, sans se faire détecter par les satellites espions américains. Les États-Unis ignoraient combien les Chinois en avaient à l'intérieur.

— Et comment peut-on déjouer les sonars chinois ?

Carlson sourit. Il savait que ce prochain détail du plan Gimel plairait à Fox.

— La bombe E sera transportée jusqu'à la côte jouxtant le pas de tir par un dauphin dressé par l'US Navy. Absolument indétectable. Le dauphin attendra tranquillement sous l'eau et juste après le décollage, nous activerons le détonateur.

L'US Navy entraînait des mammifères marins – des dauphins, des otaries et même des orques – à diverses activités militaires dans son centre très discret de San Diego. Les yeux rusés du vieil homme se mirent à briller. Fox le Renard portait son patronyme dans ses gènes. Il s'imagina la scène : des taïkonautes explosant en vol dans un grand feu d'artifice, invention justement attribuée aux Chinois. Il vivait pour ces instants où, dans les coulisses, il participait à l'écriture de l'Histoire, d'une plume trempée de sang. Il était impressionné par la vitesse à laquelle son ancien élève avait échafaudé un tel plan. Prescott était vraiment surprenant.

— Le dauphin est en cours de dressage et il devrait partir d'ici peu vers le golfe du Tonkin. Certes, cela ne procurera pas la même charge émotionnelle qu'un accident survenu sur la face cachée de la Lune, intervint Carlson, mais cela devrait couper court aux ambitions spatiales chinoises pendant un certain temps.

— J'espère pour vous deux que vous n'échouerez pas cette fois-ci. Où en êtes-vous d'ailleurs dans la traque de Gaïa ?

— Monsieur Fox, c'est une question de jours, nous avons plusieurs pistes sérieuses, lui mentit le président.

— Très bien, nous avons fini, il me semble. Je crois que nous serons tous demain à Houston pour les funérailles des astronautes.

Cornelius Fox les fit raccompagner jusqu'à leurs voitures. Seul à l'arrière de sa limousine et en route pour la Maison Blanche, Carlson songea à nouveau à Tyler et se mit à pleurer. L'absence de cocaïne le rendait dépressif. Il ne supportait pas l'idée de le laisser périr sur la Lune. Il songeait à sa détresse, seul sur un roc, à trois cent quatre-vingt mille kilomètres de la Terre. Certes, l'Amérique avait déjà abandonné de façon abjecte certains de ses enfants dans d'autres guerres, mais là il lui semblait que c'était pire. Il ressentait le devoir de le ramener, mais Fox ne l'aurait jamais accepté. Il pria pour que le major Tyler soit déjà mort.

JOUR 10, JOHNSON SPACE CENTER, HOUSTON, TEXAS, ÉTATS-UNIS

Depuis que Lucy et Abel avaient quitté le ranch des Gardner, ils avaient roulé durant près de seize heures. Après avoir traversé le Colorado, le Kansas, l'Oklahoma et le Texas, ils arrivaient maintenant à Houston. Ce *road trip* leur avait permis de découvrir des régions dont ils ignoraient jusquelà la beauté. Partis sous une pluie battante, les orages avaient disparu au fur et à mesure qu'ils avaient progressé vers le sud. Le thermomètre était également bien remonté.

Houston avait l'un des systèmes autoroutiers les plus complexes des États-Unis. Sur certains tronçons, les routes pouvaient compter jusqu'à vingt voies et les échangeurs se croiser sur cinq niveaux. Lucy, au volant, prenait plaisir à conduire dans ce labyrinthe, tout en tâchant de garder le cap vers le sud-est de la ville, là où se trouvait le campus du Johnson Space Center. Abel regardait défiler les gratte-ciel où les sièges des grandes multinationales du pétrole étaient établis. Le bâtiment le plus exubérant était celui du conglomérat CorFox. Avec ses quatre cents mètres de haut et ses tours d'inspiration néo-gothique, il rappelait le château de Neuschwanstein érigé par Louis II de Bavière. Abel essaya de s'imaginer le fou mégalomaniaque qui avait pu ordonner la construction d'un tel édifice.

Sur les façades des gratte-ciel, des drapeaux américains géants avaient été déployés. En ce début de guerre contre le "terrorisme écologique", le patriotisme était exacerbé. À Houston, capitale à la fois du pétrole et du spatial, cette croisade contre les écologistes prenait une ampleur inégalée : sur des banderoles traversant l'autoroute, étaient inscrits des messages de haine à l'encontre de Gaïa. Une grande nervosité régnait sur la ville et cela se ressentait dans la conduite des automobilistes.

Ils parvinrent aux abords du Johnson Space Center. Lucy regarda sa montre : ils n'avaient pas le temps de passer à l'hôtel. Elle se gara devant une station-service non loin de l'entrée du Centre spatial. Abel et elle se rendirent aux sanitaires afin de se préparer. Abel rasa sa barbe de trois jours, mit son costume et noua sa cravate. Lucy enfila son tailleur, dénoua ses cheveux, se maquilla et se parfuma. Ils achetèrent quelques plaquettes de chewing-gum, puis regagnèrent leur véhicule. Les deux hommes qui tenaient la caisse ne purent s'empêcher de siffler lorsque Lucy sortit. Elle avait horreur qu'on la prenne pour un morceau de viande, mais elle savait en jouer lorsque c'était nécessaire, comme aujourd'hui.

Ils se présentèrent devant le poste de garde. Depuis l'attentat contre Columbus 11, la sécurité y était draconienne. Le gardien prit leurs papiers et les fit patienter de longues minutes. Abel était mal à l'aise et priait pour que son identité n'ait pas encore été découverte par les services secrets. Son supplice fut abrégé rapidement : le gardien leur apporta deux badges et souleva la barrière. Escortés par un véhicule de la police de Houston, ils traversèrent le campus et se garèrent devant le bâtiment 30, celui qui abritait la fameuse salle de commande. Abel l'avait visitée une dizaine d'années auparavant lorsqu'il avait effectué un stage sous la direction de Peter Brown, maintenant devenu directeur du centre. Celui-ci les attendait d'ailleurs devant l'entrée du bâtiment. Grand, voûté, timide, il était resté le même avec les tempes grisonnantes en plus. Derrière ses allures de grand enfant se cachait l'un des meilleurs spécialistes du secteur spatial. Abel avait travaillé avec lui sur le système de surveillance satellitaire de la Terre. Des instruments scientifiques en orbite mesuraient en continu les paramètres vitaux de la planète. Ensemble, ils avaient mis en place un réseau d'alerte pour déceler ses accès de fièvre : incendies, séismes, ouragans, tsunamis, fonte des glaciers, sécheresses, éruptions volcaniques, inondations… Rien n'échappait à leurs programmes.

Peter Brown était heureux de retrouver son ancien étudiant dont il avait gardé un excellent souvenir. Ils ne s'étaient pas revus depuis, mais ils étaient restés en contact par l'intermédiaire de Paul. En sa qualité de directeur du site, il supervisait également le corps des astronautes. Il avait donc passé quatre années en compagnie de Paul Gardner et des trois membres de l'équipage de Columbus 11. On pouvait lire sur son visage une grande peine.

— Salut Abel, ça fait plaisir de te revoir après tout ce temps, dit-il en lui tapant amicalement sur le dos.

— Moi aussi Peter, ça me fait très plaisir. Je te présente Lucy, ma femme et associée au sein de Biosphere Economics.

— Madame, ravi de faire enfin votre connaissance. J'ai beaucoup entendu parler de vous.

Lucy fut flattée par le compliment de leur hôte qui les fit ensuite pénétrer à l'intérieur du complexe. Pour accéder à son bureau, ils traversèrent plusieurs sas de sécurité et parvinrent finalement à la mythique salle de commande. Les écrans de contrôle étaient éteints et une ambiance de cimetière y régnait. Les rares ingénieurs qui étaient encore présents se retournèrent au passage de Lucy.

— Nous sommes tous terrassés par ce qui est arrivé, commenta le directeur du centre. C'est ignoble. Ça va, vous tenez le coup ?

— On essaye, mais c'est vraiment difficile, répondit Lucy.

Ils entrèrent dans le bureau vitré de Brown qui surplombait la salle de commande. Il les fit asseoir face à lui. Ils bavardèrent encore quelques minutes au sujet de Paul. En bon professionnel, Brown entra ensuite dans le vif du sujet.

— Je suis navré de vous recevoir dans de telles circonstances. J'ai songé à annuler notre entrevue, mais je me suis dit que vous viendriez très certainement pour la cérémonie demain, dit-il en s'adressant à Lucy.

— C'est gentil de nous accorder un peu de votre temps si précieux en ce moment, le remercia-t-elle.

— Ces dernières années, j'ai suivi le développement de Biosphere Economics, poursuivit gentiment Brown. Vous pourriez vraiment être un partenaire de référence pour la NASA, mais l'attentat de cette semaine fait peser, comme vous pouvez l'imaginer, des incertitudes majeures sur la poursuite du programme Odyssey.

— Je comprends.

— Le président Carlson devrait réaffirmer demain son appui inconditionnel à la NASA. Mais comme chaque fois qu'un incident de ce type survient, il faudra attendre les résultats de la commission d'enquête pour débloquer de nouveaux budgets. Si tout se passe bien, je pense que d'ici six mois à un an, nous pourrons démarrer une étude pilote avec vous sur les habitats spatiaux. C'est bien cela que vous vouliez me proposer ?

— Oui, exactement, répondit Lucy. Notre Grande Serre, qui n'est pour l'instant plus totalement étanche, pourrait être remise en état de fonctionnement rapidement et devenir l'outil idéal pour mener ces recherches.

— Vous n'avez pas besoin de me convaincre, j'ai moi aussi été fasciné par cette construction durant mon enfance. Maintenant qu'elle est dans les mains de scientifiques comme vous, je crois vraiment que la NASA pourrait y faire des recherches admirables.

Abel aurait voulu rappeler l'importance des résultats obtenus par les pionniers de Biosphere 2, mais il n'était pas dans leur intérêt de contredire Brown. Lucy sortit quelques planches détaillant les sujets qu'ils se proposaient d'étudier : nutrition spatiale, recyclage des déchets, équilibre des espèces en système fermé, influence biologique de la température, des radiations et de l'allongement des cycles jour/nuit, propagation des maladies, appauvrissement génétique des espèces, résistance psychologique à l'isolement et à la vie en communautés réduites dans des milieux confinés, impact de la composition de l'air sur la physiologie, modélisation et contrôle numérique des paramètres de l'atmosphère artificielle…

— Tout cela me semble parfait, conclut Brown, fasciné par Lucy. Contactez-moi dans quelques mois. J'espère alors pouvoir envoyer les premiers astronautes s'entraîner chez vous dans l'Arizona.

Les promesses de Brown dépassaient leurs espérances, mais les dirigeants de Biosphere Economics n'étaient pas venus que pour négocier un contrat. Ils cherchaient à en savoir plus sur les circonstances du prétendu attentat.

On frappa alors à la porte vitrée. Lucy reconnut Bill Wright, l'administrateur de la NASA, qui remit à Peter Brown une enveloppe avant de s'éclipser. Le directeur du Johnson Space Center se rassit derrière son bureau et tira de l'enveloppe des photos. Il les observa puis les rangea soigneusement dans un dossier posé sur son bureau.

— Toutes les deux heures nous recevons une photo du site d'atterrissage de Columbus 11 prise par l'orbiteur. C'est un désastre, tout a été détruit. À part ces photos, on ne reçoit plus aucun signal.

Abel mourait d'envie d'y jeter un coup d'œil et Peter Brown lut dans ses pensées.

— Je ne peux malheureusement pas te les montrer, Abel, l'armée serait furieuse. Depuis l'attentat, le Pentagone a pris le contrôle de toutes les communications avec la Lune. Les photos ne nous arrivent qu'au compte-gouttes.

Lucy avait aussi perçu l'importance de ces photos et elle adressa un hochement de tête complice à Abel.

— Vous avez fait des travaux impressionnants depuis la dernière fois où je suis venu, fit Abel en changeant de sujet.

— Oui, après l'arrêt du programme de la navette spatiale, nous avons intégralement reconfiguré la salle pour le contrôle des missions Columbus.

— Impressionnant. On peut la visiter ? lui demanda Abel.

— Bien sûr.

— Allez-y, je finis de mettre de l'ordre dans mes notes, indiqua Lucy avec un regard charmeur.

Tandis que, depuis la coursive, Brown décrivait la nouvelle organisation des pupitres et des écrans de contrôle, elle se leva discrètement et ouvrit le dossier posé sur le bureau. Elle fit défiler les clichés pris par l'orbiteur et les photographia avec son téléphone portable. Elle remit soigneusement tout en place et les rejoignit ensuite en adressant un sourire complice à Abel. Décidément, Lucy commençait à être sérieusement impliquée dans l'enquête, pensa-t-il. Après la visite, Brown les raccompagna jusqu'à leur voiture devant laquelle l'agent de police les attendait toujours. Ils se donnèrent rendez-vous le lendemain aux obsèques.

Ils quittèrent le site et firent une halte dans un bar voisin. Ils commandèrent deux bières et regardèrent les photos que Lucy avait chargées sur l'ordinateur d'Abel. Les dégâts étaient très importants. La bombe qui avait explosé devait avoir une forte puissance. Ils virent les trois taches blanches immobiles correspondant aux corps de trois des astronautes. Le quatrième, le major Tyler, avait été pulvérisé par l'explosion ; c'est ce qu'ils avaient lu dans la presse. Ils étaient déçus par ces clichés qui ne leur apprenaient finalement pas grand-chose de nouveau.

Pendant qu'Abel savourait sa bière et regardait le flash d'informations consacré à la traque de Gaïa, Lucy scrutait les photos en détail. Elles semblaient identiques, mais lorsqu'elle les fit défiler rapidement, comme les images d'un dessin animé, elle perçut un mouvement. Les ombres des objets se déplaçaient, lentement mais sûrement. Elle montra sa trouvaille à Abel.

— La Lune effectue un tour complet sur elle-même en quatre semaines environ, lui répondit son mari. La Terre met seulement vingt-quatre heures. C'est pour cela que les ombres se déplacent moins vite sur la Lune que sur la Terre.

Lucy, opiniâtre, ne se contenta pas de ces explications et poursuivit son analyse. Elle s'aperçut que sur une zone du cliché, les ombres se déplaçaient puis restaient immobiles.

— Abel, j'ai l'impression que quelqu'un a trafiqué cette partie des photos, dit-elle en pointant son doigt sur un objet qui ressemblait à un container.

— Ah bon ? lança distraitement Abel, totalement absorbé par les images montrant les vagues d'arrestations chez les militants écologistes.

— Regarde. Au départ, l'ombre bouge puis elle s'arrête subitement, à peu près vingt-quatre heures après l'explosion. Physiquement, ça te semble possible ?

Abel saisit l'écran. Effectivement, Lucy venait de mettre le doigt sur un détail troublant.

— Mais qui pourrait bien trafiquer ces photos ? Elles proviennent directement de l'orbiteur.

— Non, Abel. Brown nous a dit que l'armée avait pris le contrôle des communications avec la Lune. Le Pentagone peut donc les retoucher. De plus, regarde l'horodatage en bas à droite de la dernière photo. Elle remonte au début de l'après-midi et Bill Wright ne l'a remise à Brown que cinq heures plus tard. Le Pentagone a donc amplement eu le temps de maquiller les images. En oubliant peut-être certaines ombres.

— Et que pourraient-ils bien chercher à cacher ?

— Aucune idée. Cette partie de l'image doit les déranger. Quelque chose s'est passé vingt-quatre heures après l'explosion.

La piste était intéressante, mais ils ignoraient comment l'exploiter. Ils descendirent le fond de leurs bières puis allèrent s'installer à leur hôtel. Abel devait préparer son discours pour le lendemain, puis il passerait une soirée paisible auprès de Lucy.

JOUR 11, JOHNSON SPACE CENTER, HOUSTON, TEXAS, ÉTATS-UNIS

Une foule innombrable était massée sur la pelouse du Johnson Space Center pour assister à la cérémonie donnée en la mémoire des quatre disparus. Au premier rang, les familles Johnson, Hughes, Tyler et Gardner étaient réunies. Malgré leurs lunettes sombres, l'intensité de la douleur était perceptible. Épouses, époux, parents, enfants, frères et sœurs étaient toujours sous le choc de la disparition de leurs proches. Ils espéraient que cette journée les apaise enfin. Derrière eux, les milliers d'employés du centre spatial étaient rassemblés. Pendant ces années de préparation, ils avaient partagé chaque instant de la vie des disparus. Le Johnson Space Center était leur seconde famille. Il n'y avait pas de places assises pour tout le monde et ils étaient nombreux debout autour de la pelouse. À l'extérieur de l'enceinte du centre spatial, des dizaines de milliers de visiteurs, entassés au bord des routes, étaient venus témoigner leur affection aux familles et saluer une dernière fois leurs héros.

La tribune officielle faisait face à la foule. Sous les grands arbres dépourvus de feuilles, les orateurs attendaient patiemment le plus illustre d'entre eux. Sous les regards attentifs du public, il fit son arrivée au milieu d'un cortège de gardes du corps. Le président Carlson grimpa sur l'estrade et serra les mains du révérend Sullivan, de l'administrateur de la NASA, Bill Wright et des représentants de chacune des familles. Il prit ensuite place à côté d'Abel, orateur désigné par la famille Gardner. Jamais le jaguar noir n'avait été aussi proche de cet homme qui l'avait déçu au fur et à mesure de son mandat et dont il soupçonnait l'implication – directe ou indirecte – dans la mort des astronautes.

La cérémonie, dont la mise en scène avait été pensée par Stan Q, était retransmise par les télévisions du monde entier. La couverture médiatique était digne des funérailles d'un pape. Le sceau doré aux armes du président des États-Unis luisait au soleil. Le révérend Sullivan se leva le premier et se plaça derrière le pupitre. Au cours de sa prière, il implora le Seigneur pour qu'il réserve le meilleur accueil aux astronautes.

Bill Wright lui succéda et demanda une minute de silence en l'honneur des défunts. Elle fut suivie dans toutes les villes du globe, de Sydney à Oulan-Bator. Il s'adressa ensuite aux familles, mettant en avant le courage des quatre astronautes et insistant sur l'importance de leur action dans les processus d'exploration du cosmos et de développement de la connaissance, propres à la nature humaine. Il souligna que cet épisode resterait comme l'un des plus noirs de la conquête spatiale américaine, plus grave que les accidents d'Apollo 1 et ceux des navettes Challenger et Columbia car, pour la première fois, l'échec de la mission était provoqué par un acte criminel. Lorsqu'il prononça le nom de Gaïa, le parterre d'invités demeura, par respect pour les défunts, silencieux. À l'extérieur du Johnson Space Center, ceux qui suivaient la retransmission à la radio ou sur Internet se mirent à huer vigoureusement. La clameur parvint jusqu'à l'esplanade. Des drapeaux avec l'emblème de Gaïa furent même brûlés. Désemparé, Abel fixa Lucy qui était assise au deuxième rang ; elle lui sourit pour l'encourager. À côté de lui, Carlson semblait pour sa part satisfait de la réaction violente de la foule.

Pour clore son intervention, Bill Wright s'excusa auprès des familles de n'avoir pas pris les mesures nécessaires pour empêcher un tel drame et promit d'augmenter la sécurité des prochaines missions vers la Lune et Mars. Gaïa n'avait pas stoppé l'élan de la NASA : la quête continuerait.

À droite de l'estrade, une autre tribune officielle rassemblait les représentants du gouvernement, le maire de Houston, le gouverneur du Texas, les chefs d'état-major de l'armée ainsi que des patrons de l'aéronautique comme Cornelius Fox. Le vieux milliardaire ne lâchait pas Abel des yeux. Son visage lui était familier. Quelque chose semblait le gêner profondément de le voir ici.

La fanfare militaire se mit en place à gauche de la scène. Devant le groupe de musiciens, une photographie de l'équipage de Columbus 11 reposait sur un chevalet. Le secrétaire à la Défense profita de la transition pour se lever discrètement et s'approcher du président. Il lui glissa un mot à l'oreille et les deux hommes s'éclipsèrent derrière un arbre. Abel se demandait bien ce qui justifiait que Prescott dérange Carlson pendant la cérémonie. Il suivait la scène avec attention. Le président était de dos, mais il pouvait discerner le visage de Prescott. Comme il avait appris à lire sur les lèvres avec Kevin Gardner, il fronça les sourcils et se concentra sur les mouvements de la bouche du secrétaire à la Défense.

— Monsieur le Président, le major Tyler est toujours vivant, lâcha Prescott.

Abel était stupéfait par les propos qu'il venait de surprendre. Malheureusement Prescott se retourna et Abel ne put pas suivre la suite de leur conversation.

— Nous venons de recevoir un message crypté, poursuivit Prescott. Deux messages en fait. Dans le premier, il a filmé les dégâts et nous demande de l'aide. Nos équipes ne sont en revanche pas encore parvenues à décrypter le second message. Un service de la NSA, sous notre contrôle, est sur le coup.

— Que faisons-nous Prescott, soupira Carlson.

— Monsieur, nous ne pouvons pas changer de plan, surtout pas maintenant. Tyler connaît l'enjeu de la mission et les moyens de pression dont nous disposons sur lui. Dans son message, il indique qu'il n'arrive qu'à émettre et ne peut recevoir aucun signal. Il restera calme et attendra sagement son hypothétique sauvetage…

— Je vois, convint Carlson avant de regagner sa place avec un air grave.

Abel n'était pas certain d'avoir bien compris car la découverte d'un survivant aurait dû réjouir le président. Il observa Janie, la fille du major Tyler, qui était sur l'estrade non loin de lui.

Carlson ajusta son costume puis invita tout le monde à se lever. Un des musiciens fit un pas en avant, emboucha son clairon puis entonna le Taps, l'hymne funéraire des militaires américains. L'appel pathétique de ce court morceau de vingt-quatre notes provoqua une vive émotion dans l'audience.

Le président s'avança alors, nerveux, jusqu'au micro. Il commença son discours par une apologie de l'exploration spatiale puis dressa une courte biographie de chacun des astronautes. Abel suivait avec attention ses propos et attendait avec impatience la révélation sur Tyler, mais rien ne vint. Le discours s'acheva sur une nouvelle déclaration de guerre contre Gaïa et contre le terrorisme écologique. Cette fois-ci, l'audience sortit de sa réserve et de fervents applaudissements accompagnèrent ces dernières paroles. Prescott et Cornelius Fox se contentèrent de hochements de tête approbateurs.

Si Abel avait bien compris, le président avait choisi de ne pas révéler l'information que son secrétaire à la Défense lui avait confiée. Tyler était vivant et sa survie dérangeait apparemment. Peut-être y avait-il un lien entre cette omission et les photographies retouchées prises par l'orbiteur ? Toute cette affaire couvrait donc certainement bien un mensonge d'État, à commencer par l'accusation de Gaïa. Le jaguar noir eut toute la peine du monde à contenir sa haine et à ne pas sauter à la gorge du président. Il adressa un sourire plein de compassion à la petite Tyler qui ne devait pas avoir plus de huit ans et qui suivait la cérémonie avec beaucoup de courage. Pour elle, pour Paul et pour Gaïa, il devait impérativement se procurer des preuves et révéler ce scandale au grand jour. Mais plus tard, car pour l'instant c'était à lui de s'exprimer.

Abel était très séduisant dans son costume sombre et sa chemise blanche. Son visage était filmé en gros plan et chacun derrière son écran put découvrir ses yeux de fauve, si particuliers, qui brillaient. Il lut tout d'abord le message préparé par Christie Gardner, puis le sien :

> *"Paul, mon ami, d'où tu te trouves, tu pourras contempler la Terre et l'univers pour l'éternité. Chaque nuit, lorsque nous lèverons les yeux vers le ciel, nous saurons que tu es là, avec ton équipage, à veiller sur nous. Grâce à la lumière de la Lune, nous aurons moins peur. Chaque nuit, nous nous souviendrons ce que signifient la simplicité, le courage et le dépassement de soi. Nous nous rappellerons aussi que nos rêves sont à notre portée. Tu vas nous manquer énormément, mais ton exemple nous incitera à être plus fort. Paul, mon ami, profite du spectacle merveilleux qui t'est offert là-haut. Depuis ce promontoire, ton regard embellira le monde."*

Ces paroles firent mouche. Paul Gardner était le plus jeune et le plus connu des astronautes. Chacun s'identifiait à lui. Il pouvait être un ami, un fils ou un frère. Abel pleurait.

Comme une maladie contagieuse, son chagrin se transmit au premier rang, à l'ensemble de l'esplanade puis aux foyers du monde entier. Derrière lui, même le président Carlson versa de grosses larmes. Au fond de lui, il souffrait le martyre et la complexité de la situation devenait insupportable. Sans l'aide des médicaments et de la drogue, il se serait effondré. Bill Wright, tout aussi bouleversé, le soutenait.

Plusieurs minutes passèrent avant que le trouble provoqué par Abel ne se dissipe. La petite Janie Tyler prit ensuite le micro et chanta en l'honneur de son père *Fly me to the Moon*, qui avait été immortalisé par Frank Sinatra. Avec ses grandes boucles blondes, ses manières timides et sa robe brodée, elle était l'archétype de la petite fille modèle. Sa voix, qui ne tremblait pas, enveloppa l'assistance. Les représentants des familles Scott et Johnson eurent du mal à intervenir après elle.

Pour clore la cérémonie, le révérend Sullivan prononça un dernier sermon et quatre F-18 Hornet appartenant aux Blue Angels survolèrent l'esplanade. Ils étaient escortés par deux majestueux B2, bombardiers furtifs à la forme d'ailes de chauve-souris. À deux milliards de dollars pièce, c'était l'avion le plus cher jamais construit. Les États-Unis rappelaient à Gaïa et au monde qu'ils étaient en guerre. Ce détail n'échappa pas à Abel qui sentait le piège se refermer sur lui.

Carlson vint saluer les orateurs et, à sa surprise, il s'attarda auprès de lui.

— Monsieur, ce que vous avez dit tout à l'heure m'a beaucoup touché. J'ai un fils qui a quasiment l'âge que vous et Paul Gardner. Je suis vraiment navré pour ce qui est arrivé à votre ami. Comment vous appelez-vous ?

— Abel, répondit-il sèchement. Abel Valdés Villazón

— Vos paroles vont contribuer à relever l'Amérique, lui dit le président en lui tendant la main. Nous aurons peut-être un jour l'occasion de nous recroiser.

— Je pense effectivement que nous nous reverrons, lâcha Abel en le foudroyant du regard.

Carlson s'éloigna sans trop comprendre la réaction du jeune homme. Abel, lui, était perplexe car il avait perçu de la sincérité chez son interlocuteur. Il est vrai que le mensonge faisait partie de la panoplie du parfait politicien, mais peut-être qu'il s'était trompé, après tout. Il demeura quelques instants ainsi à réfléchir, puis intégra la marée humaine qui se dirigeait vers la chapelle.

En chemin, il avait retrouvé Lucy et la tenait par la taille. À l'oreille, il lui répéta les bribes de conversation qu'il avait surprises entre Carlson et Prescott. Elle n'en revenait pas, mais Abel lui demanda de garder son calme car il pouvait avoir mal compris. Une petite voix vint alors les interrompre. C'était Janie Tyler.

— Tu es un copain de Paul ? lui demanda la petite fille sur un ton joyeux.

— Oui, ma chérie. On a grandi ensemble.

— Avec Paul, nous étions aussi très copains. Je jouais beaucoup avec lui quand je rendais visite à mon papa. Tu as l'air gentil, toi aussi. Comment tu t'appelles ?

Abel sourit. Malgré la mort de son père, la petite débordait de vie. Elle était suivie de deux gardes du corps qui écoutaient avec attention chacun de ses mots.

— Je m'appelle Abel et voici Lucy, ma femme.

— Où est ta maman ? l'interrogea Lucy.

— Elle est morte elle aussi, répondit mécaniquement Janie. Quand j'étais petite.

— Je suis vraiment navrée, s'excusa Lucy.

— Ce n'est pas de ta faute. On va ensemble jusqu'à la chapelle ?

Sans leur laisser le temps de répondre, elle se glissa entre eux et saisit leurs deux mains. Cela ne sembla pas ravir les deux colosses qui l'escortaient.

Tenir cette petite main fragile fit du bien à Abel. Janie lui rappelait Ké, la petite fille imaginaire dont l'esprit habitait la Grande Serre de Biosphere 2. Parvenue sur le parvis de l'église, Janie les salua en riant et partit retrouver les deux hommes en noir qui s'impatientaient. Peut-être parviendraient-ils à lui ramener son père, songea le couple.

Dans la chapelle, ils retrouvèrent la famille Gardner et Clara. Tous remercièrent Abel pour son intervention et l'étreignirent très fort. L'office religieux fut sans grand intérêt. Lucy et Abel prétextèrent la longue route qui les attendait jusqu'à l'Arizona pour s'esquiver rapidement. Ils avaient surtout hâte de retrouver Pungor.

Arrivés à proximité du parking, ils entendirent du bruit en provenance d'un buisson. Ils s'arrêtèrent. Le bruit recommença.

— Psitt… C'est moi, c'est Janie, fit une voix d'enfant.

Ils se dirigèrent vers le buisson et trouvèrent la jeune enfant agenouillée dans les plantes.

— Qu'est-ce que tu fais là ? l'interrogea Lucy.

— Les messieurs qui étaient avec moi tout à l'heure me veulent du mal. Je suis allée aux toilettes et je me suis échappée.

Janie montra un bâtiment où une fenêtre était ouverte. C'est par là qu'elle s'était enfuie.

— Je vous en prie, supplia-t-elle, terrorisée, emmenez-moi avec vous.

L'ennemi public numéro un regarda autour de lui, il n'y avait pas de caméras de surveillance. En revanche, il y en avait partout sur le campus. Lucy et Abel se concertèrent rapidement car les gardes allaient très vite s'apercevoir de l'absence de la petite. Quelque chose de très louche se tramait autour du major Tyler. Janie était sûrement en danger. Son père était peut-être vivant et ils piétinaient dans leur enquête. Il y avait certainement un lien. Janie paraissait sincère et elle disposait certainement d'informations qui leur permettraient d'avancer. Ils écoutèrent leur intuition et décidèrent de la prendre avec eux, malgré le risque que cela représentait.

Comme ils étaient sortis parmi les premiers de la chapelle, il n'y avait encore presque personne sur le parking. Abel demanda à Janie et à sa femme de l'attendre sous les arbres, à l'abri des caméras. Il partit chercher son véhicule et s'avança lentement jusqu'à leur hauteur. Lucy fit monter discrètement Janie à l'arrière et la recouvrit d'une couverture. Ils s'insérèrent dans le flux de voitures qui avait commencé à grossir, ils n'eurent aucune difficulté à franchir le poste de garde et à quitter le centre spatial.

JOUR 12, AÉROPORT INTERNATIONAL DE TOKYO-HANEDA, JAPON

La prime offerte par Akamatsu avait déclenché une vague de délations dans tout le pays. Bien que l'avis de recherche visât un individu blessé à la clavicule, de nombreux Japonais ayant une entorse au poignet ou une fracture du coude avaient été dénoncés par des voisins malveillants attirés par des gains dépassant ceux de la loterie nationale.

Les services de police avaient accompli un énorme travail de sélection pour éliminer les farfelus et interpeller les individus restants. Aucun des interrogatoires ne s'était révélé pour l'instant fructueux. Le Premier ministre s'impatientait et exerçait une pression croissante sur l'agent Kuroda, qui conservait son calme légendaire.

Ce soir, il tenait peut-être son coupable. Le responsable de la sécurité de l'aéroport le fit pénétrer dans une arrière-salle gardée. Un homme au torse nu et musclé était assis, les mains menottées derrière sa chaise. Un pansement couvrait sa clavicule droite, la bonne. Il avait été appréhendé alors qu'il cherchait à embarquer pour Séoul peu avant minuit.

Kuroda exigea qu'on le laisse seul. Le responsable de la sécurité exécuta l'ordre et quitta la pièce en arborant un grand sourire ; le pactole était peut-être pour lui et ses collègues. L'agent spécial retira sa veste en cuir et la plia méticuleusement sur une table.

À pas lents, il s'approcha du détenu terrifié. Il fit le tour de la chaise, posa une de ses grosses mains sur le bandage et enfonça son pouce entre les os de la clavicule et de l'épaule pendant de longues secondes. L'homme hurla comme un damné et fut secoué par des convulsions.

— Je vous en prie, lâchez-moi. Je n'ai rien à cacher, je l'ai dit à vos collègues. Je vais vous dire tout ce que je sais.

L'agent spécial du Naicho était presque déçu par ce manque de résistance. Il fit signe à l'homme de commencer à parler.

— J'ai simplement exécuté une mission pour Gaïa, mais c'est tout, lâcha le captif. Je n'ai aucun autre lien avec cette organisation. D'ailleurs, nous ne savions même pas qui étaient les commanditaires.

— Vous avez bien dit "nous" ? l'arrêta Kuroda.

— Oui, moi et les autres gars du club de judo. C'est là que nous avons été recrutés, il y a deux mois. Une petite annonce était punaisée sur un mur. On recherchait "une quinzaine de gars sportifs sachant nager pour une mission humanitaire bien rémunérée". Ça ne ressemblait pas à une offre des Yakuzas comme on en voyait parfois. On a donc accepté.

— Vous savez dans quel pétrin vous vous êtes mis ?

— Maintenant je comprends. Mais ce que nous avons fait à Taiji n'était pas si grave, non ? Il n'y a pas eu de blessés. Il s'agissait juste d'effrayer des pêcheurs qui s'attaquaient à des dauphins.

— Ce n'est pas à vous de juger cela. Vos complices et vous êtes accusés de terrorisme et êtes passibles de la peine de mort.

Le détenu se mit à sangloter. Il lança un regard désespéré à l'enquêteur, croyant pouvoir éveiller de la pitié.

— Je vous en supplie, ne faites pas ça. L'argent était notre seule motivation. Je suis marchand de journaux à Yokohama et j'ai quatre enfants. Cette mission me rapportait l'équivalent d'un an de salaire. Qu'auriez-vous fait à ma place ? Nous ne pouvions pas imaginer que notre contact travaillait pour une organisation qui tuerait les astronautes américains.

Kuroda s'agenouilla et se plaça nez à nez avec le suspect. Il le regarda dans le fond des yeux.

— Que savez-vous de votre contact ?

— Malheureusement, nous ne savons rien de lui. Nous ne l'avons jamais rencontré.

Le marchand de journaux avait l'air sincère. Ce n'était donc qu'un exécutant, et l'agent spécial n'avait toujours pas le moindre indice pour remonter vers l'homme qui a organisé l'action de Taiji. Il se redressa et lui parla en lui tournant le dos.

— Il va falloir m'en dire plus, sinon vous risquez de ne jamais revoir votre famille.

Effrayé, le suspect essaya de se remémorer des détails qui pourraient intéresser le géant.

— Attendez ! Le jour de l'opération, nous étions en contact radio avec lui. Il devait donc se trouver sur les lieux. Probablement sur le haut de la falaise, puisqu'il nous a informés de la position des bateaux jusqu'à l'assaut. Toujours avec cet accent.

— Un accent ? dit Kuroda dont la curiosité venait d'être attisée.

— Oui, il parlait très bien japonais, mais avec un accent brésilien. Carlos Tomita, un des judokas du club, est lui aussi d'origine brésilienne et il a les mêmes intonations. À ceci près que celui qui nous donnait les instructions avait également un défaut de prononciation, un léger zozotement.

Si le prisonnier ne mentait pas, l'agent du Naicho tenait là une piste ténue mais exploitable. Il saisit sa veste en cuir, détacha les menottes du marchand de journaux et l'attrapa par le cou. Ils sortirent ensemble. Le responsable de la sécurité de l'aéroport attendait avec ses collègues en tré-pignant derrière la porte.

— C'est lui ?

— Non, mais j'emmène quand même cette crapule, mentit Kuroda qui n'avait pas imaginé une seconde donner une récompense aux délateurs.

Celui qui avait organisé l'attaque des pêcheurs de dauphins à Taiji devait être méfiant, un nouvel avis de recherche le ferait certainement disparaître. Kuroda appela le bureau du Naicho et ordonna à ses collègues de passer au peigne fin le haut de la falaise surplombant la crique de Taiji. Il demanda ensuite qu'on le mette en relation avec la NSA, l'Agence Nationale pour la Sécurité américaine.

JOUR 12, PLAINES DE SAN AGUSTIN, NOUVEAU-MEXIQUE, ÉTATS-UNIS.

Janie Tyler avait certainement une très grande valeur pour le gouvernement américain. Les médias ne mentionnaient pas sa disparition. Depuis que la police utilisait des terminaux mobiles pour se connecter à leur serveur central, les failles de sécurité étaient innombrables. Abel avait hacké le système informatique de la police fédérale et découvert qu'un avis de recherche national avait été lancé. Il avait également constaté que l'enquête sur Gaïa pataugeait et que son nom n'apparaissait pour l'instant nulle part. Le jaguar noir avait encore un peu de répit.

La veille, ils avaient quitté Houston avant que les premiers barrages pour Janie ne soient mis en place. Ils avaient roulé toute la nuit jusqu'au Nouveau-Mexique, en remontant le Río Grande. Par précaution, Abel avait changé de voiture. La mort dans l'âme, il avait abandonné son véhicule ultraléger pour louer – sous un faux nom – une Toyota Camry beige. Très répandue aux États-Unis, c'était l'automobile idéale pour se fondre dans la masse. Deux pleins furent nécessaires pour parvenir jusqu'aux plaines de San Agustin, le quart de cela aurait suffi avec son prototype.

Lucy conduisait. Abel était affalé à l'arrière, profondément endormi, Janie allongée contre lui. Afin de dissimuler son épaisse chevelure blonde aisément reconnaissable, ils lui avaient enfilé un bonnet péruvien qui lui donnait l'apparence d'une poupée. Lucy les observa dans le rétroviseur, ils étaient adorables. Abel ferait certainement un père parfait, mais ils avaient toujours repoussé à plus tard le projet d'avoir des enfants. L'envie commençait cependant à être forte et après en avoir longuement parlé, elle avait récemment arrêté de prendre la pilule. Elle se demanda à quoi leurs enfants pourraient bien ressembler.

Le soleil était déjà haut. Comme ils arrivaient à destination, elle monta graduellement le volume de l'autoradio et les réveilla en douceur. La petite se frotta les yeux et fut rassurée de voir Lucy et Abel à ses côtés. Elle exerça une légère pression sur la main d'Abel pour le sortir de ses songes. Depuis plusieurs jours, il avait le sommeil très agité. Ses cauchemars s'étaient multipliés, il prononçait des mots incompréhensibles et poussait même parfois des cris. La présence de la jeune enfant l'avait apaisé, et pour une fois il s'était reposé.

Lorsqu'elle aperçut les antennes des radiotélescopes qui formaient le *Very Large Array Telescope*, Janie s'exclama :

— Je connais ces choses blanches là-bas. Elles servent à écouter le ciel. Paul m'en avait montré des photos.

Le couple était impressionné par la maturité de la petite fille. Elle s'intéressait à tout, même à l'astronomie.

— Si Papa et Paul sont dans le ciel, on pourrait peut-être les entendre avec ces antennes ?

Ils avaient décidé de ne pas lui dire que son père était peut-être encore en vie, du moins tant qu'ils n'en seraient pas certains, et surtout tant qu'ils n'auraient pas un plan pour le sauver. Abel caressa le bonnet multicolore de la petite.

— Tu sais, Janie, ils sont maintenant très loin et aucune antenne ne permettra d'entrer en communication avec eux. Si tu penses très fort à eux, ils te parleront peut-être pendant tes rêves.

La petite semblait déçue. Aussi, il ajouta :

— Nous allons rendre visite à un ami qui a sa propre antenne. Il pourra te montrer comment elle fonctionne et vous pourrez écouter le ciel ensemble.

— Super !

— Tu vas d'ailleurs rester quelques jours avec lui, le temps que nous trouvions pourquoi ces messieurs te voulaient du mal. Là-bas, personne ne viendra t'embêter.

L'évocation de ses anciens tortionnaires la ramena à la réalité.

Après leur départ de Houston, elle leur avait expliqué qu'il y avait de cela un an – elle avait alors sept ans –, des messieurs très costauds étaient venus la chercher à Louisburg dans le Kansas, où elle résidait chez sa tante – sa mère étant décédée. Ils s'étaient présentés comme des amis de son père. Ils avaient été très gentils avec elle et l'avaient emmenée dans une maison perdue au milieu de montagnes. Lorsque son père était venu la voir quelques jours plus tard, il lui avait paru très triste. Il lui avait annoncé qu'elle ne pourrait plus lui rendre visite à Houston jusqu'à la fin de la mission. Cela l'avait rendue à son tour malheureuse car elle aimait beaucoup y aller pour jouer avec les autres astronautes, Paul Gardner en particulier. Ne pouvant pas s'y opposer, elle s'était trouvé d'autres occupations dans sa nouvelle demeure, la lecture notamment. Peu avant le décollage, son père était revenu la voir et lui avait dit qu'à son retour, ils pourraient à nouveau vivre ensemble. Et quelques jours plus tard, ses gardiens lui avaient annoncé la mort de son père, mais ils refusaient qu'elle retourne vivre à Louisburg chez sa tante. Elle avait protesté, le ton était monté et ils l'avaient giflée. C'est à ce moment que Janie avait décidé de s'enfuir. Aux funérailles, elle n'avait pas vu sa tante, qui avait eu un accident et était restée chez elle, lui avait-on dit. Abel serait bien passé par le Kansas, pour interroger cette femme, mais c'était beaucoup trop risqué. Le récit de la petite regorgeait de détails, en revanche elle ignorait pourquoi elle avait été, au départ, éloignée de son père. Lucy et Abel comptaient bien le découvrir.

Ils arrivèrent devant l'antenne et le cabanon de Pungor. Il était en train de bricoler le moteur de sa Chevy 57. Lorsqu'il les entendit approcher, il se redressa et se cogna la tête contre le capot. Lucy nota de grandes améliorations : il portait des habits frais, s'était coupé les cheveux et même limé les ongles. Il avait presque l'air d'un paisible vieillard à la retraite. Lorsqu'il l'aperçut, il adressa à la jeune femme son plus beau sourire, édenté. Peut-être était-il lui aussi tombé sous son charme ? se demanda Abel.

— Je suis vraiment content de vous revoir, soupira Pungor. Je vous attendais. C'est votre fille ?

— Non, c'est Janie, la fille du major Tyler, l'un des astronautes de l'équipage de Paul. Janie, je te présente le professeur Pungor, un grand astronome.

Encore effarouchée, Janie serra du bout des doigts la main rêche du vieil homme.

— Professeur, pourrais-je vous voir deux secondes ? lui demanda Abel en l'entraînant par le bras.

En aparté, il lui raconta ce qu'ils avaient découvert, en particulier sur Tyler et sa fille. Pendant ce temps, Lucy fit visiter la cahute de Pungor à Janie. Elle poussa un cri d'étonnement car, même à l'intérieur, il avait mis de l'ordre. C'était toujours spartiate mais décent. Elle laissa la petite jouer avec la poule Margaret et vint rejoindre Abel et Pungor.

— Alors, avez-vous trouvé quelque chose, professeur ? lui demanda Lucy qui avait du mal à masquer son impatience.

— Oui, et la Lune n'étant pas visible toute la journée, j'ai même eu le temps de faire un peu de ménage.

Elle le regarda fixement, il était leur seul espoir.

— Tout de suite après votre départ, j'ai pointé mon antenne vers la base lunaire. Je n'ai capté quasiment aucun signal radio. Cela a dû drôlement secouer là-haut.

— Effectivement, cela a carrément secoué, lui répondit-elle en faisant défiler sur l'écran de l'ordinateur les photos qu'elle avait dérobées dans le bureau de Peter Brown à la NASA.

Pungor approcha son nez de l'écran.

— Nom de Dieu, sacrée explosion, commenta Pungor.

Ils lui montrèrent les trois taches blanches et en particulier le corps de Paul Gardner. Le professeur voila son émotion.

— J'ai quelque chose d'intéressant pour vous, reprit-il, la gorge serrée. Toutes les deux heures environ, j'ai pu capter un signal volumineux en provenance de la Lune. Compte tenu de la régularité des intervalles de temps, cela doit provenir d'une sonde. Sûrement les clichés pris par l'orbiteur.

Pungor a donc les originaux des photos, non maquillés, se prit à croire Abel.

— Ces signaux sont malheureusement cryptés, continua Pungor. C'est quoi cette manie ? Si des extraterrestres nous entendaient, ils seraient incapables de nous comprendre ! Ce serait quand même dommage !

Abel fut déçu.

— Cela explique pourquoi la NASA n'y a accès que par l'intermédiaire des militaires, commenta Lucy. Nous avons de bonnes raisons de penser que les images qui leur sont communiquées sont truquées.

Elle lui montra les ombres qui se figeaient subitement sur la série de photos. Le professeur valida d'un hochement de tête la théorie échafaudée par la jeune femme.

— Professeur, il est quasiment impossible de décrypter ces images pour découvrir ce qu'ils ont truqué, trancha

Abel. L'armée utilise des algorithmes de cryptage très performants et il nous faudrait des semaines pour en venir à bout.

— Et d'ici là, le major Tyler sera sans doute mort, chuchota Lucy pour ne pas que Janie l'entende. Avez-vous autre chose ?

— Oui, reprit le vieux Hongrois. Ce même orbiteur envoie aussi un flot continu d'informations, probablement des paramètres de vol. Crypté, évidemment.

Le couple faillit céder au découragement. Derrière eux, Janie courait après la poule de Pungor, qui lui recommanda de ne pas trop s'éloigner car les coyotes rôdaient. Janie prit peur et s'enferma avec Margaret dans le cabanon.

— J'en viens au plus intéressant, ajouta le professeur.

Lucy et Abel braquèrent leurs regards sur le vieil homme.

— Hier après-midi, en plus des messages régulièrement émis par l'orbiteur, il y en a eu deux autres. Le premier sur la même fréquence militaire que les clichés. Le second a été en revanche émis sur les fréquences SOS civiles de la NASA.

— Les fréquences SOS ? l'interrogea Abel, fort intéressé. C'est bizarre. À quoi ressemble ce second message ?

— C'est une courte série de nombres, une sorte de code secret. Je suis complètement incompétent dans ce domaine mais peut-être trouverez-vous quelqu'un capable de le décrypter. Regardez, je l'ai imprimé.

Abel inspecta le listing que Pungor lui tendait.

426	356	19	276	224	302	75	325	49	139	217	44	290
385	278	487	315	90	333	107	549	472	454	209	409	445
433	220	13	97	78	112	159	378	52	343	229	533	195
404	270	478	262	128	367	420	120	251	82	57	417	264
545	466	484	322	352	185	202	8	282	169	35	26	154
38	523	447	103	60	134	2						

Il fronça les sourcils. Le cassage des codes secrets était son obsession depuis qu'il était adolescent. Il se servait encore régulièrement de ce talent pour pénétrer les systèmes informatiques des cibles de Gaïa, comme ceux du casino *on-line Golden Peacock* qui appartenait au cartel de Tijuana et qu'il avait braqué. Dans son bureau de Biosphere Economics, il s'était constitué une batterie d'algorithmes qui permettaient de venir à bout de la plupart des codes. Ne pouvant pas se connecter à distance pour des raisons de sécurité, il fallait donc qu'il rentre rapidement.

— Le code ayant été émis sur les fréquences SOS civiles, vous n'êtes probablement pas le seul à l'avoir capté, songea Abel. Les spécialistes de la NSA sont forcément en train d'essayer de le décrypter. Ils y sont même peut-être déjà parvenus.

Pungor sortit sa table à l'extérieur. Il l'avait réparée, elle n'était plus bancale. Ils prirent ensemble un copieux petit déjeuner composé d'œufs pondus par Margaret mais aussi de jus de fruits et de biscottes que le professeur Laszlo Pungor était allé chercher avec sa vieille Chevy.

Il avait renoué avec la civilisation. Cela rassura Lucy, qui avait initialement hésité à lui confier Janie, même si elle savait que cette plaine désertique était la meilleure cache que l'on pouvait imaginer.

Le vieux scientifique leur remit ensuite toutes les données qu'il avait enregistrées. Avant de partir, Abel le mit en garde : il ne devait pas bouger et n'entrer en communication avec personne avant leur retour. La NSA écoutait toutes les conversations et la moindre baisse de vigilance leur serait fatale. Ils embrassèrent Janie et lui promirent de revenir très vite.

— Viens, Janie, je vais te faire écouter les interactions magnétiques entre Jupiter et son satellite Io, l'appâta Pungor.

— Io, c'est celui qui est couvert de volcans ?

— Oui, Janie, Io est en effet très volcanique. Comment sais-tu ça ? s'étonna-t-il.

— C'est Paul qui m'en a parlé. Io est l'un des quatre grands satellites de Jupiter avec Europe, Ganymède et Callisto. Il y en a beaucoup d'autres, plus petits, mais je ne me rappelle plus leurs noms.

Ils étaient tous les trois ébahis.

— Abel, le petit garçon sur ton livre, il habite sur Io ? continua Janie.

— De quel livre parles-tu ?

— De celui que tu as dans la voiture. Je n'ai pas pu le lire, il est écrit dans une langue bizarre.

Elle s'élança vers la Toyota Camry et ramena l'exemplaire, en français, du *Petit Prince* que Christie Gardner avait remis à Abel. Il l'avait complètement oublié. Sur la couverture, Janie lui montra le personnage debout sur une petite planète avec un volcan à ses pieds.

— En effet, c'est Io, bredouilla-t-il, complètement dépassé.

— Non, Abel se trompe, le nargua Lucy. Le Petit Prince habite sur un astéroïde, l'astéroïde B612 si je me rappelle bien.

— Professeur, on peut aller observer l'astéroïde B612 ? réagit instantanément la petite. Sur le livre, on voit qu'à sa surface il y a aussi des roses et des baobabs.

Elle entraîna Pungor dans le cabanon et salua ses amis par la fenêtre.

JOUR 12, *NATIONAL SECURITY AGENCY*, FORT MEADE, MARYLAND, ÉTATS-UNIS

La NSA était l'une des plus secrètes des agences de renseignement américaines. D'après les rares sources disponibles, elle compterait plus de trente mille employés, soit davantage que la CIA ou le FBI. Créée après la Seconde Guerre mondiale, son existence avait longtemps été niée, lui valant des surnoms tels que *No Such Agency** ou *Never Say Anything***. Sa mission première consistait à mettre au point les techniques de cryptage pour sécuriser les communications sensibles – militaires et civiles – du pays. La NSA était surtout chargée de surveiller tous les signaux électroniques (fax, e-mail, téléphone, Internet) et de garantir la sécurité des États-Unis. Les spéculations sur son budget de fonctionnement nourrissaient tous les fantasmes.

Dans le cadre du très confidentiel programme Echelon, établi avec les agences partenaires du Royaume-Uni, de l'Australie, du Canada et de la Nouvelle-Zélande, la quasi-totalité des signaux électroniques du globe était interceptée. Echelon s'appuyait sur un réseau planétaire d'antennes ultra puissantes, "les Grandes Oreilles". Proches dans leur apparence des antennes utilisées par les radioastronomes, elles étaient dissimulées à l'intérieur de sphères polygonales

* "Une telle agence n'existe pas."
** "Ne dit jamais rien."

blanches, appelées radômes, qui masquaient leur orientation. Ainsi, par l'intermédiaire de ses agences partenaires, la NSA pouvait écouter en toute impunité les citoyens américains, sans demander de mandat d'écoute.

Un immense bâtiment noir et vitré abritait son siège, à proximité de l'autoroute 295 qui remonte de Washington vers Baltimore. Une sortie privée était d'ailleurs réservée aux salariés de la NSA et conduisait directement à *Crypto City**. À l'intérieur de ce monolithe noir, des armées de mathématiciens, d'informaticiens et d'ingénieurs codaient et décodaient à longueur de journée des centaines de téraoctets d'informations. La puissance exacte du parc informatique de la NSA était inconnue. Les experts considéraient cependant qu'avec l'explosion des communications à la fin du XXᵉ siècle, les capacités de traitement de la NSA, pourtant formidables, avaient été dépassées. Les conversations étaient cependant toutes archivées dans de gigantesques bases de données, prêtes à l'emploi pour des requêtes particulières. L'agent spécial Goro Kuroda était particulièrement intéressé par ce système qui lui permettrait peut-être de mettre la main sur "un Japonais d'origine brésilienne ayant un léger zozotement".

À la fin du XIXᵉ siècle, l'empire du soleil levant mit fin à son isolement. De nombreux Japonais étaient alors partis s'installer à l'étranger, notamment au Brésil, où la main-d'œuvre manquait. Aujourd'hui encore, ce pays comptait la plus grande diaspora japonaise au monde. À partir de 1990, un mouvement migratoire inverse s'opéra : des familles brésiliennes d'origine japonaise quittèrent le Brésil, en pleine crise économique, pour retourner vivre au Japon, profitant de lois sur l'immigration favorables. Les *dekasegis*, comme les appelaient les Japonais, étaient plusieurs

---

* *"La ville du décryptage"*

centaines de milliers établis dans l'archipel. Les équipes de la NSA avaient obtenu leur liste et analysaient maintenant leurs millions de conversations à l'aide d'un algorithme permettant d'y déceler des zozotements. Les mailles du filet se resserraient autour de João et de Gaïa.

Dans le bâtiment, en plus des personnes qui recherchaient ce *dekasegi*, plus de mille autres étaient affectées à la traque de Gaïa et à la surveillance des communications des groupes d'activistes écologiques. Une équipe spéciale constituée des dix meilleurs casseurs de code de la NSA était pilotée par le général Owen – l'administrateur de la NSA en personne – sur ordre exprès du secrétaire à la Défense. Elle avait pour mission de percer le secret d'un mystérieux message en provenance de Columbus 11 et composé de 72 nombres, le même que celui qu'avait capté Pungor. Pour l'instant, ils n'avaient pas rencontré plus de succès que leurs collègues des autres étages et cela avait le don d'exaspérer ces forts en thème.

JOUR 12, BIOSPHERE 2, ARIZONA, ÉTATS-UNIS

Après quatre jours d'absence, Lucy et Abel avaient retrouvé avec soulagement le campus de Biosphere 2. En apparence, rien n'avait changé depuis qu'ils étaient partis.

Il était bon de se sentir chez soi. Une réunion fut improvisée dans la cafétéria.

— Alors, comment s'est passé ce rendez-vous à la NASA ? demanda Anthony Malville, leur directeur financier.

— Premier contact plutôt très positif, répondit Abel. La NASA doit s'assurer de la poursuite des programmes Columbus et Odyssey pour nous donner une réponse définitive. Le discours du président hier allait dans ce sens. Il faut juste être patient.

Abel demanda ensuite s'ils avaient reçu des visites en lien avec la traque de Gaïa. La question étonna un peu Lucy. Un silence de mort se fit dans l'assistance. Quelques yeux se tournèrent vers Mark, le Néo-Zélandais et son amie française. Ils regardaient leurs pieds. Le jeune homme redressa la tête, il avait des bleus sur le visage. Eugénie, quant à elle, avait la main bandée.

— Allez-y, dites-moi ce qui s'est passé, fit gentiment leur patron pour les encourager.

— Abel, je te jure, on n'a rien fait de mal, commença Mark. On a juste acheté un tee-shirt Gaïa sur Internet. Tu sais, celui que nous portions à la cafète, la semaine dernière ?

— Oui, je m'en souviens. Et puis ? s'enquit Abel, très inquiet.

— Eh bien, comme nous les avions payés avec nos cartes de crédit, le FBI nous a retrouvés, continua Eugénie.

Abel attendait la suite, mais jugea que ces deux-là auraient fait de très mauvais éco-guerriers.

— Les agents du FBI sont venus nous chercher ici, poursuivit-elle. Ils pensaient que nous étions liés à ces salauds qui ont tué les astronautes sur la Lune.

Le leader de Gaïa apprécia moyennement le qualificatif de "salauds", mais il n'était plus à une brimade près depuis quatre jours. Il les invita à continuer.

— Ils nous ont emmenés manu militari hier, reprit Eugénie. Nous avons été interrogés pendant plusieurs heures. On leur a dit la vérité, qu'on avait acheté ces tee-shirts Gaïa uniquement par provocation, et ce avant l'attentat sur la Lune. Ils nous ont quand même passés au détecteur de mensonges. Ils sont fous, au FBI ! Ils ont ensuite frappé Mark et m'ont tordu le poignet. Encore un peu et on ne repartait pas.

En l'écoutant, la culpabilité rongeait Abel. Depuis que le président avait signé son ordonnance généralisant le statut de "combattant illégal" pour les personnes suspectées d'activisme écologique, les droits fondamentaux étaient bafoués. Eugénie et Mark n'avaient même pas eu droit à un avocat.

— C'est grâce à toi, Abel, qu'ils nous ont relâchés, poursuivit Mark.

— C'est-à-dire ?

— On leur a dit que l'on connaissait l'astronaute Paul Gardner et que notre patron était son meilleur ami, mais ils s'en foutaient. Dans le bureau de Tucson où ils nous ont interrogés, une télé allumée retransmettait les obsèques à Houston. Heureusement que tu es apparu sur l'écran pour prononcer ton discours.

— Quand on leur a dit que c'était toi, notre patron, à la télé, ils ont vérifié puis nous ont laissés partir en s'excusant platement. Mais le mal était fait.

L'estomac d'Abel était noué. Mark et Eugénie étaient innocents et ils avaient été sauvés *in extremis* par une coïncidence. Partout dans le pays, d'autres sympathisants de Gaïa ainsi que des milliers de militants écologistes avaient été moins chanceux et étaient détenus par le FBI. On ne connaissait pas les endroits où ils étaient gardés ni le traitement qui leur était réservé. Il fallait que cela cesse.

Il lâcha un long soupir, donna des tapes amicales dans le dos des deux stagiaires, puis il conseilla à tout le monde de rester sur ses gardes pendant cette période de troubles. Il demanda enfin qu'on le laisse seul, quelques heures. Et même si la situation devenait urgente, Lucy respecta son choix.

Abel marcha le long de la Grande Serre. Il apposa ses mains sur la structure de verre et y sentit le faible pouls de Ké, la petite fille qui lui parlait dans ses rêves. Quand ils étaient partis pour Boulder quelques jours plus tôt, elle était meurtrie. Désormais, elle était à l'agonie. Il devait tout faire pour qu'elle survive et s'envole un jour vers l'espace.

Au fond de lui, il commençait à douter que cela soit possible. Son angoisse de la mort grandissait. Le monde entier s'acharnait contre Gaïa et il ne savait pas pendant combien de temps sa couverture tiendrait. Peu de temps sans doute. Le gouvernement américain n'hésiterait pas alors à faire l'amalgame entre ses activités officielles et clandestines. S'il tombait, beaucoup d'autres seraient envoyés à la potence : les membres de Gaïa, Lucy, mais probablement aussi tous les salariés de Biosphere Economics. Même si son organisation n'était pas coupable, il ne supportait pas l'idée de faire courir un tel risque à ses proches et aux militants écologistes qui avaient déjà été séquestrés. S'il se livrait aux autorités, il pourrait peut-être les sauver. Mais ce serait alors sa fin et celle de Gaïa, l'utopie dont il rêvait depuis si longtemps. Les jaguars noirs disparaîtraient et les Hommes avec eux. Ce n'était pas envisageable.

Abel s'accorda encore une ultime chance. Le temps pressait. Il devait défier les États-Unis et pour cela, il avait besoin de décrypter avant eux les codes captés par Pungor. C'était une course contre la montre entre lui et l'inquiétante NSA. Le félin livrerait son dernier combat et comptait bien le gagner.

Il disposait peut-être encore d'une journée avant que la pression sur Gaïa ne menace la vie d'innocents, si ce n'était pas déjà fait. Venir à bout des codes en un temps si court était surhumain. Pour y parvenir, il avait besoin d'un coup de pouce. Un coup de pouce surnaturel. Il regarda la biosphère, il devait invoquer Ké. Avec elle, c'était toute la nature qui s'allierait à lui. Il perdrait plusieurs heures précieuses, pour mieux les regagner ensuite.

L'expérience qu'il allait tenter lui faisait peur, mais il n'avait pas le choix. Il se décida et franchit le sas qui menait à l'intérieur. La biosphère était vide. Les employés avaient respecté ses instructions et avaient quitté la Grande Serre. Des bruits mi-naturels mi-artificiels lui parvenaient : le bourdonnement des insectes, les cris des oiseaux, le souffle des canalisations, le remous mécanique de l'océan et le ruissellement de la cascade dans la forêt tropicale vers laquelle il se dirigea, comme attiré par un aimant.

Il s'approcha des deux plantes sacrées : une liane, la *Banisteriopsis caapi*, et un arbuste dont les feuilles arrondies rappelaient celles du caféier, la *Psychotria viridis*, communément appelée *chacruna*. Elles constituaient les deux ingrédients de l'*ayahuasca*, la potion magique des chamans indiens de la forêt amazonienne. Quand il était venu pour la première fois à Biosphere 2 avec João, elles étaient déjà là, probablement amenées par les créateurs de cette forêt. Abel y avait vu un signe. Ces plantes étaient l'esprit de la biosphère, l'esprit de la petite fille indienne qui lui parlait dans ses rêves. Sans même qu'il en consomme, les deux plantes avaient à l'époque réveillé ses pouvoirs chamaniques et le jaguar noir qui sommeillait en lui. Il caressa les plantes et elles réagirent. L'invisible aura cotonneuse qui les entourait se mit à vibrer.

Fernando, son père, lui avait parlé de l'*ayahuasca* au retour d'un voyage qu'il avait fait chez les Indiens shipibo, au Pérou. Les chamans shipibo se servaient de ce breuvage pour atteindre un état de conscience modifié qui leur permettait d'entrer en communication avec la nature. Ce n'étaient pas des surhommes, mais des guérisseurs, des hommes-médecine. Dans leur transe, la nature leur parlait et leur laissait entrevoir des solutions à leurs problèmes. Son père, ayant décelé chez Abel une très grande sensibilité et des aptitudes chamaniques exceptionnelles, lui avait conseillé de limiter les prises d'*ayahuasca* lorsqu'il serait adulte, tant son effet serait puissant.

La préparation du breuvage nécessitait normalement de faire bouillir et réduire les deux plantes pendant plusieurs heures. Mais les employés de Biosphere Economics préparaient de temps en temps de l'*ayahuasca*, seule substance hallucinogène qu'Abel tolérait sur le campus, les autres drogues servant à alimenter l'économie criminelle, contre laquelle il luttait, étaient proscrites. Il se dirigea vers l'un des laboratoires et y trouva une marmite dans laquelle mijotaient justement les fameuses plantes. Il versa la décoction brunâtre dans une coupe en terre cuite, peinte par des Indiens navajo de la région.

Il pensa à son père qui l'avait initié à ce rituel, puis porta religieusement le calice à ses lèvres. La saveur était amère et infecte. Un frisson le parcourut et son estomac gargouilla. Après quelques minutes, le goût écœurant s'était encore amplifié. Abel ressentit une forte nausée et fut pris d'une crise de vomissements. Le produit commençait à faire effet.

Il programma la sono de la Grande Serre pour jouer en boucle *Eye in the Sky* d'Alan Parsons Project remixé par Geyster. Les nappes synthétiques et les lourds accords de guitare plaqués par l'ingénieur du son des Beatles et de Pink Floyd emplirent la cathédrale de verre.

Les molécules de diméthyltryptamine ("DMT"), principe actif de la chacruna, étaient en train de pénétrer dans son corps et se substituaient peu à peu à la sérotonine, un des neurotransmetteurs du cerveau. Bientôt, elles lui ouvriraient les portes de la perception, permettant l'apparition de visions.

Cette évolution vers un état de conscience modifié n'était rendue possible que par l'absorption simultanée de ces deux plantes. Si elle était ingérée seule, la DMT était détruite par une enzyme du système digestif, mais la liane *Banisteriopsis caapi* contenait, comme par miracle, l'inhibiteur de cette enzyme. Comment les Indiens, sans aucune connaissance de biochimie moderne, avaient-ils eu l'idée de mélanger ces deux-là et pas deux autres ? De la même manière, comment les aras des forêts tropicales péruviennes savaient-ils qu'ils devaient gratter les falaises d'argile riches en kaolin pour stopper les effets mortels des graines toxiques dont ils se nourrissaient ?

La connaissance de la nature chez les peuples amazoniens ou les animaux reposait sur un lien simple, intuitif, ancestral qui a disparu en Occident avec l'avènement de la déesse Raison. Carl Gustav Jung avait analysé cette rupture dans son *Essai d'exploration de l'inconscient*, œuvre fondamentale dont Abel se remémorait un passage alors que la DMT envahissait ses synapses. "Nous avons dépouillé toutes les choses de leur mystère et de leur numinosité*

* Certaines choses déclenchent par leur nom, une évocation qui touche l'inconscient collectif, les archétypes. Jung qualifia ce pouvoir de numinosité, néologisme issu de la concaténation entre "nom" et "luminosité".

plus rien n'est sacré à nos yeux. […] Le tonnerre n'est plus la voix irritée d'un dieu, ni l'éclair son projectile vengeur. La rivière n'abrite plus d'esprits, l'arbre n'est plus le principe de vie d'un homme, et les cavernes ne sont plus habitées par des démons. Les pierres, les plantes, les animaux ne parlent plus à l'homme et l'homme ne s'adresse plus à eux en croyant qu'ils peuvent l'entendre. Son contact avec la nature a été rompu, et avec lui a disparu l'énergie affective profonde qu'engendraient ses relations symboliques."

Abel ressentait la perte de ce lien sacré au plus profond de lui. Son pouls s'était accéléré et il avait soudain très chaud. Il avait besoin de faire corps avec la nature. Il se déshabilla et se dirigea, nu, vers l'océan. L'eau était tiède. Lorsqu'il s'y plongea, il ressentit un doux frémissement sur sa peau, puis il eut l'impression que celle-ci disparut. Soudain, telle une bouteille de Klein – surface mathématique unilatère –, il n'avait plus ni intérieur ni extérieur. Il était devenu une membrane cernée de toute part par ce liquide amniotique. Emporté par son instinct, il se laissa glisser vers le récif corallien. Les poissons multicolores jouaient dans les méandres de ce monde symbiotique issu de l'équilibre fragile entre un polype et une algue, et où la frontière entre le "dedans" et le "dehors" était également floue. Les poissons faisaient partie intégrante de la nature. Ils étaient la nature. Aidé par l'*ayahuasca*, Abel retournait peu à peu vers cet état. Les limites s'estompaient et le lien coupé se reformait. L'homme retrouvait sa place.

Sa dérive extatique le mena jusqu'au bénitier géant, joyau de l'océan de la biosphère. Aussi appelé tridacne géant, c'était le plus grand coquillage sur Terre. Pouvant atteindre 1 mètre 50 et 250 kg, cet être symbiotique se nourrissait d'algues qu'il laissait pousser entre ses lèvres de velours bleutées. Sa bouche gigantesque appelait Abel. Pour la première fois, il osa s'asseoir dans le creux de la coquille de cette créature à l'allure extraterrestre. Le bénitier l'accepta.

Seules ses narines et sa bouche affleuraient à la surface. Il était installé confortablement, comme au cinéma. Le véritable spectacle commença.

Son nerf optique se débrancha.

Le jour fit place aux ténèbres.

La musique d'Alan Parsons n'était plus audible que par son inconscient.

Il percevait encore les odeurs de la Grande Serre et le goût salé de l'eau.

Dans son dos, il sentait les algues qui peuplaient la bouche du coquillage.

Elles le touchaient.

Elles le chatouillaient.

Elles le massaient.

Puis, comme une ceinture de sécurité, elles le plaquèrent contre le coquillage.

Leur croissance s'accéléra à une allure vertigineuse.

Elles formaient maintenant des lianes qui s'enroulaient vers le ciel en des tresses géantes.

La DMT avait altéré ses sens.

Elle avait ouvert l'accès à un nouvel état de conscience.

Celui où l'esprit de la liane *Banisteriopsis caapi* pouvait s'adresser à lui.

Les chamans indiens l'appelaient la *Madre* de la liane, la Mère, l'amer.

Les doubles hélices végétales, surprenantes répliques de l'ADN, lui faisaient face.

Des bourgeons se formèrent à leurs sommets et des têtes d'anacondas en jaillirent.

L'un d'eux s'approcha dangereusement d'Abel et chercha à l'avaler tout entier, par la tête.

L'instinct de survie de l'homme prit le dessus et il se mit à rugir de toutes ses forces.

Le jaguar noir s'était réveillé.

Plus le fauve hurlait, plus la taille de l'anaconda se réduisait.

Le visage du serpent se métamorphosa alors en celui d'une enfant.

Une jeune Indienne.

Celle qui venait lui rendre visite dans ses rêves. Ké, l'esprit de Biosphere 2.

Le jaguar se tut.

Elle était là, face à lui, avec un corps végétal.

Il voulut lui prendre la main, mais c'était impossible.

Il n'avait plus de corps.

Ké était pâle, livide, comme un corail blanchi.

L'équilibre symbiotique de Biosphere 2 était en danger de mort.

Autour d'elle, tout s'illumina soudain.

Ké se tenait au centre d'un palais exubérant.

Recouverts de lianes, les murs dorés scintillaient.

Les anacondas s'étaient réfugiés derrière la végétation, craignant l'attaque du jaguar.

Les parois se recouvrirent de taches violacées, orangées, verdâtres.

Elles se déplacèrent d'abord lentement, puis leur mouvement s'accéléra.

Le palais s'évapora.

Abel flottait dans l'air, Ké était à ses côtés.

Il se vit d'au-dessus.

Il se vit nu, évanoui dans le coquillage géant au milieu de l'océan de Biosphere 2.

Les couleurs du bénitier changeaient à un rythme effréné. Un caméléon devenu fou.

Ké lui dit :

"Viens, tu dois comprendre que nous sommes reliés au Tout."

Et ils montèrent plus haut dans les airs.

Ils dominaient maintenant Biosphere 2 et l'observaient dans sa totalité.

La Grande Serre, blanche comme la neige, était traversée par des éclairs colorés.

Les différents organes de Biosphere 2 échangeaient entre eux.

L'océan répondait à la zone agricole.

Le marais à la savane.

La forêt tropicale au désert.

Chaque espèce végétale et animale communiquait avec toutes les autres.

Chaque espèce végétale et animale avait besoin de toutes les autres.

Ensemble seulement, elles pouvaient fonctionner.

Après avoir tant souffert, Biosphere 2 revivait.

À l'intérieur du coquillage, l'énergie d'Abel avait réactivé son cœur.

Ké le remercia.

Ses joues étaient redevenues roses.

Mus par une force invisible, ils poursuivirent leur ascension : l'Arizona, le Grand Ouest, les États-Unis, la Terre, la Lune.

Ni Paul Gardner ni aucun autre astronaute n'étaient jamais allés aussi vite.

Et aussi loin : Mars, la ceinture d'astéroïdes, Jupiter, Saturne.

Ils s'arrêtèrent, se retournèrent : la Terre n'était plus qu'un petit point bleu pâle, perdu dans l'immensité obscure.

Infime et pourtant si essentiel. Ils repartirent.

Uranus, Neptune, la ceinture de Kuiper, Pluton, Sedna, le nuage d'Oort.

Ké et Abel avaient traversé le système solaire à une allure vertigineuse.

Ils partirent vers les étoiles.

Alpha du Centaure, Sirius, Véga.

Même si Abel ne connaissait pas leurs noms, les objets célestes lui semblaient familiers.

Son corps n'était plus, il faisait partie du "Tout".

Les Bactéries, les Animaux, les Plantes, l'Homme, la Terre et l'Univers.

Tout était relié et l'Homme l'avait oublié.

Leur voyage continua jusqu'au centre de la Voie lactée, à l'intersection des bras de la spirale, au cœur de la singularité où la matière s'effondrait.

Aspiré par la force gravitationnelle inouïe de ce trou noir, Abel résistait.

Il luttait pour ne pas être aspiré, pour ne pas disparaître, pour ne pas être dévoré par les mandibules du fourmilion cosmique.

Le Monde avait besoin de lui.

La petite Indienne l'observait, elle était déjà venue jusqu'ici.

Le centre de la galaxie était la résidence des âmes, l'attraction y était infernale.

Alors qu'il allait lâcher prise, les yeux immenses d'un autre jaguar noir apparurent dans la voûte céleste.

Son animal totem venait à son secours.

Les yeux le regardaient, bienveillants.

Ils flottaient au-dessus de la Voie lactée.

La vitesse de rotation du vortex se mit à décroître.

Abel s'extirpa des sables mouvants stellaires.

Le visage du félin se changea en celui de son père, Fernando.

Une sensation de bien-être inconnue envahit Abel.

Il voulut lui parler, mais ses cordes vocales ne fonctionnaient plus.

Alors il l'écouta.

"Montre-leur la véritable face du monde."

L'entonnoir se modifia en catapulte.

Propulsés par une force gigantesque, ils parcoururent l'univers en sens inverse.

Abel était toujours accompagné par Ké et son père.

À l'approche du système solaire, leur vitesse ralentit.

Ils se dirigeaient vers la Terre.

Ils s'arrêtèrent derrière la face cachée de la Lune.

La sphère terrestre brillait, éclairée par les feux du Soleil.

Le pelage du jaguar noir s'était fondu dans l'univers, seuls ses yeux jaunes demeuraient visibles.

Ils flottaient au-dessus de la Lune et de la Terre.

Séléné la morte et Gaïa la vivante.

La vie palpitait sur la petite bille bleue.

Comme dans Biosphere 2, toutes les formes de vie étaient interconnectées.

Inconsciemment, elles échangeaient et communiquaient.

Les algues bleues parlaient aux cellules eucaryotes pour maintenir l'atmosphère respirable.

"L'hypothèse Gaïa" était soudain évidente.

Darwin avait uni les espèces dans le temps, James Lovelock les avait unies dans l'espace.

Gaïa était un être vivant, un être symbiotique gigantesque mais si petit à la fois.

Une planète si belle et si fragile.

Une planète dont Abel aurait aimé toucher les pôles froids et les eaux équatoriales bouillonnantes.

Une planète qui transpirait l'amour et la compassion.

La véritable face du monde – celle que son père souhaitait qu'il révèle à tous – lui apparut depuis l'espace.

Son bleu s'intensifia.

Ké et Gaïa se mirent à pleurer.

Le bleu vira au blanc.

Abel sentit leurs larmes le submerger.

Elles blanchissaient, se dévitalisaient, elles étaient sur le point de mourir.

Avant de s'évanouir, Ké s'adressa à Abel une dernière fois :

"Les ensembles symbiotiques vivent en équilibre instable. Si une des parties ne joue plus le jeu, l'ensemble peut s'écrouler. La main de l'Homme a donné naissance à l'outil. L'outil à la machine. La machine l'a conduit à sa destruction et à celle de la nature, mais elle lui a aussi permis d'aller dans l'espace, de prendre conscience de la planète où il vit. Cette conscience du Tout, peu d'hommes l'ont ressentie. Tu dois la faire partager. Elle seule sauvera le monde."

Le choc qui suivit fut aussi violent que celui subi par les astronautes lorsque leur capsule s'écrasait en mer. Le nerf optique d'Abel se reconnecta et dans un accès de douleur insupportable, il reprit possession de son corps, de ses sens, de son esprit. Il avala beaucoup d'eau et faillit se noyer. Il se dégagea du tridacne qui le démangeait et, à bout de forces, nagea nu, jusqu'au rivage. Il s'étendit sur la plage artificielle et perdit connaissance.

Lorsqu'il se réveilla, il se sentit bizarre. En harmonie avec lui-même, en osmose avec le monde, mais triste. Profondément triste d'avoir vu Ké et Gaïa sur le point de mourir, dévitalisées comme des coraux. L'envie de les protéger était encore bien plus forte que la tristesse. Elle s'était inscrite au fond de lui-même et ne le quitterait plus.

Les souvenirs de son voyage étaient vagues et s'estompaient comme après un rêve. Mais des images fortes lui restaient. Les anacondas, Ké, le voyage stellaire, la mort frôlée au centre de la Galaxie, les yeux de son père, la révélation du vrai visage de Gaïa et sa disparition, les larmes de Ké. Socrate l'avait prédit : "L'homme doit s'élever au-dessus de la Terre – aux limites de l'atmosphère et au-delà –, ainsi seulement pourra-t-il comprendre tout à fait le monde dans lequel il vit." Abel avait eu une illumination, il avait été touché par la grâce. La musique d'Alan Parsons tournait toujours en boucle, le choix d'*Eye in the Sky* avait été prophétique.

Jamais les effets de l'*ayahuasca* n'avaient été aussi forts sur lui. Il regarda autour de lui : il avait changé, mais la réalité était la même. Il faisait encore jour. L'instinct de chasseur du jaguar l'habitait tout entier et l'aiderait à affronter les codes secrets captés par Pungor. Il se sentait clairvoyant, comme les chamans qui avaient miraculeusement découvert la recette de l'*ayahuasca*. Cet état de conscience modifié, où la connaissance devenait plus intuitive que rationnelle, lui permettrait peut-être de découvrir la combinaison révélant le contenu des messages.

JOUR 12, PALAIS KANTEI, RÉSIDENCE OFFICIELLE DU PREMIER MINISTRE, TOKYO, JAPON

Après une courte nuit, Goro Kuroda était de retour dans les locaux du Naicho, chauffé à blanc par la perspective d'arrêter le mystérieux homme de Taiji. Les recherches sur les falaises à Taiji avaient bien confirmé une présence humaine : des empreintes de bottes avaient été découvertes ainsi que des traces de 44. Elles remontaient à environ deux semaines, soit le jour de l'attentat contre les pêcheurs de dauphins. Dans cette zone reculée où les promeneurs étaient rares, il s'agissait vraisemblablement de l'individu mentionné par le plongeur-judoka appréhendé à l'aéroport.

On lui indiqua aussi que la NSA venait d'envoyer la liste des suspects demandée la veille. À son grand dam, elle contenait plus d'une centaine de noms. Les Brésiliens installés au Japon s'exprimant avec un zozotement étaient plus nombreux qu'il ne l'imaginait. Dans un accès de colère, Kuroda lança le listing valser à travers la pièce sous le regard circonspect de ses subordonnés. Il avait rendez-vous avec le Premier ministre juste après et il avait cru être en mesure de lui annoncer une avancée spectaculaire. Il eut soudain une idée et se retourna vers celui qui avait coordonné les recherches à Taiji.

— Avez-vous déterminé la pointure des empreintes sur la falaise ?

— Oui, monsieur Kuroda. Le suspect chausse du 47.

Il sourit car il avait de la chance : c'était une pointure peu courante chez un Japonais, même si lui, du haut de ses deux mètres, chaussait du 50.

— Bande d'abrutis, obtenez les pointures de tous les individus de la liste et trouvez ceux qui font du 47. La NSA pourra vous aider, mais ne leur donnez surtout pas la pointure que l'on recherche.

Kuroda fit prévenir le Premier ministre qu'il aurait du retard. La confrontation avec Akamatsu serait terrible s'il ne lui apportait pas ce qu'il voulait. Plutôt que de tourner en rond en attendant les résultats, il se rendit au vestiaire, enfila une tenue de sport et fonça à la salle de gym du Naicho. Il souleva des tonnes de fonte à un rythme endiablé. Lorsqu'il fut épuisé, il propulsa les barres à terre et elles s'écrasèrent dans un fracas qui secoua tout l'étage. Il prit une douche glacée avant de regagner son service.

Son intuition s'était montrée une fois de plus imparable. La NSA et ses partenaires du programme Echelon, qui épluchaient tous les achats effectués sous forme électronique, connaissaient en plus de leur état civil à peu près tout de chaque citoyen de la Terre : taille, pointure, goûts alimentaires et culturels, style de vie… L'avènement du commerce en ligne avait été une aubaine pour eux. Kuroda avait donc sur son bureau la pointure de la centaine de suspects et seuls trois d'entre eux chaussaient du 47. Il parcourut leurs profils :

Sandro Hishigo : 55 ans, cuisinier, Osaka.
João Amado : 35 ans, chercheur au *Earth Simulator Center*, Yokohama.
Dan Tanaka : 19 ans, garçon d'ascenseur, Tokyo.

Il tenait son homme. Akamatsu allait être comblé.

Le *Unabomber*, le terroriste qui avait échappé le plus longtemps au FBI et qu'Abel avait étudié, avait toujours des semelles plus petites fixées sous ses chaussures. João n'avait pas pris cette précaution et cela allait lui être fatal.

JOUR 12, BIOSPHERE 2, ARIZONA, ÉTATS-UNIS

Abel avait regagné son bureau en évitant les employés de Biosphere Economics. Il n'était pas dans un état normal et il ne souhaitait pas se justifier.

Il mit le morceau de techno qui convenait à la situation, *Follow Me* de Jam & Spoon : lancinant au départ, le rythme s'accélérait et les instruments entraient les uns après les autres pour former une mélodie folle. Son unique chance de survie se trouvait dans les deux messages cryptés captés par Pungor : l'un émis sur les fréquences militaires et l'autre sur les fréquences civiles. Pour mieux visualiser son objectif, il les baptisa MIL et CIV. Le stress qui l'habitait avant son expérience avec l'*ayahuasca* avait temporairement disparu. Peut-être qu'il faisait fausse route, que ces messages n'avaient rien à voir avec ce qui s'était déroulé sur la Lune, mais cela lui était égal. Il était déterminé et y croyait.

Il regarda sa montre. Avant de se rendre, il se laissait douze heures pour chaque cryptogramme. Il lança une pièce de monnaie en l'air pour savoir par lequel il commencerait. Le hasard décida que ce serait MIL.

Depuis qu'il était adolescent, Abel s'intéressait aux codes secrets. Au départ, c'était juste par jeu, pour communiquer avec ses amis et tromper les agents du FBI qui assuraient sa protection. Son premier stratagème avait consisté à prendre un article de journal et à placer des points minuscules sous les lettres qui constituaient le message secret qu'il souhaitait faire parvenir à ses amis. Le FBI, qui ouvrait tous ses courriers, n'y voyait que du feu. Plus tard, il s'était plongé dans les manuels de mathématiques et d'informatique pour comprendre les rudiments de la cryptographie – l'art de coder – et de la cryptanalyse – l'art de décoder. Fasciné par les nombres premiers et leurs propriétés, tout le destinait à poursuivre des études dans ce domaine, mais ses idéaux naissants d'éco-guerrier l'en détournèrent. Il opta pour la modélisation climatique, autre pan des sciences appliquées nécessitant des mathématiques et de l'informatique. Il n'oublia pas pour autant sa passion pour les codes. Dans les années 90, grâce à l'émergence d'Internet, il s'amusa à pénétrer des systèmes informatiques réputés inviolables comme celui du *Golden Peacock*.

Abel sortit d'une armoire un tableau noir en ardoise et une boîte de craies, ses autres armes secrètes. Il inspecta la porte blindée de sa bibliothèque, aucun signe de l'incendie qui l'avait dévastée, n'était décelable. Il appela sa femme. Ils ne seraient pas trop de deux pour venir à bout de ces énigmes.

Lucy arriva ravie et découvrit avec stupeur l'état de son mari. Ses yeux étaient en mydriase : ses pupilles étaient dilatées au maximum et seule une fine couronne vert émeraude les entourait. Il lui confia qu'il avait pris de l'*ayahuasca*. Elle le toisa de la tête aux pieds, il avait l'air en pleine possession de ses moyens. Elle n'imaginait même pas à quel point.

Confiant, il prit le temps de lui expliquer les bases du décryptage. C'était un art méthodique nécessitant des compétences techniques, mais aussi une bonne dose de psychologie. Trop souvent, les casseurs de code comptaient sur la force brute de la machine. Cette attitude s'était généralisée avec le développement de la puissance de calcul des ordinateurs mais elle n'aboutissait jamais, sauf lorsque le code était très simple. L'univers des possibles était en général vaste et il fallait le restreindre. Pour cela, l'apprenti casseur de codes devait se rappeler qu'il y avait toujours beaucoup plus d'informations à l'extérieur du message qu'à l'intérieur. Il fallait donc exploiter les informations contextuelles disponibles et émettre des hypothèses sur l'identité probable de l'expéditeur, la nature et le contenu du message, les technologies et algorithmes accessibles au codeur, les clés de cryptage ou mots de passe vraisemblables… Pour limiter les possibilités et parvenir à ses fins, le casseur de codes n'avait pas d'autre choix que de se mettre dans la peau de la partie adverse et de suivre son intuition, sans aucune certitude. Une fois seulement le problème simplifié, il pouvait utiliser un ordinateur pour explorer les possibilités restantes.

Abel se mit au tableau et ils listèrent les éléments de contexte dont ils disposaient sur MIL :

1) Le message a été émis sur les fréquences militaires de l'orbiteur.

2) Le message a été codé en utilisant un cryptage militaire.

3) Ce n'était pas un des clichés de la base lunaire (ils arrivaient toutes les deux heures et Pungor avait indiqué que celui-ci était parvenu en décalage).

4) Ce n'était pas non plus des données de vol (le fichier était trop volumineux).

Ils cherchèrent d'abord à établir un lien avec Tyler. C'est Lucy qui eut l'éclair de génie :

— Ce message a été capté hier, le jour de la cérémonie à Houston. À quelle heure as-tu surpris Carlson et Prescott en train de parler de Tyler ?

— Euh… ça devait être cinq minutes avant le discours de Carlson, soit vers 16 h 15.

— À quelle heure Pungor a-t-il reçu MIL ?

Comme Lucy semblait savoir où elle allait, Abel alluma l'ordinateur et vérifia l'horodatage de MIL.

— MIL a été enregistré à 15 h 03.

— Zut, ça ne colle pas ! pesta Lucy. Si MIL avait contenu la preuve que Tyler était toujours vivant, cela signifierait que les militaires ont attendu plus d'une heure avant de contacter le secrétaire à la Défense. Ça fait long pour une nouvelle de cette importance.

Il attendit qu'elle termine sa phrase en trépignant d'impatience. Ce coup-ci, c'était lui qui l'épaterait :

— Mais si, ça colle parfaitement ! Le fichier a été enregistré au Nouveau-Mexique, qui est dans un fuseau horaire différent de celui du Texas ! Il était donc 16 h 03 à Houston quand le message a été reçu. 12 minutes, ça correspond parfaitement au temps nécessaire pour qu'un militaire décrypte un message, en informe son responsable et que celui-ci prenne la décision de contacter le secrétaire à la Défense.

Lucy et Abel hurlèrent leur joie. Abel réalisa à quel point ils étaient chanceux : s'il n'avait pas su lire sur les lèvres et s'il ne s'était pas trouvé à ce moment-là et à cet endroit précis, ils n'auraient jamais pu établir cette connexion. Carl Gustav Jung avait inventé un concept pour décrire ces situations : les "synchronicités". Elles qualifient l'occurrence d'événements reliés entre eux, non par la causalité, mais par le sens particulier qu'ils prennent ensemble vis-à-vis du sujet auquel ils s'appliquent.

L'existence d'Abel s'était bâtie sur une succession de coïncidences, de synchronicités, heureuses ou malheureuses. A posteriori, elles s'étaient montrées d'une cohérence implacable et avaient toutes contribué à renforcer le sens de son existence. Sens qu'il découvrait au fur et à mesure qu'il vieillissait. Comme si la partition de sa vie avait déjà été écrite à l'avance. Quelqu'un, là-haut, tirait peut-être les ficelles et l'aidait de temps à autre à surmonter les obstacles par le biais des rêves, des signes ou des coïncidences. Jung avait émis l'hypothèse que nos inconscients étaient interconnectés et pouvaient accéder à une supraconscience cosmique. Certains individus y étaient plus facilement reliés que d'autres et des expériences – comme la prise d'*ayahuasca* qui étend la portée des sens naturels – pouvaient accroître l'occurrence de ces synchronicités.

Lucy fit un nouveau résumé de la situation.

— Nous sommes donc maintenant presque certains que Tyler est vivant et que cela gêne les militaires. La preuve se cache dans MIL, il nous la faut absolument.

— Ou dans CIV, ajouta Abel. À mon avis, nous allons nous casser les dents à décrypter MIL. Nous ferions mieux de passer à CIV.

— Pourquoi ? Ça commençait juste à être amusant.

— Lucy, les militaires utilisent des algorithmes de cryptage quasi inviolables. Des trucs basés sur les propriétés algébriques des courbes elliptiques.

— N'essaie pas de me faire peur avec des mots que je ne comprends pas. Je croyais que tu étais le spécialiste du cassage de codes ? lui dit-elle ironiquement.

— Crois-moi, nous ferions fausse route. Il nous faudrait des millions d'heures de calcul et nous n'avons pas ce temps. Avec l'horodatage du fichier, tu nous as déjà permis de nous convaincre que Tyler était bien vivant et que nous n'étions pas en train de fabuler. C'est déjà énorme. Passons à CIV, quitte à revenir après sur MIL.

En moins d'une heure, ils avaient presque percé le sens de MIL, sans utiliser le moindre ordinateur. Ils savaient qu'il avait permis à Tyler d'informer le Pentagone de sa survie. Son contenu exact leur demeurait en revanche inaccessible à cause du cryptage militaire. Il leur restait donc 23 heures pour résoudre CIV. Abel effaça le tableau et y inscrivit la mystérieuse série de 72 nombres.

426	356	19	276	224	302	75	325	49	139	217	44	290
385	278	487	315	90	333	107	549	472	454	209	409	445
433	220	13	97	78	112	159	378	52	343	229	533	195
404	270	478	262	128	367	420	120	251	82	57	417	264
545	466	484	322	352	185	202	8	282	169	35	26	154
38	523	447	103	60	134	2						

Encouragée par ses premiers succès de casseuse de codes, Lucy pensait que CIV dévoilerait ses secrets aussi facilement.

JOUR 12, *EARTH SIMULATOR CENTER*, YOKOHAMA, JAPON

Yokohama n'était située qu'à trente kilomètres au sud de Tokyo. L'*Earth Simulator Center* faisait partie d'un complexe dédié aux sciences de la Terre, qui comptait également un musée devant lequel plusieurs classes d'écoliers attendaient sagement en rang. Les parents qui les accompagnaient furent très surpris de voir déboucher en trombe une colonne de 4 × 4 noirs aux vitres fumées qui s'arrêtèrent en travers de la route et bloquèrent la circulation. Des soldats en tenue de combat sortirent des véhicules et éloignèrent parents et enfants. Des camions de l'armée arrivèrent en renfort et bouclèrent tout le quartier. Des tireurs d'élite se mirent en place sur les toits des immeubles voisins. Tout se déroula efficacement et en silence. Un géant vêtu d'un manteau en cuir noir dirigeait les opérations et donnait des ordres à voix basse dans son casque. L'appui du Premier ministre Akamatsu avait permis à l'agent Kuroda de monter l'opération en un temps record. Lorsque tous les civils furent évacués, il donna l'assaut sur le hangar bleu et blanc dans lequel travaillait João Amado, son suspect.

L'*Earth Simulator* était l'un des calculateurs parallèles les plus puissants du monde. Il était mis à la disposition des scientifiques qui souhaitaient comprendre l'évolution du climat de la Terre. Grâce à sa puissance, il permettait de modéliser finement tous les éléments qui concourent à la détermination du climat : courants atmosphériques et océaniques, nuages, banquises, sols, réactions chimiques dans l'atmosphère, manteaux neigeux, activités humaines… À partir d'équations complexes régissant les relations entre ces phénomènes, il était par exemple possible de déterminer l'évolution de la température sur plusieurs décennies. Les simulations produites par l'*Earth Simulator* avaient étayé certains des rapports du Groupe d'experts Intergouvernemental sur l'Évolution du Climat (GIEC). Le premier, publié en 1990, avait alerté les Nations Unies sur la menace d'un changement climatique de grande ampleur.

Lorsque Kuroda pénétra avec ses troupes dans l'*Earth Simulator Center*, il découvrit avec stupéfaction une salle climatisée vaste comme un terrain de football et remplie de tours d'ordinateurs. Des voyants lumineux clignotaient de toute part. Il était en plein film de science-fiction et cela ne correspondait pas du tout à l'idée qu'il se faisait d'un repaire de terroristes. Avec ces éco-dingues, il fallait s'attendre à tout. Les trois employés qui travaillaient tranquillement sur leurs machines furent affolés par l'arrivée des militaires. Aucun d'eux ne correspondait au signalement du chercheur brésilien. L'agent spécial interrogea une jeune femme aux cheveux clairs, probablement originaire d'Europe de l'Est. Elle lui indiqua qu'Amado n'était pas venu au centre depuis plusieurs jours et qu'ils étaient sans nouvelles de lui. Cela lui arrivait régulièrement, mais d'habitude, il se connectait depuis chez lui au supercalculateur. Pas cette fois-ci.

Kuroda contacta les équipes tactiques qui fouillaient simultanément le domicile du suspect. Il avait pris la fuite avec sa famille. Les affaires de sa femme et de son jeune fils avaient disparu. Ses trois collègues furent embarqués et l'agent du Naicho rappela la NSA.

JOUR 12, BIOSPHERE 2, ARIZONA, ÉTATS-UNIS

Ils avaient tenté pour CIV la même approche que pour MIL : avant de se lancer dans le décryptage du message, Lucy avait patiemment dressé au tableau la liste des informations contextuelles dont ils disposaient.

Elle prit un pas de recul et dit :

— Le plus notable, c'est que CIV a été émis sur une fréquence civile, alors que tous les messages en provenance de l'orbiteur sont sur des fréquences militaires.

— Ça semble être une bonne première piste, acquiesça Abel.

— Peter Brown, à la NASA, nous a bien dit que le Pentagone avait pris le contrôle des communications de l'orbiteur. Donc CIV a probablement été envoyé directement depuis la base lunaire.

— Mais oui ! s'exclama Abel.

— Si nos conclusions sur MIL sont exactes, on peut en déduire que c'est Tyler qui a envoyé CIV depuis la base lunaire directement vers la Terre, conclut Lucy.

— Mais pour un militaire aguerri comme lui, c'est vraiment étrange d'utiliser une fréquence civile, et d'autant plus la fréquence SOS de la NASA.

— Ce n'est sûrement pas un hasard. Pungor nous a indiqué que cette fréquence SOS de la NASA était connue de tous les radioastronomes amateurs. En la choisissant,

Tyler était certain que son message toucherait une large audience.

— Viens avec moi, on va en avoir le cœur net.

Abel s'assit à son bureau et lança une recherche sur Internet. Plusieurs journaux mentionnaient effectivement qu'un mystérieux signal en provenance de la Lune, et s'apparentant à un SOS, avait été capté par les centres de radioastronomie. Un des articles retint particulièrement son attention.

— Incroyable ! Le *New York Times* d'aujourd'hui donne la série des 72 nombres de CIV !

— Ça alors ! Tyler a réussi son coup, tout le monde est maintenant au courant de l'existence de CIV. La lutte pour le décoder va être âpre.

— Attends, poursuivit Abel, il y a quelque chose d'encore plus intéressant dans l'article. Le porte-parole du président Carlson a affirmé que CIV a été envoyé par un des systèmes de secours de Columbus 11 et qu'il s'agit d'un message automatique de routine. La NASA a refusé de commenter le sujet.

Il hésita à appeler Peter Brown, puis se ravisa pour ne pas risquer de se faire repérer inutilement par la NSA.

— Nous avons là un cas manifeste de désinformation gouvernementale, rumina Lucy, comme ceux dont tu m'as parlé l'autre jour.

— Oui, mais à part pour toi et moi qui sommes miraculeusement au courant pour Tyler, l'explication du porte-parole paraît crédible au reste du monde. Il en faudrait beaucoup plus pour reprogrammer l'inconscient collectif, maintenant convaincu de la culpabilité de Gaïa. Souviens-toi de l'accusation de Lee Harvey Oswald dans l'attentat contre Kennedy : des preuves accablantes démontraient l'impossibilité d'un tireur unique et pourtant, près de cinquante ans après, cette thèse tient toujours.

Lucy demeura pensive un long moment puis haussa les épaules.

— Bon, reprenons, fit-elle. CIV dérange donc le gouvernement et le pousse à mentir grossièrement.

— Tyler doit savoir que sa survie gêne, poursuivit Abel. C'est pour cela qu'il a envoyé deux messages : l'un accessible aux militaires et l'autre à tout le monde.

— CIV est donc une bouteille lancée à la mer. Dans ce cas, pourquoi a-t-il crypté CIV ? S'il voulait qu'on le sauve, il aurait été plus simple de le dire clairement !

— Si Tyler a agi ainsi, c'est qu'il redoutait la réaction des militaires. Ils doivent avoir un moyen de pression sur lui.

— Janie ! s'écria Lucy.

C'était évident et pourtant il avait complètement oublié d'exploiter l'indice Janie. Il songea à la petite fille qu'ils avaient laissée chez Pungor.

— Tout colle maintenant parfaitement, résuma la jeune femme. Afin que les militaires ne touchent pas à Janie, Tyler a codé CIV, qui n'est donc pas destiné à n'importe qui, mais probablement à un contact bien particulier, qui seul connaît la clé capable de casser le code. En l'envoyant sur les fréquences civiles, il était certain que cette personne en prendrait connaissance d'une manière ou d'une autre.

— Yeah ! s'écria Abel dans un élan de joie.

Ils échangèrent des regards satisfaits. En une heure et demie, ils avaient presque bouclé les deux énigmes. Une fois l'euphorie retombée, ils retroussèrent leurs manches : il fallait impérativement décoder le contenu de CIV avant les militaires. C'est là que le jaguar noir avait vraiment besoin d'un coup de pouce surnaturel.

JOUR 12, *EARTH SIMULATOR CENTER*, YOKOHAMA, JAPON

Kuroda avait été contraint d'indiquer à la NSA le nom de son suspect. Il n'aimait pas rendre des comptes aux services étrangers et encore moins se faire doubler. Mais il avait besoin d'eux pour avancer. Les ingénieurs de la NSA avaient analysé tous les appels émis au Japon au cours de la dernière journée et y avaient recherché la signature vocale de João Amado. Ils avaient effectué cette opération à une vitesse prodigieuse et la pêche s'était avérée fructueuse : Amado était toujours au Japon. Il avait appelé sa femme le matin même, mais n'avait pas indiqué où il se trouvait. DoCoMo, l'opérateur de téléphonie mobile qu'il avait utilisé, disposait des informations nécessaires pour le localiser.

JOUR 12, BIOSPHERE 2, ARIZONA, ÉTATS-UNIS

— CIV doit être destiné à quelqu'un de confiance. Un ami ou un membre de sa famille, sûrement un civil, proposa Lucy. Quelqu'un qui pourrait négocier des garanties avec ceux qui détenaient Janie.

— Probablement, approuva Abel. Il a donc dû utiliser un cryptage civil.

— Effectivement. Tu penses à quoi ?

— Vu que CIV comporte peu de signes, le message original caché derrière doit être un texte. Tyler a dû choisir un algorithme simple, mais très robuste.

Comme ils étaient en avance sur l'horaire qu'il s'était fixé, Abel expliqua à sa femme le b.a.-ba des techniques de cryptage. Celles-ci se divisaient en deux grandes familles : transposition et substitution. Dans un mécanisme de transposition, l'ordre des lettres était modifié selon un processus connu du seul destinataire. Abel écrivit un exemple sur le tableau :

Texte original : MON AMI PAUL
Texte crypté : MLOUNAAPMI

Lucy rechercha pendant un moment quel pouvait être le processus secret qui avait mélangé les lettres de cette manière, puis elle donna sa langue au chat.

Il lui donna la solution qui consistait à prendre alternativement les lettres du début et de la fin du message : la première (M), la dernière (L), la deuxième (O), l'avant-dernière (U), la troisième (N)... Pour décrypter le message, il suffisait d'effectuer l'opération inverse à partir de la séquence "MLOUNAAPMI" : placer le M au début, le L à la fin, le O après le M, le U avant le L...

Lucy convint qu'elle n'aurait jamais trouvé toute seule et que ce type de code devait être très difficile à casser. Abel lui expliqua que la taille de l'exemple rendait un tel cryptage très fragile. Un ordinateur moderne pouvait tester toutes les possibilités de transpositions en moins d'une seconde. Il y en avait seulement "factorielle 10" soit $1 \times 2 \times 3 \times 4 \times \ldots \times 10$, c'est-à-dire un peu plus de trois millions de combinaisons. De plus, les gens utilisaient toujours les mêmes transpositions, ce qui, même pour les messages les plus longs, réduisait considérablement le nombre des possibles.

Il lui présenta ensuite le fonctionnement des mécanismes de substitution. Ceux-ci gardaient l'ordre des lettres, mais remplaçaient chacune d'elles par une autre lettre, un chiffre ou un symbole ; la règle de substitution devant être convenue à l'avance avec le destinataire. Abel inscrivit à la craie un autre exemple :

Texte original : MON AMI PAUL
Texte crypté : LNMZLHOZTK

Lucy essaya sur une feuille plusieurs combinaisons. Rien ne venait. Elle eut l'idée de mettre les deux textes l'un en dessous de l'autre.

MON AMI PAUL
LNM ZLH OZTK

Elle regarda avec attention puis s'exclama : "J'ai trouvé !"
Archimède dans sa baignoire n'avait pas crié aussi fort.
Elle expliqua à Abel qu'il suffisait de remplacer chaque
lettre par la précédente dans l'alphabet. Mais elle reconnut qu'elle n'avait pas de mérite : elle avait lu un jour que
"HAL" – nom de l'ordinateur dans le film *2001, l'Odyssée
de l'espace* – dérivait des trois lettres d'IBM selon ce même
mécanisme. L'auteur, Arthur C. Clarke, avait toujours nié
ce lien et prétexté une coïncidence. La jeune femme pensa
que les codes de substitution étaient plus faciles encore à
casser que les codes de transposition.

— Pas toujours, lui indiqua Abel. Tout dépend de la
complexité du mélange. J'aurais pu choisir une permutation des lettres de l'alphabet plus difficile, tu aurais alors dû
essayer toutes les possibilités et il y en a un nombre astronomique : factorielle 26.

— Et avec un bon ordinateur, il n'est pas possible de
les essayer toutes ?

Il fit un rapide calcul sur un bout de papier puis releva
la tête.

— Avec un ordinateur très rapide analysant un milliard
de combinaisons par seconde, il faudrait environ 13 milliards d'années pour toutes les parcourir, soit à quelque
chose près l'âge de l'univers…

— Effectivement… lâcha Lucy. Les codes par substitution sont donc vraiment inviolables. C'est ce qu'utilisent
les militaires, alors ?

— Non, ils utilisent des techniques beaucoup plus compliquées car les codes par substitution ont une faille. Quelle
que soit la langue, certaines lettres sont plus fréquentes que
d'autres. Si tu as un texte suffisamment long, tu peux vite trouver les lettres substituées qui correspondent aux E, aux A, etc.
En utilisant ces indices tu peux alors très rapidement réduire
le nombre de combinaisons et venir à bout du message.

— En général, c'est suffisant ?

Abel commençait à être pressé, mais, pour ne pas éveiller ses soupçons, il lui répondit.

— Non, pas dans tous les cas. Parfois, tu peux aussi deviner des mots que l'expéditeur est sûr d'avoir utilisés. Pendant la Seconde Guerre mondiale, les Anglais avaient cassé le code ENIGMA utilisé par les Allemands en exploitant deux failles : les messages commençaient toujours par la date du jour et ils contenaient aussi un bulletin météorologique, donc des mots comme : "nuage" ou "pluie".

— Hallucinant ! s'exclama-t-elle, fascinée par ce monde occulte dont elle ignorait les arcanes. Donc Tyler a dû prendre des précautions.

Abel observa à nouveau le tableau et soudain son visage s'assombrit. Le major avait effectivement pris des mesures de sécurité draconiennes.

JOUR 12, *EARTH SIMULATOR CENTER*, YOKOHAMA, JAPON

Kuroda était resté sur le site du *Earth Simulator Center* à attendre que le chargé de la sécurité de DoCoMo le rappelle.

— Agent Kuroda, j'ai les informations que vous nous avez demandées sur João Amado.

— Allez-y, je vous écoute.

— L'appel a été passé à sept heures ce matin depuis la forêt d'Aokigahara Jukai.

Kuroda gronda. La forêt d'Aokigahara Jukai, située sur les flancs du Mont Fuji, était réputée pour être impénétrable. Les légendes les plus folles circulaient à son sujet. Kuroda laissa son correspondant poursuivre.

— Sa femme se trouvait, quant à elle, en plein cœur de Tokyo à Shinjuku. Leurs deux téléphones sont pour le moment coupés et il est impossible de les localiser.

L'agent continua à pester. Les membres de Gaïa étaient très prudents. Shinjuku, le quartier des affaires, était à sept heures du matin une véritable fourmilière où grouillaient tous ceux qui se rendaient au travail.

— Agent Kuroda, j'ai autre chose qui devrait vous intéresser.

— Allez-y.

— Votre homme a appelé ce numéro exactement à la même heure au cours des trois derniers jours : à sept heures précises. Mais jamais du même endroit de la forêt. Si João

Amado téléphone demain matin, nous pourrons le localiser.

— Et sa femme ?

— Plus difficile, car elle va à chaque fois dans un quartier différent de Tokyo, toujours très fréquenté. Vous aurez du mal à lui mettre la main dessus.

Kuroda remercia son interlocuteur et lui donna rendez-vous le lendemain matin. Il appela ensuite les services secrets américains pour se coordonner avec eux et éviter qu'ils ne fassent échouer son opération.

JOUR 12, BIOSPHERE 2, ARIZONA, ÉTATS-UNIS

Abel était perplexe.

— Lucy, si c'est ce que je pense, nous sommes vraiment mal.

— C'est-à-dire ? demanda-t-elle inquiète.

— CIV s'apparente à la famille de codes par substitution la plus complexe.

— Ah bon ? fit-elle en regardant la série de chiffres.

— Dans un code de substitution classique, à chaque lettre de l'alphabet correspond une lettre ou un nombre unique. Or, combien de nombres différents vois-tu dans CIV ?

Elle inspecta à nouveau la série de nombres. Il n'y en avait pas deux semblables.

426	356	19	276	224	302	75	325	49	139	217	44	290
385	278	487	315	90	333	107	549	472	454	209	409	445
433	220	13	97	78	112	159	378	52	343	229	533	195
404	270	478	262	128	367	420	120	251	82	57	417	264
545	466	484	322	352	185	202	8	282	169	35	26	154
38	523	447	103	60	134	2						

— Si je ne me trompe pas, ils ont l'air tous différents. Il y en aurait donc 72.

— C'est bien ça le problème, soupira Abel. Il n'y a que 26 lettres dans l'alphabet latin. À une même lettre du message d'origine, correspondent donc plusieurs nombres différents dans CIV. On ne peut donc plus détecter les lettres les plus fréquentes comme les voyelles. Tyler est un malin.

— C'est donc mal parti ?

— Oui, très mal. CIV ressemble à s'y méprendre au code le plus abominable de tous les temps, le code de Beale. Deux siècles après sa découverte, il est toujours inviolé. Tous les casseurs de code de la planète, amateurs et professionnels, s'y sont attaqués. Y compris moi.

Il paraissait dépité, mais Lucy était difficile à décourager. Elle lui demanda de lui raconter l'histoire du code de Beale ; cela lui donnerait peut-être des idées. Sans entrain, Abel accepta de raconter cet épisode douloureux de sa jeunesse, qu'il avait essayé d'oublier.

— En 1820, un illustre inconnu dénommé Thomas J. Beale passa l'hiver dans un hôtel de Virginie. En partant, il laissa une boîte cadenassée au propriétaire, un certain Morris. Deux ans plus tard, celui-ci reçut une lettre de Beale lui indiquant que le contenu de la boîte était très précieux et qu'il ne fallait pas l'ouvrir pendant dix ans. La lettre mentionnait également que le secret qu'elle dissimulait était indéchiffrable sans une clé laissée à un ami résidant à Saint Louis, dans le Missouri. Beale indiquait enfin qu'en cas de malheur, un courrier parviendrait à Morris et donnerait la localisation de cette clé.

— Passionnante, ton histoire, continue ! s'enthousiasma Lucy pour lui redonner le moral.

— Les dix années passèrent et aucune nouvelle de Beale ne lui parvint. En 1845, rongé par la curiosité, Morris ouvrit la boîte. Il y trouva une lettre et trois manuscrits couverts de séries de nombres. La lettre stipulait que le premier manuscrit indiquait l'emplacement d'un trésor, le deuxième révélait le contenu de ce trésor et le troisième, la liste des héritiers à qui il devait revenir. En revanche, il n'y avait aucune information sur le mystérieux ami de Saint Louis. Morris n'avait donc pas la clé pour déchiffrer les codes.

— Mais est-ce que Morris a au moins essayé ?

— Oui, et il y passa les dix-sept dernières années de sa vie. Ses efforts ne furent pas totalement vains car il parvint à déchiffrer le deuxième manuscrit.

— Quel était donc le code que Beale avait employé ?

— J'y viens. Les premiers chiffres du deuxième manuscrit étaient : 115 73 24 807 37 52 49 17 31… J'ai tellement passé de temps là-dessus que je connais encore le début par cœur, avoua Abel presque honteux.

Lucy le regarda avec perplexité. Quelle drôle d'idée d'apprendre tout ça par cœur !

— Un jour, Morris eut l'intuition que ces nombres pouvaient peut-être désigner la position de mots dans un texte, la fameuse clé que Beale avait confiée à son ami de Saint Louis. Il restait encore à trouver lequel. Morris commença à numéroter, à la main, les mots de tous les écrits qu'il trouva.

— Ça me paraît assez désespéré comme tactique, jugea Lucy.

— C'était effectivement désespéré, mais ça a marché. Les trois premiers paragraphes de la Déclaration d'indépendance des États-Unis étaient, figure-toi, la clé du deuxième manuscrit !

— Incroyable ! Comment Morris a-t-il su que c'était ce texte et pas un autre ?

— On n'en sait rien, probablement un coup de chance monumental. Il mit donc bout à bout la première lettre du 115e mot de la Déclaration d'indépendance, du 73e mot, du 24e mot, etc. Et il reconstitua le message. Cela lui permit de décrypter le deuxième manuscrit et de découvrir que le trésor valait 20 millions de dollars. Encouragé par ce premier succès, il rechercha, en vain, les textes qui codaient le premier et le troisième manuscrit.

— Vraiment courageux. Mais maintenant, avec l'informatique, ça doit être plus facile d'automatiser cette démarche ?

— Une multitude de casseurs de code s'y sont attelés avec des moyens ultramodernes. Ils ont fait passer tous les textes publiés avant 1820, sans succès. Certains pensent que la clé des deux autres manuscrits pourrait être une lettre manuscrite de Beale laissée à son ami de Saint Louis. Dans ce cas, la recherche est vaine.

— Et toi aussi, tu as essayé ?

— Oui, bredouilla Abel. J'ai passé presque un an sur ce code et j'ai failli rater ma dernière année de lycée à cause de ça. J'essayais tous les textes qui me passaient sous la main. J'en rêvais la nuit, à tel point que j'en avais perdu le sommeil. Obnubilé par le code de Beale, j'étais devenu à moitié fou. C'est grâce à Clara et à Paul que j'ai été sauvé du précipice. Depuis, je n'y ai plus touché.

Il parlait comme un alcoolique qui évoquait son addiction passée, tout bas, afin que les vieux démons ne se réveillent pas. Cela fit beaucoup rire Lucy, ce qu'il n'apprécia guère.

— Désolée, je ne voulais pas te faire du mal. J'essayais juste de t'imaginer devenir fou devant ce code.

Abel la fixa en grommelant. Animée par une curiosité insatiable, elle reprit :

— Cette histoire était vraiment passionnante. Mais pourquoi crois-tu que Tyler aurait utilisé un code de Beale ?

— L'instinct. Si tu ne connais pas le texte qui sert de clé, c'est quasiment impossible, même pour le Pentagone ou la NSA, de décoder le message. La simplicité et la robustesse du code de Beale sont bien connues des amateurs de cryptographie, donc des militaires, et donc de Tyler.

— Je vois, c'est plus un pressentiment qu'une certitude. Mais je commence à avoir confiance en ton sixième sens, lui dit-elle en souriant. Cela risque quand même d'être compliqué de trouver la clé ?

— Horriblement compliqué, estima Abel. Sauf un miracle, je ne vois pas très bien comment on va s'en sortir.

Depuis son expérience à l'*ayahuasca*, Abel ressentait plus que jamais le lien qui reliait les composants biologiques du monde entre eux, les parties de Biosphere 1. Mais cette connaissance intuitive, cet éveil, ne lui permettaient pas de percer les mystères de la technosphère – l'ensemble des outils et techniques imaginés par l'homme. Et c'est là que se trouvait la solution du code secret.

Il exhuma de son ordinateur le programme qui lui avait servi à analyser le code de Beale lorsqu'il était lycéen. Il fonctionnait encore et Abel fut donc forcé de rouvrir la boîte de Pandore. Ils se répartirent les tâches : tandis que Lucy collectait sur Internet toutes les informations disponibles sur Tyler (villes habitées, parcours scolaire et professionnel, sports pratiqués, goûts musicaux, films préférés…), Abel en déduisait des textes ou des livres que Tyler aurait pu emmener sur la Lune, noter sur un calepin ou apprendre par cœur pour les passer ensuite à la moulinette de son programme. Un travail de fourmi et de titan à la fois.

JOUR 13, FORÊT D'AOKIGAHARA JUKAI, MONT FUJI, JAPON

En cette nuit où la Lune n'était plus qu'un mince croissant, le sommet enneigé du Mont Fuji n'était pas visible.
Un vent glacial soufflait dans l'épaisse forêt d'Aokigahara
Jukai. En japonais, son nom signifiait "mer d'arbres", mais
elle était plus connue sous le surnom de "forêt maudite".
Chaque année, des dizaines de Japonais s'y perdaient et y
périssaient, volontairement pour la plupart. Le lieu était en
effet apprécié par ceux qui désiraient mettre fin à leur vie.
Le succès du suicide y était garanti : en dehors des rares
sentiers, la forêt était tellement dense qu'il était impossible
d'y retrouver un corps. La légende racontait que les esprits
des défunts hantaient les lieux et s'en prenaient aux promeneurs aventureux.

Au cœur de cet enfer vert, Kuroda réglait les derniers
détails de l'opération. Il avait troqué son long manteau en
cuir pour une tenue de camouflage. Via son oreillette, il
dialoguait avec le technicien de DoCoMo. Il était 6 h 55,
l'appel de João Amado était imminent. Une trentaine
d'hommes des forces spéciales japonaises attendaient silencieusement les instructions et se réchauffaient comme ils
pouvaient, avec un thermos de café ou une cigarette. Pour
encercler Amado, trois autres unités étaient postées à différents endroits de la forêt. À la verticale au-dessus d'eux,
un satellite espion de la NSA était en position.

Dès que les aiguilles de la montre de Kuroda indiquèrent sept heures, il entendit la voix d'Amado et de sa femme dans son oreillette. Ils s'exprimaient en portugais. L'agent du Naicho n'y comprenait rien, mais cela importait peu. La conversation dura moins d'une minute. Le spécialiste de DoCoMo lui envoya la position initiale du fugitif sur son terminal GPS.

Amado était à un kilomètre, ce qui signifiait au moins une heure de marche dans les méandres de cette forêt, et encore plus pour les unités plus éloignées. Le satellite espion de la NSA l'avait localisé et ses capteurs thermiques ne le lâcheraient plus. Kuroda leva le bras et fit signe à ses hommes de se mettre en route. Chaque seconde comptait.

JOUR 13, BIOSPHERE 2, ARIZONA, ÉTATS-UNIS

Cela faisait près de vingt heures qu'ils planchaient sur les codes, en dormant à tour de rôle. L'heure fatidique qu'Abel s'était fixée approchait.

Les informations qu'ils avaient glanées sur Tyler ne leur avaient pour l'instant servi à rien. Les esprits de la nature qu'Abel avait invoqués n'avaient pas été plus utiles. Ils auraient bien contacté Janie, qui était toujours en sécurité avec le professeur Pungor, pour l'interroger sur son père, mais cela semblait trop risqué. Ils étaient donc devenus des spécialistes de la vie de Gary Tyler grâce à Internet. Comme Janie le leur avait dit, Tyler était veuf et vivait avec sa sœur et sa fille à Louisburg, dans le Kansas. Dans un exemplaire du *Louisburg Herald*, gazette locale de cette commune de 4 000 habitants, Lucy avait appris que Tyler était un amateur de Cervantès et qu'il avait promis au club de lecture de sa ville d'emmener *Don Quichotte* dans l'espace. Ils s'étaient alors crus proches du but. Abel avait analysé l'ouvrage dans tous les sens en y cherchant désespérément la clé de CIV. Cela n'avait rien donné. Le programme d'Abel ne sortit que des résultats inintelligibles. Dans le même journal, ils apprirent aussi la mort de la tante de Janie. La sœur de Gary Tyler s'était tuée dans un curieux accident de voiture quelques jours après que Janie ait été emmenée loin de chez elle. C'était donc pour cela qu'elle n'était pas aux obsèques et que Janie ne pouvait pas retourner chez elle. Cette disparition devait certainement être liée au complot.

Malgré leurs efforts, CIV résistait et ils n'avaient donc toujours pas la moindre preuve tangible pour expliquer ce qui s'était vraiment passé sur la Lune, et faire chuter le gouvernement américain. C'était le milieu de l'après-midi, Lucy dormait, effondrée sur le canapé. Abel était devant son ordinateur, épuisé. Ses angoisses nocturnes s'étaient encore amplifiées et l'avaient empêché de récupérer. Ses mains tremblaient et la panique commençait à l'envahir. Le jaguar noir tournait en rond et devenait fou à l'idée de mourir.

Pour s'aérer l'esprit, il fit un détour par les forums de cryptanalyse. De nombreux internautes essayaient également de résoudre l'énigme de CIV. Les raisonnements qu'ils avaient suivis étaient aux antipodes du leur, ce qui était normal dans la mesure où personne ne pouvait soupçonner que Tyler était l'auteur du message, sauf peut-être la NSA. Cette idée le fit frémir. Certaines voies explorées par les cryptanalystes amateurs étaient complètement farfelues, mais d'autres paraissaient crédibles. Cela acheva de décourager Abel. Peut-être s'étaient-ils complètement fourvoyés et qu'il ne s'agissait pas du tout d'un code de Beale ? Il était prêt à abandonner.

Il se sentit mal et alla s'étendre dans l'autre fauteuil, en face de Lucy. Ses pensées devenaient incohérentes. Il était sur le point de perdre pied, il fallait qu'il s'accroche. C'est le moment que choisirent les esprits de Ké et de son père Fernando pour se manifester à nouveau. L'état de fatigue était propice aux visions, aux prémonitions. La réalité s'estompait et l'esprit pouvait accéder à ce monde interstice où l'*ayahuasca* l'avait transporté la veille. Son père lui rappela que "pour faire une découverte, il faut parfois laisser agir le hasard", Ké lui recommanda d'"être attentif aux signes". Puis leurs esprits disparurent.

Compte tenu de l'urgence de la situation, Abel aurait préféré des conseils plus concrets. Son père avait déjà prononcé ces paroles lorsqu'il était enfant. Parvenu à l'âge adulte, Abel se les était remémorées quand il était devenu chercheur. Il était alors tombé sur la notion de "sérendipité" qui décrivait les découvertes effectuées par hasard, en recherchant autre chose. La structure en double hélice de l'ADN, le Machu Picchu, la tarte Tatin, les fullerènes, la radioactivité, le continent américain, la grotte de Lascaux, la Pierre de Rosette, tous avaient été découverts ainsi. Était-ce la manifestation d'une puissance supérieure qui misait sur l'homme et lui permettait ainsi de poursuivre son aventure ? Abel pensait que ce principe allait bien au-delà de l'homme. Les animaux et les plantes avaient aussi bénéficié de la sérendipité, de coups de pouce du destin, pour survivre aux lois implacables de la sélection naturelle.

Un découvreur a en général la clé devant les yeux, souvent depuis longtemps, et soudain il est attentif à un signe ou établit une connexion qui rend tout évident. Avant Isaac Newton, tout le monde avait vu des pommes tomber, mais lui seul en avait déduit les lois de l'attraction universelle. Les indices étaient partout, il fallait apprendre à les écouter, c'était en substance le conseil que Ké lui avait proféré. L'*ayahuasca*, qui révélait l'envers de la réalité et les liens entre les choses, devait favoriser ce processus de découverte.

Abel choisit donc de prendre à nouveau son temps, pour que l'inspiration vienne à lui. Sur la table basse, il vit l'exemplaire en français du *Petit Prince* que Christie Gardner lui avait remis. Il le saisit. Les livres exerçaient un pouvoir magique sur lui. Ils lui parlaient. Leur présence le rassurait. Il toucha la couverture de cette vieille édition et en renifla les pages. L'odeur de champignon qui s'en dégageait le transporta vers son enfance, lorsqu'il dévorait les ouvrages entassés par sa tante dans leur grenier à Boulder.

C'était là qu'il avait découvert ce livre, en espagnol : *El Principito*. Il en avait gardé un mauvais souvenir et ne l'avait jamais relu depuis.

Comme il avait un peu étudié le français au lycée, Abel essaya d'en lire quelques passages. Il y parvint à peu près car le texte était simple et cette langue ressemblait à l'espagnol. Le petit personnage tout blond lui faisait penser à Paul, ce que tous ses fans avaient remarqué. Outre la ressemblance physique, leurs destins étaient similaires. Le Petit Prince avait quitté sa planète, l'astéroïde B612, était venu visiter la Terre où il avait ensuite disparu. Son ami avait fait le chemin inverse : il avait quitté la Terre pour aller mourir sur la Lune. Abel parcourut avec émerveillement l'intégralité du livre. Malgré les nombreux dessins, ce n'était pas du tout un conte pour les enfants. C'était trop mélancolique et trop profond. Il y était question d'amitié, de méchanceté, d'amour, du sens de la vie, de liens invisibles entre les êtres, de cupidité et de mort. Il fallait impérativement offrir ce livre à des adultes et non à des enfants.

Abel fut intrigué par une phrase ambiguë que l'auteur avait prêtée au Petit Prince : "J'aurai l'air d'être mort et ce ne sera pas vrai". Paul lui avait parlé de cette phrase des années auparavant. Lorsque Saint-Exupéry avait disparu en mission à la fin de la Seconde Guerre mondiale, certains exégètes virent dans cette phrase une clé et prétendirent qu'il était toujours en vie. À la suite d'une série de hasards incroyables, la découverte de son avion au large de Marseille, puis la confession de l'officier allemand qui l'aurait abattu, mirent fin à ce mystère au début du XXIe siècle. En faisant réapparaître à la surface ces preuves, le destin avait décidé que la vérité sur les circonstances de la mort de l'aviateur devait être faite.

Abel feuilleta les premières pages du livre et s'aperçut que la dédicace en préambule avait été entourée à l'encre rouge par Paul. Étonnant pour un ouvrage d'une telle valeur.

Il relut cette page qu'il avait sautée. Saint-Exupéry dédiait le livre à un adulte – Léon Werth, son meilleur ami et s'en excusait auprès de ses lecteurs, supposément des enfants. Abel s'étonna de cette dédicace car le livre n'était certainement pas pour les enfants ! L'auteur avait laissé là une autre clé pour décrypter ce conte obscur. Et Paul l'avait entourée.

Une clé… Une clé… Une clé… Ces mots résonnaient dans la tête d'Abel.

Soudain, une pensée folle jaillit de son cerveau.

JOUR 13, MARCHÉ TSUKIJI, TOKYO, JAPON

À sept heures, les agents du Naicho postés à Tokyo avaient également reçu de DoCoMo la position de Rosa Amado, la femme de João. Elle se trouvait dans le marché aux poissons de Tsukiji, le plus grand du monde. Le Naicho avait placé des équipes d'intervention à proximité des zones les plus fréquentées de la capitale, dont celle-ci. Au signal, des colonnes de policiers se déployèrent et bloquèrent une à une les innombrables entrées de la grande halle. Personne ne devait s'en échapper, et surtout pas Rosa Amado.

À l'intérieur régnait une effervescence unique. La fameuse vente aux enchères des thons venait de se terminer. Les grossistes repartaient avec leurs trophées qui ressemblaient à des bombes givrées, la nageoire caudale ayant été coupée. Les plus beaux spécimens pouvaient atteindre 200 kg et leurs prix dépasser celui d'une voiture. Certains restaurateurs avaient déjà acheté les meilleures parts de thon et se dirigeaient vers les sorties. À l'extérieur, d'autres commerçants arrivaient par flots continus. Très rapidement, devant chaque porte de la halle, des attroupements se formèrent, réclamant le passage pour entrer ou sortir. Devant l'une des issues, la pression fut tellement forte que les agents de police durent rompre le fragile cordon de sécurité qu'ils formaient. Des hordes de Japonais s'engouffrèrent dans la brèche, puis d'autres rideaux humains ne tardèrent pas à céder ailleurs dans la halle. Les policiers étaient trop peu nombreux pour contenir une telle hémorragie.

Les agents du Naicho qui avaient pris le contrôle des caméras de sécurité de Tsukiji enrageaient. Rosa Amado était en train de leur échapper, si ce n'était pas déjà fait. Ils ordonnèrent à tous les policiers de quitter leurs postes et de fouiller la halle. Ceux qui n'y étaient jamais entrés furent stupéfaits par l'animation de ce lieu. Cela grouillait littéralement dans tous les sens. Des chariots motorisés déboulaient à toute allure dans les allées pour charger les camions frigorifiques en partance pour toutes les villes de l'archipel. Ce ballet à l'apparence chaotique était parfaitement orchestré et personne ne semblait faire attention à la présence des hommes en uniforme. À force de zigzaguer entre les étals de crabes, congres, pieuvres, mérous, requins, coquillages et autres bestioles étranges des profondeurs, ils durent se rendre à l'évidence que Rosa Amado leur avait glissé entre les doigts. Comme une anguille.

JOUR 13, BIOSPHERE 2, ARIZONA, ÉTATS-UNIS

Si l'intuition d'Abel se vérifiait, les conséquences seraient tellement extraordinaires qu'il n'osa même pas les imaginer. Aussi, il choisit de ne pas réveiller Lucy. Dans l'éventualité où il se serait encore trompé, il ne voulait pas qu'elle assiste à sa chute. C'était sa dernière chance.

Il s'extirpa du canapé et emporta *Le Petit Prince* jusqu'à son bureau. Le rythme de sa respiration s'accéléra. Il recopia le texte à une allure vertigineuse dans l'interface du logiciel.

À Léon Werth.

Je demande pardon aux enfants d'avoir dédié ce livre à une grande personne. J'ai une excuse sérieuse : cette grande personne est le meilleur ami que j'ai au monde. J'ai une autre excuse : cette grande personne peut tout comprendre, même les livres pour enfants. J'ai une troisième excuse : cette grande personne habite la France où elle a faim et froid. Elle a bien besoin d'être consolée. Si toutes ces excuses ne suffisent pas, je veux bien dédier ce livre à l'enfant qu'a été autrefois cette grande personne. Toutes les grandes personnes ont d'abord été des enfants. (Mais peu d'entre elles s'en souviennent.)

Je corrige donc ma dédicace :

À Léon Werth

quand il était petit garçon.

Abel vérifia qu'il ne manquait aucun mot, aucune lettre.

Il retint son souffle et enfonça solennellement la touche qui démarrait le programme.

JOUR 13, FORÊT D'AOKIGAHARA JUKAI, MONT FUJI, JAPON

Les capteurs thermiques du satellite de la NSA suivaient Amado et transmettaient sa position en temps réel aux forces spéciales japonaises. Bien qu'équipées de lunettes à vision nocturne, elles avaient du mal à progresser. La forêt d'Aokigahara avait poussé sur d'anciennes coulées de lave du Mont Fuji ; même si les plaques de mousse et les racines donnaient l'illusion d'un terrain plat, elles masquaient souvent des cavités profondes et dangereuses. Avant chacun de leurs pas, les militaires devaient faire attention et sonder le terrain avec leurs bâtons télescopiques. Ils auraient sans doute préféré appréhender Amado en hélicoptère, mais le risque de se faire repérer et de le perdre aurait été trop grand. Le fugitif connaissait le terrain et se déplaçait plus vite qu'eux, mais par malchance pour lui, il marchait dans leur direction.

Kuroda enrageait que son GPS ne puisse pas lui recommander un sentier plus praticable à travers la forêt, mais cette fonctionnalité n'avait pas encore été inventée. Il s'estima néanmoins heureux que son terminal fonctionne : une des légendes sur la forêt était véridique. Les couches ferromagnétiques du sous-sol avaient en effet déréglé sa boussole. Sans leurs équipements électroniques, les forces spéciales se seraient perdues comme de vulgaires promeneurs. La mort aurait été alors quasi certaine car la végétation était partout similaire et n'offrait aucun repère.

Les troupes s'arrêtèrent devant un écriteau portant une inscription inquiétante : "Contactez la police et reconsidérez votre geste." Il avait été installé par les autorités qui tentaient d'endiguer la vague de suicides déclenchée par la publication du *Guide complet du suicide* de Wataru Tsurumi. Dans cet ouvrage, l'auteur décrivait onze manières de se donner la mort, et la forêt d'Aokigahara y figurait en bonne place.

Le jour commençait à poindre quand la NSA perdit la signature thermique d'Amado. Les forces spéciales n'étaient plus à ce moment-là qu'à dix minutes de lui. Kuroda se demanda où il avait bien pu disparaître.

JOUR 13, BIOSPHERE 2,
ARIZONA, ÉTATS-UNIS

La réponse tomba instantanément, comme le couperet d'une guillotine.

ERREUR :
la clé saisie ne contient pas assez de mots.

Abel pria pour qu'une erreur se soit glissée dans son programme. Il recompta le nombre de mots de la dédicace en préambule du *Petit Prince*. La réponse était sans appel : il y en avait 128 alors que le plus grand nombre de CIV allait jusqu'à 549. Les 128 mots du préambule étaient donc insuffisants pour permettre de décrypter CIV.

Abel enragea. Comment avait-il pu être aussi idiot ?

Ce texte ne pouvait pas être la clé.

Cela aurait été trop beau.

Peut-être que CIV n'était même pas un code de Beale ?

Tous ses espoirs s'évanouissaient.

Abel était anéanti.

Abel était condamné.

Dans un dernier sursaut de vie, il compta désespérément le nombre de lettres du texte de Saint-Exupéry : 549.

549... 549... 549... Et si ce n'était pas un hasard ?

Du royaume des morts où il avait déjà un pied, il modifia son algorithme pour qu'il ne prenne plus en compte les positions des mots dans le texte du *Petit Prince*, mais celles des lettres, des 549 lettres.

Sans plus y croire, il relança une ultime fois son programme.

JOUR 13, FORÊT D'AOKIGAHARA JUKAI, MONT FUJI, JAPON

L'unité de Kuroda arriva en premier à l'endroit où Amado s'était évaporé : une clairière en forme de cuvette en plein cœur de la forêt. Les autres équipes n'allaient pas tarder. Un voile de brouillard flottant au niveau du sol accentuait le caractère mystérieux et inquiétant du lieu. Ils étaient tous sur leurs gardes et avançaient en rampant dans le plus grand silence. Sous les racines d'un arbre, l'un des soldats remarqua l'entrée d'une cavité plus profonde que les trous qu'ils avaient évités jusqu'à présent. Kuroda en inspecta les parois. Elles étaient plutôt lisses et très dures. Il les éclaira à l'aide de sa lampe de poche. Leur couleur était très sombre : c'était de la lave. Un boyau de lave creux. Avec sa lampe, il vit sur les parois des stries qui rappelaient l'écorce d'un arbre. Il avait sous lui une formation géologique rare appelée "arbre moulé" ou "empreinte d'arbre". Lorsque la lave s'écoule sur les flancs d'un volcan, elle fait tomber les arbres qui normalement se consument sur son passage. Cependant, il arrive parfois que la lave soit prise au piège d'un relief particulier, comme cette cuvette, et que sa température s'abaisse. Les arbres prisonniers se consument alors lentement, laissant le temps à la lave de se solidifier autour. Un animal ou un homme pouvait facilement s'y glisser.

Les soldats poursuivirent leurs recherches et localisèrent de très nombreux arbres moulés dans toute la clairière. Ces cavernes de lave étaient reliées les unes aux autres, et João Amado se cachait quelque part dans ce labyrinthe géologique.

JOUR 13, BIOSPHERE 2, ARIZONA, ÉTATS-UNIS

Alors qu'Abel n'avait plus aucun espoir, un message apparut à l'écran :

ABELTOUSLESDETAILSSONTSURBRIDGESTARSILENCE
TUESLESEULAPOUVOIRMESAUVERPAUL

Quand il lut les quatre premières lettres, il faillit tomber de son siège. Il se redressa, relut le message : il ne rêvait pas. Il vit alors les quatre dernières lettres. Il se mit à pleurer et à rire à la fois, comme un prisonnier qui recouvre la liberté après une erreur judiciaire, comme un sportif qui remonte sur le podium après un grave accident, comme toute personne qui réussit alors qu'elle n'y croit plus. Vaincre ou périr.

Par un subtil mélange d'intuition et de hasard, l'énigme était résolue. Les coïncidences et la sérendipité avaient œuvré pour que la vie d'Abel continue. La révélation qui se cachait derrière CIV dépassait toutes ses espérances. Les 20 millions de dollars du trésor de Beale n'étaient rien à côté.

Il ne savait plus vraiment ce qu'il éprouvait, mais il s'en fichait. Il n'était de toute façon plus sur Terre. Son meilleur ami était vivant. Il était le plus heureux des hommes.

Il remercia Ké. Il remercia son père. Il se mit à hurler de joie. Dérangée par ce vacarme, Lucy se réveilla et découvrit son mari en transe. Elle osait à peine lui demander, mais elle le fit quand même :

— Abel, tu as trouvé ?

— Oui !

Elle ouvrit grand les yeux et la joie illumina son visage.

— C'est quoi alors, la clé utilisée par Tyler ? demanda-t-elle, dévorée par la curiosité.

— C'est *Le Petit Prince* ! Mais, Lucy, ce n'est pas ça le plus extraordinaire : Tyler n'est pas l'auteur de CIV. C'est Paul ! Il est vivant !

Lucy fondit en larmes à son tour et se jeta dans les bras de son mari. Elle attendrait un peu pour les explications détaillées.

JOUR 13, FORÊT D'AOKIGAHARA JUKAI, MONT FUJI, JAPON

La corde avait vibré. Elle était reliée à un détecteur rudimentaire que João Amado avait placé dans la clairière. Il saisit sa paire de jumelles, souffla sur sa bougie et remonta par une échelle de fortune vers la surface en suivant la corde. Il se hissa à l'intérieur d'un des arbres moulés et, dissimulé par d'épaisses racines, il rechercha le rongeur qui avait agité le piège.

Quand il aperçut la chaussure d'un soldat, son cœur se mit à battre la chamade. Il pria pour qu'il s'agisse juste d'un exercice de la base militaire voisine. Mais le soldat n'était pas seul, bien au contraire. D'autres hommes étaient à plat ventre à ses côtés. Sans faire aucun bruit, il inspecta avec ses jumelles celui qui était le plus proche de lui, les autres étant dissimulés par le brouillard. Il était très grand et portait un brassard aux armes du Naicho, le service secret du Premier ministre. Ses derniers espoirs s'envolèrent.

Il ignorait comment le Naicho avait pu retrouver sa trace. Il connecta son téléphone, composa le numéro convenu et raccrocha immédiatement. À l'autre bout de la planète, un ordinateur relié à un serveur téléphonique exécuta les tâches pour lesquelles il avait été programmé. Son disque dur se mit ensuite à fondre. Quelques instants plus tard, Abel serait prévenu.

João Amado descendit au fond des catacombes de lave et se glissa dans une alcôve étroite dont il dissimula l'entrée avec une grosse pierre. Il faudrait des heures aux militaires pour le trouver. Seul dans l'obscurité et le froid, il pensa à sa femme et à son fils. Et à l'utopie de Gaïa qui allait sûrement prendre fin.

JOUR 13, BIOSPHERE 2, ARIZONA, ÉTATS-UNIS

Abel ne parvint pas, tout d'abord, à expliquer à Lucy comment il avait pensé à ce texte. Cela s'était passé de façon tellement irréelle. En lisant la dédicace du conte de Saint-Exupéry, le visage de Paul avait surgi par magie, comme saint Jean-Baptiste à Salomé dans *L'Apparition*, une toile surnaturelle de Gustave Moreau qu'Abel avait découverte dans un musée à Paris.

Puis, en parlant, ils s'aperçurent qu'au contraire tout relevait d'un plan à la logique implacable. Paul avait pressenti un danger et pris des mesures pour qu'Abel lui porte secours : le coup de téléphone étrange juste avant la période de quarantaine, le message MIL pour tromper les militaires, le message CIV pratiquement inviolable diffusé largement sur les fréquences SOS civiles, la passion d'Abel pour le code de Beale connue de Paul, l'exemplaire rarissime du *Petit Prince* que sa mère devait remettre impérativement à Abel, la dédicace de l'écrivain à "son meilleur ami" entourée à l'encre rouge indélébile, les discussions dans le passé sur ce roman à *clés*, la possibilité que le Petit Prince ne soit pas vraiment mort...

Pourtant le plan de Paul avait failli échouer. Paul était parvenu à berner le président des États-Unis et son secrétaire à la Défense en leur faisant croire que le major Tyler était vivant. Il n'avait pas prévu qu'Abel puisse accéder à cette information en assistant à une de leur conversation et que cela le détournerait des signes si évidents qu'il avait laissés par ailleurs.

Pris dans l'euphorie du moment, Lucy et Abel avaient oublié la petite Janie. Leur découverte était extraordinaire, mais elle condamnait simultanément Janie à rester orpheline. Pauvre enfant ! Mais il fallait maintenant qu'ils découvrent le mystère caché derrière CIV. Une fois leurs esprits retrouvés, ils réalisèrent qu'à ce stade, ils n'avaient toujours pas la moindre preuve pour accuser le gouvernement américain. Ils décidèrent de se laisser guider par les instructions laissées par Paul.

ABEL TOUS LES DÉTAILS SONT SUR BRIDGESTAR
SILENCE TU ES LE SEUL À POUVOIR
ME SAUVER PAUL

Ils se précipitèrent sur Internet pour rechercher des informations sur Bridgestar. De nombreuses sociétés, dans des domaines très variés, portaient ce nom. L'une d'entre elles attira leur attention plus particulièrement : elle gérait une flotte de cinq satellites, destinée à la retransmission de programmes de télévision. Abel se souvint que Paul avait travaillé un temps pour cette firme.

Sur un site répertoriant l'ensemble des satellites commerciaux en orbite autour de la Terre, ils apprirent que les trois satellites les plus anciens – BridgeStar I, II et III – n'étaient plus en activité. BridgeStar IV et V étaient toujours en service et couvraient respectivement la péninsule indienne et le continent nord-américain.

Ils s'intéressèrent un peu plus à BridgeStar V. Il était situé à 36 000 km en orbite géostationnaire et survolait un point fixe de l'équateur, au cœur de l'océan Pacifique, à 20° à l'ouest des îles Galápagos. L'orbite géosynchrone était aussi appelée orbite de Clarke, en hommage à l'auteur de *2001, l'Odyssée de l'espace* qui en avait proposé l'idée en 1945.

— Bon, tout ça ne nous dit pas ce que Paul va faire avec BridgeStar. Il ne va tout même pas s'adresser à la télévision ? se demanda Lucy.

— Non, je ne pense pas non plus. Vu ce qu'il a écrit dans CIV, il va essayer d'être plus discret. Une sorte de message caché, sûrement.

— Comme dans *Contact*, lorsque les extraterrestres cachent le plan d'une machine dans des images télévisées ? lança Lucy.

Abel la regarda avec admiration.

— Mais oui ! Paul nous a laissé un autre signe : l'affiche de ce film dans sa chambre, au-dessus de son lit ! Elle n'y était pas avant, j'en suis certain. D'ailleurs, si tu te souviens de l'affiche, derrière l'acteur principal on y voit des antennes, ce sont celles du VLA, à côté de chez Pungor ! C'est un nouveau signe, Paul nous invitait à rejoindre Pungor !

— Paul avait vraiment pensé à tout. Mais sur ce coup-là, nous l'avions devancé !

— J'y pense aussi maintenant, Paul avait laissé sur sa platine *Space Oddity* de Bowie. Il y est question du major Tom : encore un signe pour nous aiguiller vers le major Tyler ! Il se doutait bien que je regarderais le dernier disque qu'il avait choisi d'écouter.

— Bon, allez, ne perdons pas une minute, partons retrouver Pungor ! s'impatienta Lucy, souriante.

— Attends, on a encore besoin d'informations sur le satellite.

Abel téléchargea un logiciel de simulation astronomique dans lequel il injecta la trajectoire de BridgeStar V. Le point équatorial qu'il survolait était à l'exacte verticale du Nouveau-Mexique. Là où Pungor demeurait. Ils ne s'étaient donc pas trompés. Il lança ensuite une nouvelle simulation en y incluant la Lune. Les objets célestes se mirent à se mouvoir selon un ballet parfaitement rythmé. Le satellite Bridge-Star V passait devant la Lune une fois par jour. Il refit la simulation et nota que le prochain alignement entre la base lunaire, le satellite et le Nouveau-Mexique aurait lieu quatre heures plus tard, vers 20 h. En conduisant très vite, ils pourraient peut-être arriver à temps chez Pungor. En un éclair, Abel copia toutes les informations concernant BridgeStar V sur son ordinateur portable.

Alors qu'ils s'apprêtaient à quitter le bureau, Lucy s'arrêta :

— L'écran de ton ordinateur vient de se mettre à clignoter, c'est normal ?

Abel se retourna et aperçut le signal qu'il n'aurait jamais souhaité voir. Un membre du Premier Cercle de Gaïa était sur le point de tomber et avait informé le Centre avant de se faire prendre. Abel se rua sur la machine. Il pianota une série de commandes incompréhensibles pour les profanes. João. Ce salaud d'Akamatsu l'avait trouvé. Abel prit son crâne entre ses mains.

— Quelque chose ne va pas ? lui demanda Lucy.

L'heure de vérité était venue. Il ne pouvait cette fois-ci plus reculer. Il releva la tête.

— Lucy, je dois te parler. Ce que tu vas entendre ne va pas te faire plaisir.

Elle le regarda fixement.

— Je ne te demande pas de me pardonner, poursuivit Abel, juste de garder ton calme. C'est une question de vie ou de mort. Pour moi, mais malheureusement aussi pour toi et tous nos employés.

À sa grande surprise, Lucy lui répondit calmement :

— Je sais déjà ce que tu vas me dire.

JOUR 13, FORÊT D'AOKIGAHARA JUKAI, MONT FUJI, JAPON

Dans le bois voisin, Kuroda rappela aux quatre unités réunies qu'Amado devait être capturé vivant. Il cherchait un moyen simple et rapide pour le faire sortir de sa cachette. En apercevant l'objet en métal qui pendait à la ceinture de l'un des soldats, Kuroda se remémora une technique de chasse que l'on réservait généralement aux renards. Il ordonna aux hommes d'enfiler leurs masques à gaz et de se mettre en position dans la clairière, à l'entrée des arbres moulés.

À son signal, ils dégoupillèrent leurs grenades lacrymogènes et les firent rouler dans les boyaux souterrains. Une rafale d'explosions sourdes vint rompre le silence de cimetière. Des nuages de gaz s'échappèrent des troncs pétrifiés et se mélangèrent au brouillard. Peu après, un hurlement jaillit des profondeurs de la Terre et vint déchirer les tympans des militaires. Des cris mêlés à des toussotements résonnaient dans le réseau de lave et s'échappaient de tous ses orifices. Amplifiés par l'écho, ces sons se réfléchissaient dans la clairière comme des rayons de lumière emprisonnés dans un prisme. En entendant ce vacarme provenant de toutes les directions, les soldats se mirent à redouter que le fugitif ne soit pas seul.

Au milieu d'un tas de feuilles, une main humaine à la peau mate émergea du sol, suivie d'un bras. Peu rassurés, deux soldats l'agrippèrent et extirpèrent le corps quasi inanimé d'un jeune homme. Kuroda s'approcha de celui-ci. Il vomissait de la bile et cachait dans ses mains son visage qui le brûlait. Kuroda lui rinça la peau et les yeux avec un mélange d'eau et de Maalox. Le fugitif avait des traits asiatiques et une abondante coiffure afro. C'était bien João Amado.

Goro Kuroda jubilait : il venait d'arrêter le premier membre de l'organisation terroriste Gaïa. Son nom entrerait dans l'Histoire. Il appela aussitôt le Premier ministre qui le félicita rapidement et lui demanda aussitôt de remettre le détenu à la CIA. Kuroda était déçu d'un tel manque de reconnaissance. Akamatsu n'accepta même pas qu'il commence l'interrogatoire : le président Carlson avait expressément exigé que le détenu soit isolé jusqu'à l'arrivée des Américains. L'agent spécial du Naicho grommela puis raccrocha nerveusement. Il détestait la CIA et par-dessus tout le fait que son pays soit à la botte des États-Unis.

À ses pieds, Amado, qui avait suivi la conversation, trouva la force de le défier d'un doigt d'honneur avant de s'écrouler.

JOUR 13, BIOSPHERE 2, ARIZONA, ÉTATS-UNIS

— Tu fais partie de Gaïa, lui lança Lucy, sûre d'elle.

Abel était estomaqué. Comment avait-elle pu deviner ?

— Comment sais-tu ? l'interrogea-t-il, sans chercher à nier.

— Abel, tu sais, ces cauchemars que tu fais souvent ?

Il commençait à entrevoir là où elle voulait en venir.

— Eh bien, outre les angoisses, les sueurs, les cris, il t'arrive aussi de parler. Dans le passé, tu avais déjà prononcé plusieurs fois le nom Gaïa, alors que le groupe était inconnu. Je n'y avais pas vraiment prêté attention.

— Et ?

— C'est surtout cette nuit… Tu n'as pas arrêté de parler de Gaïa… Tu as dit que tu étais traqué !

L'inconscient d'Abel l'avait trahi. Pendant toutes ces années, il avait calculé la moindre de ses actions pour lui dissimuler ses activités, mais la boîte noire avait parlé. Il découvrait le pouvoir de cette partie de lui-même sur laquelle il n'avait aucune prise.

— Et puis, j'ai vu ta bibliothèque.

Abel se rappela leurs jeux amoureux dans la première bibliothèque. Celle qui ne cachait rien de compromettant. Voyant qu'Abel gardait son sang-froid, Lucy poursuivit.

— Et la deuxième aussi, renchérit-elle. Celle dont la porte était cachée derrière la glace. J'ai vu tes traités de stratégie militaire et de guérilla. Je n'avais pas fait le lien, mais maintenant c'est évident.

Abel ne savait pas exactement ce que Lucy avait pu découvrir, mais elle était certainement encore très loin du compte. Abel inspira profondément. Il ne pouvait plus reculer et il devait agir très vite.

— Lucy, écoute bien ce que je vais te dire. Non seulement je fais partie de Gaïa, mais en plus j'en suis le créateur. Tu as en face de toi l'ennemi public numéro 1 des États-Unis et d'une bonne partie de la planète.

Lucy reçut cette information comme une gifle. Entre faire partie de Gaïa et être à sa tête, il y avait une différence colossale. Le mensonge d'Abel était monstrueux. Elle resta plantée devant lui, muette, assommée. Quand l'onde de choc arriva à son cerveau, elle sentit une colère immense l'envahir. Elle se retint pour ne pas le rouer de coups. Le visage empourpré, elle quitta furieusement le bureau en claquant la porte. Elle partit se réfugier sur le versant de la colline voisine. Les quelques employés qu'elle croisa s'interrogèrent sur les raisons de sa colère. Le sol cédait sous ses pieds. Elle s'assit sur un rocher et s'imagina toutes les précautions, les calculs, les mensonges à répétition pour ne pas éveiller ses soupçons. C'était effrayant. Elle eut envie de vomir. L'homme qu'elle avait en face d'elle ne pouvait pas être son mari, c'était un étranger. Un manipulateur. Un menteur et un salaud.

Abel ouvrit les rideaux de son bureau qui étaient restés tirés depuis la veille. Il aperçut Lucy assise au milieu des roches rouges. Le compte à rebours tournait pour Paul, pour Gaïa et pour lui, mais il devait réparer les dégâts qu'il venait de commettre.

Il grimpa sur la colline et s'approcha lentement de Lucy. Elle ne leva même pas la tête. Ses poings étaient tétanisés, son corps dur comme une pierre.

— J'ai songé mille fois à tout te révéler, mais j'ai toujours craint ta réaction, fit Abel avec sa voix la plus douce. Je suis vraiment navré. Je ne voulais pas que tu coures le moindre danger.

Lucy était sur le point de lui hurler dessus quand elle fut prise d'un sentiment confus de culpabilité. Elle se mit à sangloter.

— Après toutes ces années vécues ensemble, je n'arrive pas à croire que tu ne m'aies pas fait confiance. Tu crois que je n'aurais pas compris ?

— Tu veux dire que tu aurais approuvé ce que fait Gaïa ? demanda-t-il sur un ton plus que navré.

— Non, je réprouve vos actions, répondit-elle en larmes, tout ça ne mène nulle part.

Abel aurait voulu lui parler de sa seconde phase, qui aurait donné tout son sens à l'action de Gaïa et qui n'avait pas pu voir le jour suite à la publication du manifeste. Le groupe s'était arrêté au milieu du gué.

— Nous en parlerons plus tard, dit Lucy très sèchement. Ni Gaïa ni toi ne méritez une telle injustice. C'est honteux et il faut chasser ces voyous du gouvernement. Pour toi, pour Gaïa, pour Paul, pour Janie et pour tous les habitants de ce pays.

— Tu ne m'en veux donc pas pour les risques que je te fais courir depuis une semaine ? s'enquit Abel.

— Je t'en veux à mort, Abel ! hurla-t-elle. Mais nous n'avons plus le choix. Nous devons continuer. Nous réglerons nos comptes plus tard. Pour l'instant, promets-moi juste une chose ?

— Laquelle ?

— De ne plus jamais me mentir !

Abel essaya de la toucher, mais elle le repoussa violemment.

— Abel, qu'est-ce que c'était, ce signal sur ton écran ? reprit Lucy sur un ton ferme.

— Le représentant de Gaïa au Japon vient d'être arrêté. Ils vont essayer de le faire parler et il sait qui je suis.

— Est-ce que je le connais ?

Abel réfléchit un instant et se rappela le pacte qu'ils venaient juste de conclure. Il se racla la gorge et avoua presque honteusement :

— C'est João.

— João ? Mais le FBI va débarquer ici d'une minute à l'autre ! paniqua-t-elle.

— Je fais confiance à João pour tenir un moment, mais nous sommes effectivement tous en grand danger : toi, moi et l'ensemble des employés de Biosphere Economics.

— Merci de me le rappeler. Et quel est ton plan maintenant ?

— On va d'abord évacuer le site et mettre à l'abri tout le monde.

Lucy se releva du rocher sur lequel elle était toujours assise et se posta devant lui.

— Et tu vas leur dire quoi ? Tu veux qu'ils t'étranglent tous ? À moins qu'ils ne soient eux aussi de mèche ?

Abel regarda Lucy, penaud.

— Non, promis. Aucun d'entre eux ne sera mis au courant. Je serai encore obligé de leur mentir. Quand ils seront en lieu sûr, nous retournerons chez Pungor. Nous essaierons de capter la retransmission de BridgeStar V demain soir. Tant pis pour aujourd'hui !

— Attends, j'ai encore une question à te poser. Vu que João est impliqué, Paul est-il également mêlé à Gaïa ?

— Non, à lui non plus je n'en ai jamais parlé. Tu n'es pas la seule personne de confiance à qui j'ai tout caché. Je voulais vous protéger et vous parler de Gaïa uniquement quand j'aurais pu en être fier. Le gouvernement américain m'a stoppé avant. Ou en tout cas, il essaie.

D'un pas décidé, Lucy marcha vers le bâtiment principal et tira la sonnette d'alarme. Les sirènes se mirent à retentir dans tout le campus.

JOUR 13, FORÊT D'AOKIGAHARA JUKAI, MONT FUJI, JAPON

Les agents de la CIA attendaient déjà au Camp Fuji, une des bases permanentes des Marines américains sur le territoire japonais. Les hélicoptères parvinrent au-dessus de la clairière où Kuroda gardait João Amado. Leurs pales provoquaient un vacarme assourdissant. Ils cherchèrent à atterrir, mais le terrain était tellement irrégulier, avec ces arbres pétrifiés et empilés, qu'ils y renoncèrent. Ils lâchèrent un filin au bout duquel les militaires harnachèrent le corps inanimé d'Amado. Ils le hissèrent à bord et mirent ensuite le cap vers le sud.

Kuroda les regarda s'éloigner dans le ciel. Comme le reste du monde, il ne reverrait sûrement jamais Amado. Il ignorait l'endroit où il serait emmené, mais il ne donnait pas cher de sa peau. Le Camp Fuji n'était pas équipé pour accueillir un prisonnier d'une telle importance. Il n'avait surtout pas le matériel pour l'interroger selon les méthodes que la CIA réservait à de telles proies. Peut-être le conduiraient-ils à Okinawa, au commandement central des Marines au Japon ? À moins qu'ils ne préfèrent un endroit plus discret, l'une des bases américaines de l'océan Pacifique ou de l'océan Indien, par exemple. Là-bas, tout serait permis.

JOUR 13, BIOSPHERE 2, ARIZONA, ÉTATS-UNIS

Lucy et Abel avaient réuni leurs plus proches collaborateurs. Maja Kintzinger, la première employée d'Alcatraz Consulting à San Francisco, Sven Hansen, le directeur des laboratoires, et aussi Anthony Malville. Lucy avait insisté pour qu'il soit mis dans le secret et Abel avait dû accepter à contrecœur ; ce n'était pas le jour où il pouvait s'opposer aux vues de sa femme. Il leur confisqua leurs téléphones portables, ce qui les intrigua.

— Nous allons devoir évacuer le site, lâcha Abel.

Leurs collaborateurs, perplexes, attendaient plus d'explications.

— Nous avons décodé le message en provenance de la Lune dont parlent les journaux. Il a été écrit par Paul Gardner. Il est vivant et l'organisation Gaïa est innocente.

Maja et Sven étaient sans voix. Anthony, lui, cherchait à en savoir plus.

— Cela met en grand danger les proches de Paul. Nous devons évacuer. Je ne peux pas vous en dire davantage. Nous allons poursuivre l'enquête avec Lucy, mais nous ne voulons pas que les employés soient menacés. Les informations que nous détenons sont déjà de nature à renverser le gouvernement.

Bien sûr, Abel ne leur parla pas de son lien avec Gaïa qui les aurait terrorisés. Ils étaient néanmoins stupéfaits par ce qu'il venait de leur apprendre.

Ils rassemblèrent ensuite tous les employés de Biosphere Economics avec leurs familles. Lucy et Abel ne donnèrent pas d'explications précises, indiquèrent seulement qu'ils détenaient une information capitale, susceptible de changer complètement le cours de l'affaire Gaïa. Il leur faudrait encore un peu de temps pour parfaire leurs preuves mais en attendant, Biosphere Economics courait un grand danger et ils devaient se mettre à l'abri. Un danger qu'Abel ne pouvait pas leur expliquer. Les employés se regardèrent, incrédules. Certains étaient enthousiastes, comme Mark et Eugénie qui avaient eu maille à partir avec le FBI et rêvaient que le groupe Gaïa soit réhabilité. Tous avaient confiance en leurs patrons et acceptèrent de quitter temporairement les lieux. Par mesure de sécurité, ils remirent également leurs téléphones portables à Lucy et Abel, et les communications de Biosphere 2 avec l'extérieur furent coupées.

La nuit tombait et les deux cents scientifiques embarquèrent dans des bus avec leurs familles pour un exode dont ils ignoraient la destination. Tout se déroula dans le calme. Les parents avaient eu le droit d'emporter leurs biens les plus précieux ; les enfants, quelques peluches et jouets. Ils commençaient à douter que ce départ fût réellement de courte durée. Abel observait avec tristesse cette lente procession. Il regrettait d'en être arrivé là et d'avoir impliqué ces innocents dans sa quête. Les lumières du site étaient éteintes, mais il pouvait quand même discerner la forme de la Grande Serre. L'esprit de Ké était au plus mal. Elle pleurait. Il lui promit qu'ils allaient s'en sortir, mais il avait le curieux pressentiment que c'était la dernière fois qu'il la voyait. Il la remercia de l'avoir aidé à résoudre CIV et lui jura d'accomplir les missions qu'elle et son père lui avaient assignées. Montrer à l'humanité le visage de la Terre et lui faire comprendre qu'elle faisait partie d'un Tout.

Abel prit la tête du convoi. Dans son bus, il n'y avait aucun bruit. Les passagers, bercés par les ronronnements du moteur, méditaient en observant la nuit. Les enfants dormaient profondément. Un étroit et pâle croissant ornait la voûte céleste et éclairait timidement l'asphalte. La Lune achevait son cycle. Paul était là-haut, vivant. Lucy était aux côtés d'Abel à l'avant, mais elle paraissait ailleurs. Ils n'avaient pas eu le temps de s'expliquer. Dès qu'ils seraient à nouveau seuls, il savait qu'il devrait lui rendre des comptes.

Pendant plusieurs heures et sans croiser la moindre voiture, ils étaient remontés vers le nord en direction du pays navajo. Ils ne s'étaient arrêtés que quelques minutes pour une courte pause technique après laquelle le talkie-walkie qui reliait Abel aux autres bus se mit à vibrer. C'était Maja.

— Abel, nous avons un petit problème.

— Que se passe-t-il ?

— Anthony n'est plus dans le bus. Il n'a pas dû remonter après l'arrêt.

C'était la dernière chose qu'Abel aurait souhaitée. Il en informa Lucy.

— Il faut faire demi-tour et aller le rechercher, lui dit-elle naïvement.

— Lucy, on n'a pas pu oublier Anthony. On a attendu suffisamment longtemps et on a appelé les retardataires à plusieurs reprises. Il s'est forcément enfui.

— Quel intérêt aurait-il eu à s'enfuir ?

— Soit il a eu peur de nous accompagner là où nous allons, soit il a voulu raconter ce qu'on lui a appris à quelqu'un.

Lucy, à contrecœur, admit que c'était plausible.

— Ce ne serait alors pas bon du tout pour nous, admit-elle, confuse.

— Effectivement.

— Mais à qui pourrait-il bien avoir intérêt à raconter ça ?

Ils durent tous deux reconnaître qu'ils n'en avaient pas la moindre idée. Anthony travaillait avec eux depuis plusieurs années, mais ils ne connaissaient quasiment rien de lui.

Il avait auparavant réalisé un parcours fulgurant dans un grand cabinet d'audit financier, puis il avait candidaté au poste de directeur financier qu'ils avaient ouvert. Son intérêt pour leur société les avait au départ surpris. Mais Anthony était parvenu à les convaincre : il voulait tenter une expérience radicalement nouvelle et travailler au milieu du désert, c'était pour lui un défi personnel.

Lucy et Abel s'en voulaient de ne pas avoir été plus vigilants pendant leur dernière halte. Malville ne savait pas grand-chose, mais si l'information de la survie de Paul arrivait jusqu'au sommet de l'État avant qu'ils ne décryptent le signal de BridgeStar V, le gouvernement aurait le temps de lancer une nouvelle campagne de désinformation qui leur couperait l'herbe sous le pied. Il n'y aurait plus aucun effet de surprise. Ce que savait Anthony restait néanmoins de faible valeur tant que les dirigeants américains ignoraient qu'Abel était aussi le chef de Gaïa, donc tant que João tenait.

— Qu'est-ce qu'on fait, alors ? demanda Lucy.

— Si on y retourne, on risque de ne pas le retrouver, mais surtout, s'il a déjà prévenu la police, on va tomber dans leurs griffes. On doit continuer à avancer.

Il était près de 22 h et BridgeStar V n'émettrait pas son signal avant 20 h le lendemain. Ce serait un miracle si João résistait aux interrogatoires aussi longtemps et si Anthony ne faisait pas remonter l'info d'ici là. Abel implora la Nature, invoqua Ké, pour qu'elles empêchent son directeur financier de croiser une voiture. Il n'y avait plus que cela à faire : garder l'espoir. Ils poursuivirent leur route, tous feux éteints, sur des voies secondaires, jusqu'à l'entrée de la réserve indienne. C'était risqué, mais c'était le seul moyen de déjouer les satellites de surveillance.

JOUR 13, DÉSERT PEINT, ARIZONA, ÉTATS-UNIS

Anthony Malville sortit du talus derrière lequel il s'était caché. Le bus était reparti. La nuit était glaciale dans cette zone désertique, il rabattit les revers de sa veste contre sa gorge et se mit en marche. Il se déplaça sur un bon kilomètre dans la nuit. Ses chaussures italiennes en cuir n'étaient pas adaptées à ce terrain rocailleux. Il trébuchait sur les pierres bancales et ses pieds lui faisaient déjà mal. Il se cacha dans un trou à proximité de la route. Si jamais il leur prenait l'idée de faire demi-tour, il ne fallait surtout pas qu'ils le trouvent. Anthony Malville n'avait plus qu'à attendre qu'une voiture passe. Il pourrait alors contacter Terence Spencer, son véritable patron.

Le père de Lucy, puissant assureur d'Hardford dans le Connecticut, avait des relations exécrables avec sa fille unique. Elle détestait tout en lui : son goût de l'argent, sa soif du pouvoir, ses relations, sa façon de traiter sa mère et ses mœurs rebutantes. Dès qu'elle en avait eu l'occasion, elle avait quitté le domicile familial pour aller étudier à l'autre bout du continent, à Berkeley, refusant d'entrer à Yale, l'université voisine. Ils s'étaient revus à de rares occasions, avant son mariage, auquel son père avait refusé d'assister.

Pour autant que Terence Spencer se désintéressait du sort de sa fille, et afin d'avoir des nouvelles régulières, il avait placé Anthony Malville, l'un de ses hommes de confiance, comme directeur financier chez Biosphere Economics. Sa mission était double : veiller sur Lucy, mais surtout briser son couple. C'était un très beau garçon, paré des meilleures manières. Au milieu du désert, Lucy appréciait sa compagnie. Elle en avait parfois assez de vivre au milieu d'un ghetto de cyberpunks et de geeks, même si elle les aimait tous. La présence d'Anthony lui rappelait les bons côtés de sa jeunesse sur la côte Est.

Il avait gagné son intimité et déployé toutes sortes de stratagèmes pour tenter de la séduire. Sans succès. Il n'avait jamais vu une femme aussi difficile à envoûter. Et puis son mari s'en était aperçu et l'avait vigoureusement mis en garde. Le père de Lucy avait prévenu Malville et comptait sur sa ténacité. Mais il ignorait à quel point sa fille et Abel formaient un couple solide.

Terence Spencer avait donc été très déçu des résultats de son poulain. Ce soir, Anthony espérait se racheter. Il savait seulement ce que Lucy et Abel lui avaient dit : ils avaient décrypté un code en provenance de la Lune et découvert que l'astronaute Paul Gardner était encore vivant. Et cette information semblait être de nature à ébranler le gouvernement. Son patron serait intéressé à deux titres. Tout d'abord, c'était auprès de sa société que la NASA avait assuré la mission Columbus 11. Les dégâts, et donc les pertes pour sa société, étaient colossaux. Mais s'il y avait un survivant, l'indemnité à verser baisserait peut-être. Ensuite, si l'information était de nature à faire vaciller le gouvernement, Terence Spencer devait être mis au courant sans tarder car elle le déstabiliserait aussi. Il devait son succès à ses relations avec l'administration en place et aux gens influents qui gravitaient autour. Il avait donc intérêt à tout faire pour préserver ce réseau.

Anthony Malville se voyait déjà en train d'être félicité. Il serait enfin rapatrié de sa mission ingrate à Biosphere

Economics et on lui proposerait peut-être la direction financière du groupe, poste qu'il briguait depuis longtemps. Pour le moment, il grelottait dans un trou poussiéreux au milieu de nulle part et aucune voiture ne passait par là. Face à lui, des points lumineux apparaissaient par inter-mittence. Anthony n'y prêta pas attention. Puis les points cessèrent de clignoter. Ils le fixaient. Quand il entendit des grognements et vit des dents pointues, il comprit qu'il était encerclé par une horde de coyotes.

JOUR 14, FOUR CORNERS, ARIZONA, ÉTATS-UNIS

Il était près de trois heures du matin. Abel et sa colonne de bus approchaient du Four Corners. Au cœur du pays navajo se trouvait le seul point où quatre États américains se rencontraient : l'Arizona, le Colorado, le Nouveau-Mexique et l'Utah. Abel dépassa le monument qui marquait cet endroit, et roula encore une vingtaine de kilomètres sur la route déserte.

Au loin, au pied d'une colline, une lueur scintillait et semblait les appeler. Les bus progressèrent dans cette direction en sillonnant sur la piste. Parvenu au niveau du feu, Abel stoppa la caravane de bus et descendit de son véhicule. Lucy resta à l'intérieur. Elle ignorait toujours où il voulait les emmener. Pensant être parvenus à destination, les passagers qui avaient trouvé le sommeil se réveillèrent. À travers les vitres, ils virent leur patron dialoguer avec un Indien qui le dépassait d'une tête. D'autres membres de la tribu sortirent de leur hogan, maison traditionnelle navajo. Après quelques minutes, ils disparurent pour revenir munis de torches et perchés sur de splendides chevaux, qu'ils montaient à cru. Abel sauta sur le dos d'un mustang à la robe noire qu'on lui avait apporté. Avec les Indiens, il reprit la tête du cortège de bus.

Parvenus devant la paroi rocheuse de la colline, ils s'arrêtèrent. Le grand Indien, qui chevauchait à l'avant du groupe aux côtés d'Abel et qui était probablement leur chef, sauta à terre avec son flambeau et se dirigea vers un massif de cactus. Lorsqu'il démarra le moteur diesel du groupe électrogène, un vrombissement sourd envahit la nuit. Des craquements en provenance de la colline se firent ensuite entendre. La paroi était montée sur des rails et se déplaçait. La montagne s'ouvrit et une puissante lumière sortit de ses entrailles. Dans les bus, tout le monde était maintenant réveillé et observait ce manège surprenant.

Lorsque l'ouverture du rideau de pierre fut terminée, Abel fit signe aux bus de se garer à l'intérieur de la montagne. Le hangar central avait la capacité d'en accueillir une dizaine. Les grottes attenantes étaient aménagées en dortoirs. Les familles débarquèrent et prirent possession de leurs nouveaux quartiers. Au milieu des lits de camp, Abel s'adressa à ses équipes.

— C'est un peu rustique ici, mais vous serez bien installés et en tout cas en sécurité. Lucy et moi devons partir, nous reviendrons dès que possible. Vous serez sous la protection d'*Hozho* et des siens. C'est un vieil ami. Vous pouvez également l'appeler par son nom américain, Jeffrey.

Le refuge ressemblait à la Grande Serre de Biosphere 2 dans laquelle des humains devaient pouvoir vivre en autarcie pour préparer les futurs colons de l'espace. À la différence que là, il n'y avait pas de surfaces agricoles et qu'ils dépendraient des vivres stockés. Les enfants observaient *Hozho* et sa tribu avec émerveillement, ils se réjouissaient de passer plusieurs jours en leur compagnie. De dos, *Hozho* pouvait impressionner avec sa taille imposante et ses cheveux qui lui descendaient jusqu'au bas du dos. Son visage doux irradiait de bonté. Il actionna un levier et les grandes portes de pierre se refermèrent. Abel s'éclipsa avec Lucy vers une alcôve. Une voiture, recouverte d'une bâche, les y attendait. Il vérifia le contenu du coffre ; les armes, qu'il y avait placées au cas où, étaient toujours là. Ils prirent place à l'intérieur du véhicule et s'échappèrent par un passage secret qui débouchait sous une cascade, l'une des rares dans cette zone aride.

JOUR 14, ATOLL DE DIEGO GARCIA, OCÉAN INDIEN

João Amado était exténué. Après un long périple en hélicoptère, on l'avait placé dans un avion. Il avait voyagé à genoux, menotté et cagoulé dans la soute, pendant un temps qui lui avait paru interminable. Impossible de dormir. Il était revêtu de la tenue orange rendue célèbre par les détenus de Guantanamo : cadeau de bienvenue dans le cercle très restreint des "combattants illégaux" auquel les écologistes appartenaient désormais. Amado venait de perdre son statut d'être humain, ses droits n'étaient dorénavant guère différents de ceux d'un chimpanzé de laboratoire.

La cellule dans laquelle il était incarcéré ne possédait aucune ouverture. Un néon très puissant l'éclairait et émettait un grésillement exaspérant. Il en faudrait beaucoup plus pour faire craquer João Amado. Il sifflotait un air de reggae. Il faisait très chaud. Il ignorait qu'il avait été transféré sur la base de Diego Garcia, au cœur de l'océan Indien, à l'abri des regards indiscrets. Les militaires américains avaient loué cet îlot britannique paradisiaque pour une durée de cinquante ans. Les autochtones avaient été scandaleusement expulsés vers l'île Maurice et les Seychelles en 1971. Plusieurs milliers de soldats étaient désormais stationnés sur cette mince bande de terre, qui occupait une position stratégique permettant de surveiller les pétroliers en provenance du golfe Persique avant qu'ils ne fassent route vers le cap de Bonne-Espérance. C'était aussi une base pour les bombardiers furtifs B2 et une zone de ravitaillement pour les sous-marins nucléaires américains. Une piste de secours pour la navette spatiale américaine y avait également été construite, ainsi qu'un relais de communication pour le réseau Échelon de la NSA. En bref, Diego Garcia réunissait des attractions très diverses, bien plus intéressantes pour les militaires que la faune et la flore marines de l'atoll, pourtant uniques.

Un homme vêtu d'un élégant costume gris fit son entrée dans la cellule. Ce devait être un cadre de la CIA. Amado l'observa attentivement. Son visage lui était familier. Il avait déjà vu ce crâne dégarni et ces petites lunettes rondes quelque part. Lorsque l'homme commença à parler, il réalisa qu'il avait affaire à Mike Prescott, le secrétaire à la Défense des États-Unis. Peu de combattants illégaux avaient droit à un tel comité d'accueil. Gaïa était un invité de marque.

— Monsieur Amado, les États-Unis sont navrés du traitement que vous avez subi ces dernières heures, s'excusa faussement Prescott. Je suis certain que nous allons nous entendre et que vous recouvrerez votre liberté très rapidement. J'ai juste besoin de vous poser quelques questions.

Prescott le prenait vraiment pour un débutant. Une fois qu'il aurait obtenu de lui ce dont il avait besoin, Amado serait certainement coulé dans un bloc de béton et jeté au fond d'un lagon ou de l'océan.

— *Vai à fava, filho da puta*, lui décocha Amado.

Même s'il ne parlait pas le brésilien, Prescott comprit sans peine.

Même épuisé et accoutré de sa tenue orange ridicule, la beauté d'Amado rayonnait. Il était bâti comme un troisième ligne de rugby, les épaules larges et puissantes. Avec sa peau mate, son abondante chevelure et ses yeux en amande, il ressemblait à un Polynésien. Sa mère descendait d'un esclave angolais qui avait racheté sa liberté. João Amado portait les stigmates de la souffrance et de la résistance de ses ancêtres. Prescott lut cette intense détermination dans son regard. Il poursuivit posément l'interrogatoire. Il avait besoin de l'identité du leader de Gaïa, le peuple américain l'exigeait.

— Monsieur Amado, je comprends votre indignation. Mais le groupe auquel vous appartenez a commis un crime ignoble contre l'Amérique. Quatre astronautes sont morts. Nous devons retrouver vos supérieurs et vous allez nous y aider.

— Gaïa n'aurait jamais fait une chose pareille, vociféra le Brésilien. C'est une machination montée contre nous.

Il ne pouvait évidemment pas expliquer que son chef était le meilleur ami de Paul Gardner.

— Monsieur Amado, votre groupe comporte sûrement des ramifications radicales dont vous ignorez l'existence, poursuivit Prescott. Vous n'y êtes pour rien.

— Gaïa a des règles et des cibles très précises. Elle ne tue jamais et n'a jamais rien eu contre l'exploration spatiale. Tout cela n'est qu'un mensonge. Nous avons d'ailleurs publié un démenti, vous n'avez qu'à le lire.

Le détenu était borné. Prescott conserva son calme et essaya à nouveau. Il s'approcha cette fois-ci très près de son interlocuteur.

— Dites-moi juste pour qui vous travaillez et vous serez libre, lui susurra-t-il à l'oreille.

— Je ne travaille pour personne, mentit João. L'opération à Taiji était mon initiative personnelle.

— Très bien. Vous pouvez donc me dire à qui était destiné l'appel que vous avez passé depuis cette forêt maudite juste avant votre capture ?

Le détenu demeura silencieux. Prescott attendit quelques instants avant de reprendre sur un ton plus insistant.

— Alors, Monsieur Amado, j'attends votre réponse.

D'un mouvement de tête, João lui fit signe s'approcher.

— À ma grand-mère, lui murmura-t-il avec malice, c'était son anniversaire.

Prescott haussa les épaules et frappa deux coups à la porte métallique. Avant de sortir, il se retourna une dernière fois.

— Vous avez besoin d'un peu de réflexion Monsieur Amado. Je reviendrai vous voir plus tard.

Le délai de réflexion accordé à João ne fut pas long.

Deux hommes au physique de videur de boîtes de nuit firent irruption dans la pièce. L'un d'eux portait une planche de bois ; l'autre des chaînes.

Le premier s'agenouilla et manipula deux encoches métalliques dans le bas du mur. Il y inséra la planche et la reposa ensuite sur le sol, légèrement à l'oblique. Les deux colosses agrippèrent ensuite le prisonnier par les aisselles. Il se débattit, mais ils parvinrent sans mal à le plaquer dos à la planche, la tête vers le bas. À l'aide des chaînes, ils lui bloquèrent les mains, la tête et les pieds. Ils quittèrent ensuite la cellule.

Allongé sur ce plan incliné, le temps paraissait long à Amado. Cela lui rappelait les bancs à abdominaux dans les salles de musculation, en moins confortable. Tout son sang s'était concentré au niveau de sa tête. Il conserva son calme et tâcha de réguler sa respiration. Il ignorait encore le châtiment qui allait lui être infligé.

Les deux bourreaux revinrent avec une serviette de bain et un arrosoir rempli à ras bord. Ce n'était vraisemblablement pas pour jardiner.

On lui plaça la serviette sur le visage et l'eau commença à lui ruisseler dessus. Le tissu-éponge se colla à son visage et à ses narines. Sa bouche se remplit d'eau et, après quelques instants, il ne put plus respirer. Il suffoquait. Il toussa et but la tasse. Il était en train de se noyer et crut qu'il allait mourir. Puis l'eau s'arrêta de couler.

— Ce n'était qu'une mise en bouche, fit l'un des agents fier de sa plaisanterie. Le *waterboarding* est le sport préféré des petits hommes en orange comme toi. Tu vas adorer notre planche à eau.

Les simulacres d'exécution comme celui qu'Amado venait de subir étaient interdits par la Convention de Genève. Celle-ci régissait les droits des prisonniers de guerre, mais les États-Unis avaient décrété qu'elle ne s'appliquait pas aux combattants illégaux, statut qu'eux seuls octroyaient.

Abel avait formé ses lieutenants aux techniques de la guérilla, mais il n'avait jamais songé que les membres de Gaïa seraient un jour torturés de la sorte par la CIA. João profita de l'intermède pour inspirer profondément et bloquer ses narines. La douche reprit. Il entendit le bip d'une montre. Un flot régulier se déversa sur lui.

— Ce n'est pas mal pour un débutant, déclara la voix au-dessus de lui après un certain temps. En moyenne, un homme ne tient que quatorze secondes.

Amado était devenu un surfeur aguerri pendant ses études à San Diego. Après une chute d'une grosse vague, il lui arrivait d'être entraîné au fond de l'océan par les rouleaux. Dans ce cas, il fallait rester calme et attendre que ça passe, sans lutter.

Il entendait les deux imbéciles qui comptaient les secondes. Lorsqu'une minute fut écoulée, l'un des tortionnaires fut pris de panique.

— Fais pas le con, tu vas le tuer. Prescott nous jetterait au trou. Ce détenu est précieux.

Ils retirèrent le linge trempé et João Amado put à nouveau respirer. Ses bourreaux le regardaient bizarrement, comme une anomalie de la nature. Il venait pour sa part de comprendre qu'ils ne pouvaient pas se passer de lui. La présence de Prescott témoignait également de l'importance qui lui était accordée.

Les deux colosses reprirent le supplice. Une minute plus tard, la séance de torture était à nouveau interrompue. Il n'y avait plus d'eau dans l'arrosoir.

JOUR 14, ROUTES DU NOUVEAU-MEXIQUE, ÉTATS-UNIS

Plusieurs heures de route étaient nécessaires pour rejoindre Pungor et Janie. L'interrogatoire tant redouté par Abel ne tarda pas à commencer.

— Qui a construit cette base en plein cœur des hauts plateaux ? demanda Lucy.

— Ce sont les Navajos. Pendant la Guerre froide, ils eurent peur que les États-Unis et l'URSS ne s'anéantissent à coups de bombes atomiques. Comme de nombreux Américains à l'époque, certains ont commencé à bâtir des abris.

— D'accord, mais l'aménagement intérieur ? poursuivit Lucy.

— Ça, c'est Gaïa, convint Abel. Il y a un an, j'ai contacté *Hozho* pour lui faire part de mon plan et de la nécessité d'avoir une base arrière si celui-ci tournait mal. Il aurait préféré ne jamais avoir à utiliser cette cache.

— Et ce *Hozho*, qui est-ce ? Tu as confiance en lui ?

— Je l'ai rencontré à San Diego, à l'université. Jeffrey était un étudiant brillant, il a fait un doctorat de biologie puis a décidé de redevenir *Hozho* et de rentrer s'occuper de sa tribu. Les Navajos vivent dans un état de pauvreté extrême et ont pour beaucoup sombré dans l'alcool et la drogue. Il ne pouvait pas laisser tomber ses frères de sang. C'est un homme d'une grande bonté. Son nom signifie d'ailleurs harmonie dans la langue navajo. Le *Hozho*, c'est l'état de bien-être vers lequel on doit chercher à s'élever, l'équivalent du nirvana chez les bouddhistes.

Lucy fut rassurée de savoir ses collègues en bonnes mains. Abel chercha à gagner du temps avant que les questions embarrassantes ne fusent.

— La langue navajo ne ressemble à aucune autre. À tel point que durant la Seconde Guerre mondiale, les Américains l'ont utilisée pour traduire et sécuriser leurs communications dans la guerre du Pacifique contre les Japonais. Les Navajos travaillaient de concert avec les militaires. Comme le code de Beale, ce mode de cryptage est resté inviolé.

Cette anecdote rappela à Lucy les joies du décryptage qu'elle avait découvertes la veille, alors que sa vie n'était pas encore menacée. Abel ne trouva pas le moyen de relancer la conversation immédiatement, et la première question gênante jaillit comme une flèche de la bouche de sa femme.

— D'où viennent les fonds de Gaïa pour financer ces travaux et vos autres opérations ? l'interrogea-t-elle.

— Euh… hésita Abel. J'aurais préféré que tu ne connaisses pas la réponse, mais j'ai passé un accord avec toi.

Il lui raconta comment il avait dérobé les 100 millions de dollars au *Golden Peacock* en piratant le système informatique du casino. Lucy eut un frisson lorsqu'elle entendit le chiffre.

— Comment pouvez-vous financer vos actions avec de l'argent volé ? s'indigna-t-elle.

— Techniquement c'est en effet du vol, mais nous avons soutiré ce fric à des personnes peu recommandables.

— Je vois, vous êtes des descendants de Robin des Bois, commenta Lucy ironiquement. À qui appartenait-il alors ?

Abel eut du mal à avaler sa salive. Il se lança.

— Au cartel de Tijuana. Il se sert de ce casino pour blanchir l'argent de son trafic de drogue.

Les oreilles de Lucy se mirent à siffler.

— Je n'arrive pas à croire que tu aies créé Gaïa pour te venger des assassins de tes parents ! se lamenta-t-elle.

Abel se concentra sur la route et réfléchit quelques instants avant de répondre.

— Non, Lucy, je te jure. Le cartel de Tijuana n'était absolument pas l'objectif de Gaïa. L'an dernier, nous avions besoin de cash et cette opportunité s'est présentée. Nous avons juste fait d'une pierre deux coups.

— Vous êtes complètement fous. Le cartel doit être aussi à votre recherche.

— Rassure-toi, Gaïa n'a jamais revendiqué ce casse et personne ne saura jamais que nous étions derrière ce hold-up virtuel.

L'argument ne sembla convaincre Lucy qu'à moitié et elle avait raison : tous les membres du Premier Cercle étaient au courant et pouvaient livrer l'information. Il connecta l'autoradio : rien de nouveau sur Gaïa. Il ralentit ensuite l'allure, posa son ordinateur sur ses genoux et se connecta au serveur central de la police. Il n'y avait rien non plus. João tenait bon et Anthony n'était pas encore parvenu à prévenir les autorités. Abel était temporairement soulagé. Il accéléra et Lucy poursuivit son interrogatoire.

— Quelle était votre véritable cible, alors ?

— Ne parle pas au passé, s'il te plaît. L'objectif final de Gaïa est de faire naître une prise de conscience, de réveiller l'humanité et de déclencher un réel changement dans l'attitude des hommes, entre eux et vis-à-vis de la planète.

— Rien que ça ! Des dizaines de révolutionnaires ont essayé avant vous de changer le monde. En quoi votre approche est-elle différente ?

— Avant de te répondre, il faut que je te raconte comment j'en suis venu à créer Gaïa. C'est un peu long, désolé.

Abel allait lui révéler l'histoire qu'il n'avait jamais racontée à personne. Disposée à l'écouter, Lucy attendait qu'il commence.

— En 1992, Clara partit avec son laboratoire à Rio pour assister au Sommet de la Terre organisé par les Nations Unies. Durant son absence, je n'étais encore qu'un adolescent, mais j'ai suivi les progrès de la conférence dans la presse. La teneur des discussions m'avait fasciné. Je trouvais admirable que l'humanité prenne son destin en main et vote en si peu de temps des textes capitaux sur la nécessaire réduction des émissions de gaz à effet de serre, la biodiversité ou la déforestation. C'est également lors de cette conférence que le concept de développement durable fut médiatisé. Personne n'imaginait qu'il aurait un tel succès ni qu'il serait autant détourné de son but originel pour faire perdre autant de temps à la Grande Transition.

— Tu te souciais déjà de la planète à cette époque ? s'étonna sa femme.

— Un peu. J'ai commencé à m'y intéresser grâce à Biosphere 2. L'expérience avait démarré en 1991 et défrayait la chronique. Les huit premiers biosphériens étaient encore enfermés à l'intérieur.

— Comment le sommet de Rio et Biosphere 2 t'ont-ils conduit à créer Gaïa ?

— J'y viens, répondit Abel.

Il ménagea quelques instants de silence pour capter complètement son attention.

— Lorsque Clara revint de Rio, je débordais d'enthousiasme. Pour moi, l'humanité était parvenue au stade adulte, le *Hozho* des Navajos. Mais Clara ne partageait pas mon optimisme.

— Pourquoi ? s'enquit Lucy.

— Elle était persuadée que les promesses de cette conférence ne seraient pas tenues. Les Nations Unies avaient déjà organisé d'autres grands-messes du même type dans le passé : en 1972 à Stockholm et à Nairobi en 1982. Clara y avait assisté et me raconta la ferveur qui y avait régné. 1972, c'était l'époque de la publication du rapport Meadows sur la décroissance par le Club de Rome, de l'invention de l'hypothèse Gaïa par Lovelock, de la création de Greenpeace et des Amis de la Terre, de l'organisation du premier "Jour de la Terre", de l'apparition des ministères de l'Environnement dans tous les pays du monde... Toutes les utopies imaginées par les hippies et la contre-culture américaine pendant les étés 68 et 69 semblaient pouvoir se réaliser. Les peuples du monde étaient convaincus de la nécessité de s'attaquer de toute urgence aux problèmes écologiques.

— Et rien n'a été fait... compléta Lucy.

— Effectivement. Après le rêve de Stockholm, les grandes nations sont revenues à la réalité : la crise pétrolière de 1973 mit fin aux Trente Glorieuses, la récession et le chômage succédèrent à la croissance, et les impératifs écologiques furent relégués au second plan. Depuis 1972, c'est toujours la même histoire. Les bonnes intentions écologiques des politiques sont toujours victimes des cycles économiques et il est difficile de leur en vouloir. Pour réussir, il faudrait transformer en profondeur le fonctionnement de l'économie mondiale, et surtout l'homme, mais aucun politique n'a ni ce pouvoir ni ce mandat.

Lucy connaissait cette ritournelle.

— Oui, je sais tout cela. Que s'est-il ensuite passé après Rio pour toi ? s'impatienta-t-elle.

— Les propos de Clara m'avaient plombé le moral. Je me suis mis à lire tout ce que je trouvais sur l'écologie pour comprendre ces problèmes et me faire ma propre opinion. C'est à cette époque que j'ai décidé que me lancer dans la recherche sur les modèles climatiques. Je pensais naïvement qu'en devenant chercheur, je pourrais apporter les preuves qui conduiraient les politiques à agir. J'ignorais alors que le problème ne provenait pas d'une absence de preuves, mais de l'impossibilité de changer les habitudes. La cupidité d'un petit nombre qui a intérêt à ce que rien ne bouge, l'inertie et la peur des autres, c'est ça le problème.

Pour Abel, l'humanité était comme ces nuées d'oiseaux : le mouvement de chacun paraissait aléatoire, mais l'ensemble se déplaçait dans la direction indiquée par un champ magnétique invisible. Celui qui guidait l'humanité la menait malheureusement dans un mur et il fallait absolument lui redonner un sens. Un nouveau cap.

— Et puis ? relança Lucy.

— Eh bien, en 2002, j'ai subitement réalisé que les voies purement scientifiques et diplomatiques étaient vouées à l'échec. J'ai donc commencé à imaginer Gaïa, un plan B pour l'Homme et la planète. C'était à peu près un an avant notre rencontre.

Lucy perçait petit à petit ce secret d'Abel dont elle n'avait, jusqu'à peu, jamais soupçonné l'existence. Elle savait qu'il était toujours prêt à endosser la défense des causes nobles, il tenait cela de son père. Mais elle n'imaginait pas qu'il ait pu souffrir pour ses semblables au point d'imaginer dans son coin une véritable révolution. Même si elle ne le lui disait pas, elle était admirative.

— Que s'est-il passé de si particulier en 2002 ? demanda-t-elle sur un ton beaucoup plus apaisé.

— J'ai eu cette année-là deux *flashs*. Le premier s'est produit à Johannesburg, au quatrième sommet de la Terre. J'y étais avec quelques collègues du *Scripps Institute* pour présenter des simulations sur le réchauffement climatique réalisées pour le compte du GIEC. João était avec moi.

Lucy observa le visage de son mari dans la nuit. Ses yeux étaient humides. Il se gara sur la bande d'arrêt d'urgence.

Il demeura muet pendant de longues minutes. Elle l'invita à poursuivre son histoire pour finir de percer l'abcès.

— J'ai donc eu un premier *flash* en Afrique du Sud, reprit Abel avec la voix sanglotante. Imagine-toi soixante mille personnes, dont plus de cent chefs d'État, réunis au chevet de la planète. Au départ, c'était extraordinaire. Les grandes déclarations se succédaient, comme celle du président français Jacques Chirac qui marqua la conférence avec sa formule : "Notre maison brûle et nous regardons ailleurs." Pendant dix jours, j'ai effectivement assisté à un spectacle de pompiers incapables d'éteindre leur incendie. À la fin, plus personne n'y croyait. Même les organisations non gouvernementales, qui étaient venues très nombreuses en Afrique du Sud, étaient dépassées. Les responsables que je rencontrais me confiaient que, malgré l'engagement sans réserve de leurs militants sur le terrain, ils étaient totalement impuissants. La situation se dégradait dramatiquement sur tous les fronts : eau, forêt, biodiversité, pauvreté, santé, réserves halieutiques et dérèglement climatique. Ce dernier phénomène occupait le devant de la scène et occultait tous les autres problèmes, dont certains étaient parfois beaucoup plus manifestes et urgents : l'humanité ne sait traiter qu'une seule crise majeure à la fois. Et encore.

Ces paroles interpellèrent Lucy.

— Le pire, poursuivit Abel, c'est que tous les participants s'accordaient sur les constats et pour dire qu'un changement radical était nécessaire : hommes d'affaires, politiques, ONG et scientifiques. L'humanité, malgré elle et à cause d'un mode de développement devenu archaïque, ne marchait plus dans la bonne direction. Il fallait redonner un cap à l'Homme et ce genre de conférences, où le jeu complexe du lobbying et des compromis enlisait tout, ne le permettrait jamais. La tyrannie de l'unanimité. L'échec de la conférence de Copenhague l'avait encore démontré. En quittant

Johannesburg, je repensais à Clara : les promesses de Stockholm, Nairobi et Rio furent réitérées, mais avec moins de ferveur. Il fallait un électrochoc. Comme personne ne voulait s'en charger, j'ai donc décidé de m'y atteler. L'idée de Gaïa a commencé à germer, mais c'est à Biosphere 2 qu'elle a vraiment éclos, après mon deuxième *flash*.

JOUR 14, DÉSERT PEINT, ARIZONA, ÉTATS-UNIS

Les coyotes sont des animaux craintifs qui cherchent en général à éviter l'homme. Pas ceux-là. Ils se jetèrent sur Anthony telle une meute de chiens enragés. Avec ses chaussures, Anthony leur tapa dessus et il réussit finalement à s'extraire du trou dans lequel il s'était terré. Pieds nus, il se mit à courir dans le désert rocailleux à la recherche d'un abri. Les coyotes le poursuivirent en lui mordant les mollets et les avant-bras. Son costume neuf était en lambeaux.

Il réussit à se hisser sur un piton rocheux, juste assez haut pour échapper aux crocs des coyotes. Il voulait continuer à fuir mais s'arrêta net : il était au bord d'un précipice. Dans la nuit noire, il n'y voyait pas assez clair pour envisager de descendre la falaise. Il était coincé.

Plus tard, de son piédestal, Anthony aperçut les phares d'une voiture sur la route. Mais il était trop loin pour être visible. Il n'avait rien pour faire un feu et se signaler, il fallait qu'il attende le lever du jour. Presque nu, couvert de griffures et de morsures, il avait tellement froid qu'il lui était impossible de dormir. Sa gorge le brûlait. Il tapait avec le plat de ses mains sur ses muscles pour se réchauffer et arrêter les tremblements. Il fallait qu'il s'occupe pour ne pas mourir. Avec les bandelettes qui lui restaient de son costume, il pansa ses plaies. En contrebas, les coyotes l'observaient, la gueule menaçante.

JOUR 14, ROUTES DU NOUVEAU-MEXIQUE, ÉTATS-UNIS

Ils étaient toujours arrêtés sur le bord de la route. Lucy, à qui Abel avait passé le volant, réalisa qu'elle n'avait toujours pas remis le contact. Les rares voitures roulaient à vive allure sur l'autoroute et les frôlaient parfois dangereusement. Ils ne devaient plus perdre de temps pour retrouver Pungor et Janie. Elle redémarra. Abel contrôla à nouveau la radio et le serveur de la police ; João et Anthony n'avaient pas encore parlé.

— En rentrant de Johannesburg, reprit Abel, nous sommes allés passer un week-end avec João à Biosphere 2. J'avais toujours rêvé de visiter cet endroit qui avait déclenché mon intérêt pour l'environnement. Le site était encore géré par l'université Columbia, mais il y avait déjà des rumeurs de mise en vente, voire même de destruction de la Grande Serre. Tu sais tout cela. Dès mon arrivée, j'y ai éprouvé des sensations extrêmement fortes et bizarres. Des voix me parlaient.

Abel raconta alors à sa femme la rencontre avec l'esprit de Ké, la petite fille indienne, le réveil de ses pouvoirs chamaniques restés assoupis depuis la mort de son père et la résurrection du jaguar noir, son animal totem. Il lui parla de Ké, l'esprit de la Grande Serre, qui se dissimulait dans les plantes sacrées qui servaient à la préparation de l'*ayahuasca*. Il évita à ce stade de lui parler des visions qu'il avait eues dans son dernier *trip*. Il fallait y aller pas à pas.

— Ké m'avait demandé deux choses à ma première visite : la sauver de la destruction, ce que nous avons fait en rachetant le site, et sauver Gaïa, Biosphere 1, sa mère. L'idée de créer une organisation baptisée Gaïa me vint et ne me quitta plus. Mon deuxième *flash*.

Lucy était très émue par son récit. Elle découvrait l'origine de son attachement profond à Biosphere 2 et Biosphere 1.

Abel était effondré, vidé.

— Je n'ai jamais raconté cette histoire à personne, lâcha-t-il, soulagé. Ni à João, ni aux autres membres de Gaïa, ni à Paul. Je suis désolé de tout ce que je t'ai fait subir.

— Abel, avant ces derniers jours, je ne pensais pas que le monde allait si mal et surtout que nos institutions étaient si vérolées. À partir de maintenant, tu peux compter sur moi.

Le soutien de sa femme le combla et le soulagea. Il avait tellement eu peur de la décevoir qu'il ne s'était jamais ouvert à elle. Dommage que cela survienne au moment où tout était peut-être sur le point de s'arrêter.

— Quelle était ta tactique pour que Gaïa réussisse à déclencher cet électrochoc ? demanda Lucy.

— Au départ, j'ai lu, beaucoup lu. Pour comprendre la marche du monde et trouver la forme de révolution qui fonctionnerait.

Abel lui parla plus en détail de la bibliothèque qu'elle avait rapidement explorée. Il l'avait patiemment constituée au fil des années puis détruite quelques jours auparavant. Cette pensée effraya Lucy, mais il lui révéla que l'ensemble des ouvrages avait été numérisé et qu'une copie de chaque livre était accessible par un réseau numérique privé.

— Ce qui a vraiment pris du temps, c'est de recruter des membres de confiance, reprit Abel. J'en avais identifié une vingtaine, et j'ai attendu entre cinq et sept ans pour les enrôler. Des années au cours desquelles j'ai testé, éveillé, façonné leur intérêt. Sans qu'ils ne se doutent de rien. Au terme de ces années d'approche, j'ai parlé de Gaïa aux plus fiables et aux plus motivés, dix en tout sur les vingt, et leur ai proposé de rejoindre l'organisation.

— Je vois là tes talents de manipulateur à l'œuvre, sourit Lucy. Mis à part João, est-ce que je connais les autres ?

Il déglutit à nouveau. S'il lui révélait que sa meilleure amie Keilana Akaka faisait partie de Gaïa, elle le crucifierait.

— Certains, admit Abel. Si nous nous faisions arrêter, il vaut mieux pour eux et pour toi que tu ne connaisses pas leurs noms. Je te les donnerai lorsque nous serons sortis de ce bourbier.

Lucy montra sa déception mais se contenta de cette réponse.

— Une fois ce groupe initial constitué, celui que nous appelons le Premier Cercle, nous avons imaginé une série d'opérations pour séduire la population et obtenir son soutien. Je les ai préparées avec chacun d'eux séparément ; les membres du Premier Cercle ne devant pas se connaître. Ce cloisonnement était fondamental pour la robustesse de notre réseau. Cette campagne, que nous avons appelée "première phase", n'a commencé qu'au printemps dernier. Donc, tu vois, tout cela a mis du temps à mûrir depuis 2002 !

Lucy se demanda comment Abel avait trouvé le temps de faire tout ça. L'activité à Biosphere Economics donnait déjà l'impression de l'occuper à plein temps.

— Toi qui es d'habitude si impatient, je suis étonnée ! reprit-elle.

— Nous étions presque parvenus au point où nous pouvions enclencher la seconde phase, mais on a tout arrêté la semaine dernière.

— Quel était l'objectif de cette autre phase ?

— Déclencher un soulèvement et un changement à l'échelle de la planète, répondit Abel. En vue de réenchanter le monde. Pour cela, il fallait être beaucoup plus nombreux et étoffer les rangs de l'organisation en la connectant à d'autres initiatives existantes, aux organisations non gouvernementales, aux mouvements associatifs, aux initiatives personnelles.

Lucy l'écoutait attentivement tout en se concentrant sur la route.

— L'opération aurait dû démarrer cette semaine par la publication du manifeste Gaïa. Il y a déjà sur Terre toutes les idées et les bonnes volontés pour faire changer les choses. Il suffit juste que les personnes motivées ne se sentent plus seules, elles verront alors leur énergie et leurs chances de réussite décupler. Avec le recul, je me demande où tout cela nous aurait bien menés. Pas assez loin certainement pour réenchanter la planète, lui rendre sa numinosité.

— Mais non, ça me semble être un très bon début, le rassura Lucy. Mais il faudrait aller plus loin, en déclenchant plus qu'un électrochoc ou un soulèvement. On a besoin d'une illumination collective.

— Une illumination sur quoi ?

— Sur le fait que nous vivons dans un petit monde, lâcha-t-elle.

Lucy avait fait sa thèse d'ethno-économie sur la croissance dans les petits mondes. Les chercheurs, y compris Abel, avaient cette manie de ramener n'importe quel sujet de discussion à leurs travaux personnels. Mais cette fois-ci, cela semblait parfaitement à propos.

— Et où cela nous mènerait-il ? demanda-t-il.

— À partir du moment où un peuple saisit vraiment l'existence de limites dans son environnement, il adapte son comportement. Aujourd'hui, les hommes ne sont toujours pas conscients des limites de notre planète, viscéralement, je veux dire.

L'architecte visionnaire Buckminster Fuller avançait que les racines de notre comportement inapproprié résidaient dans la perception partagée et erronée d'une Terre plate et infinie.

— Une fois le caractère fini de notre monde ancré dans les esprits, poursuivit Lucy, notre attitude, nos corps et nos gènes s'adapteront. Les pratiques culturelles et économiques suivront également. Les peuples insulaires qui n'ont pas eu cette illumination ont en général péri. Pense à l'île de Pâques. Le développement de l'agriculture, la nécessité de se chauffer et le besoin de bois pour transporter leurs statues toujours plus nombreuses les ont conduits à abattre tous les arbres, accélérant l'érosion du sol et condamnant la population à rester à jamais sur cette île. Les humains sont aujourd'hui dans la même situation. Il faut qu'ils changent, à l'échelle de la Terre. Il leur faut gagner une conscience planétaire.

Tout ce que Lucy disait était très sensé, ils en avaient parlé souvent, mais il manquait toujours à Abel la solution pour y parvenir.

— Comment ce changement s'est-il produit dans les îles où cela a réussi ? l'interrogea-t-il.

— À Tauipo, par exemple, les sorciers avaient élaboré des rituels pour faire comprendre à la population que les ressources de l'île étaient merveilleuses et qu'il fallait les respecter et les préserver. Les habitants apprenaient cette leçon dans la douleur au cours d'une transe pendant laquelle le sorcier les emmenait aux frontières de la mort. Cette peuplade a franchi un stade capital dans son évolution et s'en est sortie. En cumulant la révélation de la beauté de leur île avec le risque de la perdre vraiment, ils sont parvenus à une véritable prise de conscience. Quand on frôle la mort, on est épris d'une envie de vivre différemment, à tout jamais. Chaque instant, chaque être, chaque chose revêtent une importance nouvelle.

— Si je te suis, l'humanité devrait frôler la mort pour fixer la notion de monde fini ?

— Oui, mais il faudrait qu'elle ressente simultanément une illumination poétique, esthétique ou amoureuse pour notre île, Gaïa. La Terre-mère, j'entends bien !

Abel repensa brusquement à son voyage sous *ayahuasca*. Il venait en un instant de prendre toute sa signification.

Il raconta son expérience en détail à Lucy, qui l'écouta avec une certaine jalousie.

— Eh bien, tu as eu ton illumination ! lui dit-elle. Le processus ressemble à s'y méprendre à celui dont je te parlais. C'est fou. Au centre de la galaxie, tu as failli mourir et Ké t'a montré depuis l'espace le visage de la Terre, avant qu'il ne blanchisse et ne meure. Elle t'a gravé dans le cerveau et les viscères que le monde était beau, petit, fragile et interconnecté. Et que tu pouvais le perdre. Tu as acquis cette conscience planétaire qui manque tant.

— Le pouvoir de ces plantes sur le cerveau est extraordinaire, médita Abel en repensant à ce que son père lui en avait dit. Chimiquement, elles combinent d'ailleurs les principes de mort et de vie.

— Que veux-tu dire par là ?

— Des chercheurs, comme le docteur Richard Strassman, ont montré que la DMT, le principe actif de la chacruna, était présente à l'état naturel dans le corps humain dans des proportions infinitésimales. C'est également le cas chez de nombreux autres êtres vivants. Mais, plus étonnant encore, à l'approche de la mort, la glande pinéale* en

---

* Les spécialistes d'anatomie affirment que la glande pinéale est un œil atrophié, le troisième œil des vertébrés. Chez les mammifères, elle est cachée à l'intérieur du cerveau, mais chez certains lézards dont le trou pariétal n'est pas refermé, c'est un véritable œil, avec cornée et nerf optique, qui sert à réguler l'activité biologique selon les rythmes lumineux de la journée. Descartes voyait dans la glande pinéale le siège de l'âme. Dans le Kundalinî-yoga,

sécréterait de grandes quantités pour rendre plus supportable la fin de la vie, le passage vers l'au-delà.

Abel marqua un temps d'arrêt avant de poursuivre.

— Ceci pourrait expliquer les similitudes entre les visions rapportées par les chamans et celles des grands rescapés qui ont effectué une sortie hors de leur corps : une Near Death Experience (NDE)*. Ils en sont tous revenus transformés avec une soif de vie extraordinaire. Dans l'*ayahuasca*, la soif de vie est donnée par la liane, *Banisteriopsis caapi*, dont les molécules s'adressent au cerveau au nom de la nature. La potion sacrée des Indiens contient donc tous les ingrédients pour provoquer cette illumination dont tu parles et dont l'humanité a besoin.

Ils restèrent de longs instants à méditer ces enseignements. Lucy se concentra sur l'autoroute déserte qui devenait sinueuse.

— Pour une petite île, j'adhère à ta théorie, relança Abel. Il est possible d'avoir recours à un sorcier pour apprendre à chacun les limites du territoire. Mais comment parvenir à fixer cette image à l'échelle de la planète ? Comment mener tout le monde vers une conscience planétaire. On ne va quand même pas faire boire de l'*ayahuasca* à toute l'espèce humaine ? Ça ferait désordre !

— Non, surtout qu'il y a déjà beaucoup de charlatans qui font commerce de l'*ayahuasca*. En plus, tous ceux qui l'ont

la glande pinéale est le lieu du septième chakra, celui de l'éveil spirituel total.

* *Near Death Experience* (NDE) : expérience de mort imminente. De nombreux malades ou accidentés graves plongés dans le coma et sur le point de mourir se sont vus dans leur lit d'hôpital depuis le plafond de leur chambre, ou de beaucoup plus haut. Raymond Moody a été le premier à décrire et analyser ce phénomène universel en 1975. les molécules s'adressent au cerveau au nom de la nature.

testée ne sont pas aussi réceptifs que toi. Regarde, juste chez Biosphere Economics, parmi ceux qui en prennent régulièrement, tu es le seul à avoir vu la Terre depuis l'espace.

Lors de ses précédentes prises d'*ayahuasca*, Abel avait déjà effectué un voyage astral, mais jamais ses visions n'avaient été aussi claires. Il avait vu la Terre comme s'il était astronaute et son père lui avait demandé de montrer à l'humanité la véritable face du monde. Il ignorait comment déclencher un pareil raz-de-marée sans un nouveau coup de pouce du destin. Les bandes fluorescentes de la route défilaient devant eux. Cette conversation ramena les pensées d'Abel vers Paul.

Depuis qu'il avait percé le secret de CIV, il avait à peine eu le temps de songer à son ami. Il était vivant. Seul sur la Lune à 380 000 km d'eux, comme le Petit Prince sur son astéroïde. Comment survivait-il ? Il n'osait même pas imaginer l'horreur de cette situation. Paul comptait sur lui. Abel devait agir vite avant que son ami ne périsse, avant que João et Anthony ne parlent. Très vite.

Il leur restait encore quelques heures de route avant d'arriver chez Pungor. Abel remarqua que Lucy était maintenant apaisée.

JOUR 14, DÉSERT PEINT, ARIZONA, ÉTATS-UNIS

Le désert peint d'Arizona renfermait des formations géologiques uniques. Les collines, dont les versants escarpés avaient été sculptés par l'érosion du vent et de la pluie, étaient striées de raies multicolores comme si elles avaient été peintes par un géant. On y trouvait toutes les teintes : bleu, gris, lavande, mais aussi des tons plus chauds comme le rouge, l'orange dans les zones sédimentaires riches en oxyde de fer et d'aluminium, ou même du rose. Ces collines ressemblaient à des gâteaux marbrés psychédéliques.

Anthony Malville, évanoui, n'avait pas pu admirer le panorama en contrebas de la falaise sur laquelle il était allongé. Les coups de feu ne le réveillèrent même pas. En revanche, ils firent fuir les coyotes. Deux policiers bedonnants s'approchèrent de lui. Ils inspectèrent son corps quasi nu, couvert de terre et de blessures.

— Encore un vagabond qui a tourné de l'œil, Chuck.

— Ouais, Toby. On a de la chance, il ne sent pas encore trop fort cette fois-ci. Les coyotes attendaient pour prendre leur petit déj.

Le dénommé Toby donna un violent coup de botte dans les côtes d'Anthony. À leur grande surprise, Anthony réagit et poussa un long râle. Puis il partit dans une interminable quinte de toux, aussi inquiétante que celle d'un tuberculeux.

— Eh ben dis donc, ça dort à poil avec la fenêtre ouverte et après ça tousse ! plaisanta Chuck. Faut savoir ce qu'on veut.

— Sors tes papiers de ta poche, renchérit Toby.

Anthony n'avait plus de costume, donc évidemment plus de poches. Ils partirent dans un long fou rire. Ils se trouvaient mutuellement désopilants et c'est pour cela qu'ils faisaient équipe ensemble depuis si longtemps. Ils venaient de commencer leur service et, à cette heure pourtant matinale, ils étaient déjà complètement ivres.

— Bon, allez, on l'embarque !

Les deux policiers portèrent le corps quasi inanimé d'Anthony. Ils le jetèrent à l'arrière de leur véhicule en prenant soin de le menotter. Dans un élan de pitié, ils lui donnèrent une couverture. Anthony se réchauffa et reprit peu à peu ses esprits. Il voulut leur demander s'il pouvait téléphoner mais sa voix était éteinte. Il essaya de faire des gestes avec ses mains attachées, mais cela eut pour seul effet de faire exploser de rire les deux ivrognes.

— Il est pas mal celui-là, Toby, non ? Qu'est-ce que tu en penses ?

— Pour l'instant, c'est vrai, il commence bien.

Ils parvinrent à Cameron, bourgade de moins de mille âmes. Ils se garèrent devant le poste de police qui ressemblait davantage à un taudis dont l'intérieur ne faisait pas plus de quarante mètres carrés. Ils posèrent leur blouson sur un clou, assirent Anthony en face d'eux derrière le bureau et lui enlevèrent ses menottes pour prendre sa déposition. Il était presque dans le plus simple appareil, il ne lui restait plus que des lambeaux de son caleçon.

— Comment tu t'appelles ?

Anthony essaya de prononcer son nom, mais les sons qui sortaient de sa bouche étaient incompréhensibles. Chuck et Toby étaient à nouveau pliés en deux.

— Comment tu dis ? Anrori Avi ? Ce n'est pas d'ici, ça !

Ils continuèrent ainsi pendant plusieurs minutes à se moquer de lui. Anthony était exaspéré par tant de bêtise. Il détenait une information capitale pour l'avenir du pays et à cause de ces deux crétins, il perdait un temps précieux.

Quand ils en eurent assez, Toby et Chuck allèrent se chercher une bière dans ce qu'ils appelaient la "cuisine", mais qui se résumait à un frigo et à un four micro-ondes. Toby alluma la télévision et alla s'affaler dans le canapé. Lorsque Chuck revint vers Anthony, il le trouva en train de griffonner sur un papier.

— Hé ! Qu'est-ce que tu fais, Tarzan ? On ne t'a pas appris la politesse à l'école ?

Il lui reprit le stylo des mains, froissa la feuille de papier et la jeta dans une poubelle.

— Je te trouve bien insolent, dit-il en lui rotant à la figure. On va te mettre quelques heures au calme et on te reprendra plus tard.

Chuck prit Anthony par le cou et le jeta dans la cellule grillagée qui occupait un angle de la pièce. Il alla ensuite rejoindre Toby sur le canapé. La journée avait bien commencé dans cette zone où il ne se passait jamais rien. D'un commun accord, ils décidèrent de se regarder un film porno. Anthony les observait, atterré.

JOUR 14, PLAINES DE SAN AGUSTIN, NOUVEAU-MEXIQUE, ÉTATS-UNIS

À l'aube, Lucy parvint sur les hauts plateaux où étaient installés les antennes du VLA et l'observatoire de Pungor. Abel dormait toujours à côté d'elle. Elle le réveilla doucement. Les condors étaient de nouveau là pour les accompagner.

Il leur sembla qu'ils avaient quitté cet endroit depuis une éternité et pourtant cela ne faisait que deux jours. Deux jours au cours desquels leur existence avait basculé, pris une autre signification à la suite d'une incroyable série d'événements. Pour Lucy, outre le fait que Paul soit encore vivant, une information avait vraiment tout changé : Abel était le chef de Gaïa. Il lui avait menti pendant des années, mais pour l'instant ils avaient plus urgent à gérer. Ils étaient en danger de mort. Le monde entier était à leurs trousses. Avec ce qu'ils savaient, ils étaient les seuls à pouvoir sauver Paul, Gaïa, leurs collègues et tous les autres innocents qui avaient été arrêtés. Ils étaient les seuls à pouvoir révéler un mensonge d'État inqualifiable. Ils ignoraient toujours ce qui avait pu se passer sur la Lune, mais la réponse était quelque part là-haut. Ils comptaient sur Paul pour la leur fournir, avec des preuves. La charge et la responsabilité qu'ils portaient étaient immenses.

Cette journée serait décisive. En voyant le soleil se lever, ils commencèrent à ressentir cette pression. Une fois l'astre des jours couché, ils devraient décoder le signal du satellite

BridgeStar V. Ils devaient réussir avant qu'Anthony et João ne parlent. Rien n'avait pour l'instant filtré ni à la radio ni dans les fichiers de la police qu'Abel venait à nouveau de consulter. La prochaine fois que le soleil montrerait son visage, le monde aurait changé. En bien ou en mal.

Ils garèrent leur voiture devant le cabanon du vieux savant. Personne n'en sortit. Lucy et Abel eurent peur puis ils réalisèrent qu'ils avaient changé de voiture, ce qui avait dû mettre Pungor sur ses gardes. Ils ouvrirent la portière en faisant de grands signes amicaux. La porte du baraquement s'ouvrit et la petite Janie déboula en courant. Elle se jeta dans leurs bras et les couvrit de baisers. Les rires, la joie et la fraîcheur de cette enfant leur redonnèrent du courage et de l'espoir. Même dans les pires conditions, la vie continuait. Pungor attendait sur le pas de la porte. Abel alla à sa rencontre.

Janie raconta à Lucy les deux journées extraordinaires qu'elle aussi avait passées. Sous la houlette de Pungor, elle avait fait connaissance avec la faune et la flore de cette plaine, ainsi qu'avec ses légendes. Il lui avait parlé des extra-terrestres, avec lesquels il essayait d'entrer en contact depuis des décennies, et en particulier de l'affaire Roswell. Il n'y avait en fait pas eu un vaisseau OVNI, mais deux : le premier s'était écrasé à côté de la ville de Roswell, non loin de là, et le second dans la plaine de San Agustin, à quelques centaines de mètres du cabanon. Ce n'était donc pas par hasard que Pungor s'était installé dans ce lieu. S'ils revenaient, il voulait être aux premières loges. Il lui avait ensuite raconté comment les États-Unis étaient parvenus à dissimuler ce secret depuis 1947. Janie dit à Lucy que ce n'était pas bien de mentir. La jeune femme ne put qu'acquiescer et se jura que la survie de Paul Gardner ne resterait pas dans les coffres de la Maison Blanche ou du Pentagone.

Elle admirait cette faculté des enfants à s'émerveiller de tout. Janie poursuivit son récit.

— On a aussi fait de l'astronomie.

— Tu as trouvé ton Petit prince sur Io, le satellite de Jupiter ? demanda Lucy.

— Non. On a essayé de regarder Io, mais le Petit Prince n'y était pas. Il devait être en promenade dans l'espace pour visiter de nouvelles planètes.

Le voyage du Petit Prince d'une planète à l'autre rappela à Lucy le *trip* d'Abel. Ce personnage avait lui aussi parcouru différents mondes pour finalement trouver la Terre, la plus belle et la plus précieuse d'entre toutes. Ce n'est pas avec l'*ayahuasca* mais dans son avion que Saint-Exupéry a connu son illumination, acquis sa conscience planétaire. Dans *Terre des hommes*, il la décrit : "L'avion est une machine sans doute, mais quel instrument d'analyse ! Cet instrument nous a fait découvrir le vrai visage de la Terre. Les routes, en effet, durant des siècles, nous ont trompés. [...] Nous voilà donc jugeant l'homme à l'échelle cosmique, l'observant à travers nos hublots, comme à travers des instruments d'étude. Nous voilà relisant notre histoire."

— Pungor avait dans sa cabane *Le Petit Prince* en anglais, rajouta Janie.

— Ah bon ? s'étonna Lucy.

La petite fille courut jusqu'au cabanon et lui ramena le livre qui les avait sauvés la veille. Lucy aurait voulu lui parler du mystère extraordinaire qu'il leur avait permis d'élucider. Mais avec Abel, ils avaient décidé de ne rien lui dire. Pour ne pas qu'elle ait à nouveau du chagrin s'ils ne parvenaient pas à sauver Paul.

— J'en ai lu des morceaux, mais je n'ai pas tout compris. Tiens, qu'est-ce que ça veut dire, ça ?

Lucy lut le passage que Janie lui pointait de son doigt fin : "Les enfants doivent être indulgents envers les grandes personnes." Une envie de pleurer lui vint. Elle fit de gros efforts pour se contenir.

— Cela veut dire que les grandes personnes font parfois des bêtises. De la même manière qu'il faut pardonner aux enfants, qui ne le font pas toujours exprès, il faut aussi savoir pardonner aux adultes. Avoir pitié d'eux. Il faut apprendre à pardonner. C'est souvent difficile, mais il faut le faire, sinon la vie devient insupportable.

Janie trouva cela bizarre. Elle pensait que les adultes étaient ceux qui devaient donner l'exemple. C'était en tout cas ce que son père lui avait toujours enseigné.

Pendant ce temps, Abel était en conversation avec Pungor. À lui, ils avaient décidé de tout dire. La nouvelle de la survie de Paul Gardner le remplit de joie, mais sinon rien ne le choqua ni ne l'étonna.

— Tu sais, Abel, je suis persuadé que le gouvernement américain nous cache des pans entiers de la réalité, et ce depuis toujours. Ce que tu me racontes le confirme une fois de plus. Si je peux vous aider à faire jaillir la vérité, ma vie n'aura pas servi à rien. Et si cela permet de sauver Paul, Gaïa et vous, je serai un homme comblé.

Abel fut très touché par les paroles de Pungor. Le vieil homme, qui n'aimait pas le mélodrame, coupa néanmoins court à cette effusion de bons sentiments.

— Comment penses-tu que Paul va nous contacter ?

— Il a dit qu'il utiliserait la constellation de satellites BridgeStar. On pense qu'il se servira de BridgeStar V, un satellite géostationnaire.

— Il faut que l'on sache quand le satellite sera entre nous et la base lunaire,

— C'est déjà fait, professeur. Ils seront alignés vers 20 h.

— Bon, cela va nous laisser le temps de nous préparer.

— Oui, en espérant qu'Anthony Malville ne contacte pas le gouvernement avant.

Pungor comprit que rien n'était gagné. Leur seule chance était de ne pas se laisser abattre et d'avancer.

— A-t-il dit comment son message serait dissimulé dans le flux de BridgeStar V ? demanda le radioastronome.

— Non, mais il a laissé un indice dans sa chambre, l'affiche de *Contact*. Dans ce film, les extraterrestres cachent les plans d'une machine au milieu d'images retransmises par les humains dans les années 30 et qu'ils ont réémises, une fois modifiées, vers la Terre. Paul a fait un stage pour la société qui opère BridgeStar V. Il détient peut-être des codes qui lui permettront d'intégrer des images subliminales dans la retransmission.

Pungor réfléchit quelques instants.

— Ça me paraît très compliqué. Il faudrait pour cela qu'il capte les images initiales depuis la Lune, y insère son message et les renvoie au satellite, pour que celui-ci enfin les transmette ensuite sur Terre. C'est impossible. Il y a un moyen plus simple et Paul le connaît.

— Lequel ?

Pungor sourit, montrant à nouveau le triste état de sa dentition.

— Ah, j'ai piqué ta curiosité ! Iridium, ça te dit quelque chose ?

— Iridium ? Ce ne sont pas ces téléphones massifs et hors de prix avec lesquels on peut appeler de n'importe quel point du globe ?

— C'est ça. Iridium est une flotte de 66 satellites de communication en orbite basse, qui couvre toute la planète. Le projet avait été lancé par Motorola dans les années 90 et la société a fait faillite en 1999. Les communications coûtaient beaucoup trop cher et le service n'a jamais pris. Le nombre de satellites initialement prévu était de 77, le numéro atomique de l'iridium.

Abel se rappela avoir lu que l'un des satellites était accidentellement entré en collision quelques années auparavant avec un satellite russe, fait rarissime dans l'histoire spatiale. Il ne devait donc en rester que 65.

— Quel rapport avec Paul ? s'impatienta-t-il.

— J'y viens, attends un peu. Iridium a depuis le début provoqué la rage des radioastronomes.

— Pourquoi ?

— Ces salauds à Motorola avaient besoin d'un spectre de fréquence assez large, et ils ont obtenu d'émettre sur la bande 1616 à 1626,5 MHz.

— Qu'y a-t-il de mal à ça ? demanda Abel à qui ces chiffres ne disaient rien.

— Ce spectre contient la fréquence de l'hydroxyle. C'est l'une des molécules les plus importantes en radioastronomie. L'hydroxyle est très présent dans l'espace et si des civilisations extraterrestres devaient nous contacter, elles utiliseraient probablement cette fréquence. L'analyse de l'hydroxyle permet surtout de comprendre les mécanismes de formation des étoiles. Avec Iridium, qui émettait sur le même spectre avec une très forte puissance, toutes les recherches devenaient impossibles. Les signaux cosmiques étaient perdus au milieu de conversations sans intérêt.

— Mais les radioastronomes n'ont pas réagi ?

— Si, mais les juristes de Motorola avaient bien préparé leur coup. Tous les grands observatoires, que ce soient Arecibo, Green Bank, le VLA ou bien l'observatoire de Nançay en France, ont dû entrer en négociation avec Motorola et accepter un accord d'utilisation partagée des fréquences dans la journée. Pour certains, cela a réduit par deux leur temps d'observation. Cela continue aujourd'hui, car depuis la faillite, une autre société exploite la flotte Iridium.

Abel était choqué par cette histoire. La pollution lumineuse des villes avait déjà vidé le ciel de ses étoiles. Ces téléphones portables avaient maintenant failli rendre les hommes sourds aux signaux potentiels émis par d'autres civilisations. La technologie coupait l'un après l'autre les liens qui unissaient l'homme au cosmos. Mais il ne voyait cependant toujours pas où Pungor voulait en venir.

— Sans vouloir paraître insistant, quel est le lien avec Paul ?

— Paul m'a aidé, à l'époque, à remplir le dossier de l'université du Colorado contre Iridium. Il sait donc parfaitement que si tu émets sur la même fréquence et dans la même direction qu'un satellite, tu passes inaperçu. Sauf pour celui qui le sait et qui écoute attentivement. Il est donc probable qu'il émette sur la même fréquence que BridgeStar V, c'est sûr. La NSA ne verra rien. L'affiche de *Contact*, c'était pour te demander de venir me voir : il savait que je te parlerais d'Iridium.

Le raisonnement de Pungor se tenait. Ils avaient maintenant la journée pour bâtir un système capable d'extraire ce faible signal du flux des images télévisées et de le décrypter. Leurs domaines d'expertise étaient justement complémentaires.

JOUR 14, ATOLL DE DIEGO GARCIA, OCÉAN INDIEN

Lorsqu'ils avaient choisi Gaïa pour cible, Carlson et Prescott n'avaient pas imaginé que cette traque pût être aussi difficile. Les rafles dans les cercles écologistes n'avaient rien donné, pas plus que les enquêtes à Hawaï, en Grèce, au Brésil, aux Comores, en Chine et en Russie, partout où Gaïa avait sévi. Le groupe était indétectable. Sa résistance avait attisé la peur du public et remettait en cause la suprématie militaire et technique des États-Unis. La grogne des citoyens américains augmentait chaque jour. Carlson avait impérativement besoin de donner un visage à Gaïa. Les Américains aimaient visualiser leurs ennemis et sentir à quel point ceux-ci étaient sanguinaires. La publication en 2003 du jeu de cartes représentant les personnalités du régime de Saddam Hussein avait été l'un des rares succès médiatiques de la guerre en Irak. Les Américains avaient découvert avec effroi tous ces "méchants moustachus" aux noms cruels. L'existence de ces êtres abjects sur notre planète justifiait à elle seule une intervention militaire dans la zone. Ali Hassan al-Majid al-Tikriti, le roi de pique, surnommé "Ali le Chimique", avait été de loin la carte préférée des médias.

Tous les espoirs de Carlson résidaient donc sur la piste japonaise et sur João Amado. Celui-ci le savait et se montrait particulièrement résistant. Les agents de la CIA avaient raté le début de leur interrogatoire et n'avaient pas depuis réussi à reprendre l'ascendant psychologique sur leur prisonnier. Malgré les souffrances qui lui avaient été infligées, Amado ne parlait pas et continuait à se jouer d'eux. Il s'était montré digne de ses ancêtres esclaves.

La NSA avait analysé son très vaste réseau social. Il était chercheur et participait à toutes les conférences internationales sur le climat. Les projets sur lesquels il travaillait étaient innombrables et impliquaient des centaines d'autres scientifiques à travers le monde. Les éco-terroristes de Gaïa étaient peut-être cachés au milieu de cette botte de foin, mais rien ne permettait de les distinguer. La plupart des climatologues étaient en contact avec des groupes de "sauveurs de planète", comme Prescott les appelait. Les algorithmes d'analyse des réseaux sociaux de la NSA s'étaient donc montrés inutiles.

Les deux bourreaux revinrent en gloussant dans la cellule de João. Le premier tenait un terminal vidéo.

— Monsieur Amado, l'agent Kuroda que vous connaissez vient de retrouver à Tokyo un petit Brésilien et sa maman. Ils souhaiteraient vous parler.

João fronça ce qu'il lui restait de sourcils. Ses tortionnaires placèrent l'écran devant son visage tuméfié. Sa femme Rosa apparut, ainsi que son fils Sergio, âgé d'un peu plus d'un an. Les deux étaient bâillonnés. Ils avaient été arrêtés après avoir enfreint la règle d'or : João n'avait pas répondu à l'heure convenue, sa femme avait alors rappelé à plusieurs reprises et s'était fait repérer. La caméra zooma sur le visage du bébé qui sanglotait. Une main velue caressa sa joue rose, ôta le bâillon et lui infligea une gifle violente. Le petit hurla "Pais !" en portugais en voyant son père.

João se redressa sur sa chaise. Il contracta tous ses muscles et les gardes eurent peur qu'il ne fasse sauter ses chaînes, comme Hulk. Lorsque de l'autre côté de l'écran, la main velue saisit l'un des doigts boudinés de son fils et le plaça entre les lames d'un sécateur, il faillit tourner de l'œil.

— Espèce de salopard, arrêtez tout de suite ! lâcha-t-il en crachant sur l'homme qui tenait l'écran. Appelez Prescott, je vais lui donner ce qu'il veut.

Le secrétaire à la Défense était juste derrière la porte. Il se doutait qu'Amado ne résisterait pas longtemps à ce nouveau supplice. Il avait le haut du crâne rougeoyant ; il avait pris un coup de soleil sur la plage de l'atoll en buvant des *piña coladas*. Amado le trucida du regard.

— Ordure ! Gaïa n'est pour rien dans cet attentat. Je vous l'ai répété dix mille fois. Quelqu'un nous a fait endosser la responsabilité de la destruction de Columbus 11.

— Monsieur Amado, vous nous avez déjà dit cela. Maintenant, je vous le demande une dernière fois : pour qui travaillez-vous ?

João estima qu'Abel avait eu amplement le temps de prendre la fuite. Il lâcha donc à contrecœur l'identité de son chef et ami.

— Pour Abel Valdés Villazón. Vos services de renseignement verront rapidement pourquoi il ne peut pas avoir organisé l'attentat sur la Lune.

Prescott ne comprit pas l'allusion.

— Pour qui travaille-t-il ?

— Personne. C'est lui le chef, le créateur de Gaïa.

— Qui vous finance ?

João ne répondit pas. Prescott fit un signe de la main. Le sécateur réapparut à l'écran.

— On s'autofinance. Gaïa a braqué le *Golden Peacock*.

Abel en voudrait terriblement à son ami d'avoir révélé ce "détail". Prescott, lui, ne connaissait pas le *Golden Peacock*. Il regarda sa montre. Avec les fuseaux horaires, il calcula qu'il était presque 20 h à Washington. Le président devait être joignable.

JOUR 14, MAISON BLANCHE, WASHINGTON, D.C., ÉTATS-UNIS

Depuis qu'il avait raccroché avec Mike Prescott, Carlson était plongé dans un grand trouble. Abel Valdés Villazón. Le président se souvenait de cet homme aux obsèques à Houston, en particulier de son regard de fauve qui l'avait fusillé et qu'il n'avait alors pas compris.

L'identité du leader de Gaïa avait ouvert une nouvelle brèche imprévue dans son plan qui prenait maintenant l'eau de tous les côtés. Après la survie de Tyler et ses messages codés, puis la disparition de la petite Janie, cela commençait à faire beaucoup. Peut-être même la jeune fille s'était-elle échappée du Johnson Space Center avec cet homme ? Il les avait vus discuter ensemble. Il évacua cette idée malfaisante de son cerveau qui sombrait dans la paranoïa. Son anxiété, qu'il était parvenu à contrôler au cours des derniers jours, était de nouveau à son paroxysme. Il s'administra un nouveau cocktail de bêtabloquants et de cocaïne pour surmonter la crise.

Comme les ennuis n'arrivaient jamais seuls, c'était également le moment que Fox avait choisi pour l'appeler et vérifier l'avancement du plan Gimel. Dopé par l'énergie que lui procurait la cocaïne, Carlson décida de faire part à Fox de ses problèmes avant qu'il ne les découvre. Il commença par les bonnes nouvelles.

— Les Japonais ont arrêté le responsable des opérations de Gaïa au Japon. La CIA l'a interrogé et il vient de nous révéler le nom du chef de Gaïa. Un certain Abel Valdés Villazón.

Le milliardaire connaissait ce nom. Une peur ancestrale lui glaça le sang. Il devait reprendre ses esprits.

— C'est bien, Carlson. Vous remontez la pente, s'exclama Fox ironiquement. On va vous garder encore un peu. Maintenant vous allez m'anéantir ce garçon. Ne perdez pas une minute, il est extrêmement dangereux. C'est le diable incarné.

Carlson fut surpris que Fox connaisse ce garçon. Prescott avait dû le renseigner.

— Eh bien, le problème, poursuivit le président, c'est que cet Abel Valdés Villazón était étroitement lié à l'un des astronautes décédés, Paul Gardner. Ils ont grandi ensemble et c'est même lui qui a prononcé son éloge funèbre à Houston, il y a trois jours. Vous y étiez.

Fox se remémorait parfaitement ce moment de la cérémonie et de l'intervention de celui qu'il espérait ne jamais revoir. Deux fois en l'espace de quelques jours, c'était trop.

— Un jeune homme aux cheveux courts ?

— Exactement. Son discours télévisé a ému l'Amérique et son visage est dans toutes les mémoires, même la vôtre monsieur Fox… Comment faire croire qu'il ait pu commettre un attentat contre son ami ?

— Carlson, c'est vous qui avez échoué lamentablement sur la Lune, puis choisi Gaïa. Il va donc falloir faire marcher votre imagination. Si vous aviez eu le courage de désigner de véritables ennemis comme boucs émissaires, vous n'auriez pas ce genre d'ennuis stupides. Vous payez votre couardise. Brisez Gaïa !

— Compris. Je vais voir ça avec Prescott. Nous allons les retrouver. Valdés Villazón s'est enfui avec sa femme, une certaine Lucy Spencer. La fille d'un grand assureur du Connecticut, apparemment.

Fox racla sa gorge et marqua un long silence porteur de mauvais présages. Il savait très bien à qui Abel était marié.

— Terence Spencer ?

— Que voulez-vous dire ? répondit Carlson qui ne comprenait pas.

— Le père de la fille, c'est Terence Spencer ?

Le président Carlson feuilleta le dossier qu'on lui avait remis. Le père de Lucy s'appelait effectivement Terence.

— Je vous le confirme, il s'agit bien de Terence Spencer, assureur à Hartford. Vous le connaissez ?

— C'est un de mes amis proches, lâcha Fox. C'est sa société qui assurait Columbus 11.

Carlson savait de quoi étaient capables les "proches" de Cornelius Fox. Il avala sa salive et attendit la suite des instructions avec inquiétude.

— Vous voulez que l'on épargne sa fille ?

— Non, dit sèchement Fox. Si je me rappelle bien, Terence est en froid avec elle. Faites ce que vous avez à faire, Carlson. Et sinon, où en êtes-vous sur le plan Gimel ?

— Le décollage de la fusée chinoise depuis l'île de Hainan est prévu dans une semaine. Le dauphin qui achemine la bombe électromagnétique jusqu'à la côte est en route pour le golfe du Tonkin. Une fois là-bas, il attendra nos instructions. Tout semble donc en ordre, là aussi.

— Parfait, Carlson, continuez comme ça ! Maintenant, il faut détruire Gaïa, au plus vite.

Carlson hésita et ne trouva finalement pas le courage de lui parler ni de Tyler, ni de Janie, ni du message que la NSA n'avait toujours pas décrypté. Il mit donc fin à la conversation et appela Prescott, qui se trouvait encore à Diego Garcia, pour planifier l'opération contre Gaïa. Ils la baptisèrent

Dalet, quatrième lettre de l'alphabet hébreu, qui ressemblait curieusement à un point d'interrogation.

JOUR 14, PLAINES DE SAN AGUSTIN, NOUVEAU-MEXIQUE, ÉTATS-UNIS

Pungor et Abel avaient passé la journée à mettre en place le dispositif qui analyserait le signal de BridgeStar V. Lucy s'était occupée de Janie et l'avait couchée en fin de journée, à l'arrière de leur voiture. La suite de la soirée s'annonçait mouvementée dans le cabanon de Pungor et il valait mieux que Janie n'y assiste pas.

Il était 19 h 30. Il restait seulement trente minutes avant que le satellite soit aligné avec la base lunaire de Columbus 11 et le Nouveau-Mexique. João et Anthony n'avaient apparemment pas encore parlé, tout était encore possible. Pour l'heure BridgeStar V diffusait un jeu télévisé stupide dans lequel un obèse était chronométré pour savoir combien de temps il tiendrait avant d'avaler la pizza gluante qu'il avait sous son nez.

Le soleil était maintenant couché, des condors tournoyaient dans le ciel zébré. Des lumières phosphorescentes apparaissaient par paires dans la pénombre : les yeux des coyotes. La Lune quant à elle ne se montrerait pas, c'était la fin du mois lunaire. Abel pensa à Paul. Pour lui, deux semaines sans soleil commençaient ce soir. Il allait avoir froid ; un froid qu'aucun homme n'avait jamais connu : – 170 °C.

Alors qu'un jeune coyote s'approchait d'eux, Abel ressentit soudain un point violent au niveau de la poitrine. Il se tint à l'épaule de sa femme puis se mit à genoux. Il respirait mal. Il haletait.

Lucy crut à un malaise cardiaque. Elle était complètement paniquée. La douleur se fit encore plus aiguë. Les coyotes se mirent à hurler. Une autre secousse traversa le corps du jeune homme, puis il roula à terre. Son corps entier était pris de convulsions. Lucy cria et Pungor accourut. Ils ne savaient pas comment réagir. La crise, qui ressemblait à de l'épilepsie, s'arrêta heureusement presque aussi rapidement qu'elle était arrivée.

Les coyotes s'étaient tus. Allongé sur le dos, regardant fixement le ciel déjà constellé d'étoiles, Abel grommelait Ils s'approchèrent de lui. Il divaguait et répétait : "Ké est morte." Il perdit alors connaissance. Ils le soulevèrent et le traînèrent jusqu'au lit du vieillard, dont les draps crasseux avaient échappé au grand ménage. Lucy lui caressa le front et il reprit peu à peu ses esprits.

L'obèse à la télévision avait englouti un quart de sa pizza. Il avait commencé à craquer, mais se retenait encore pour ne pas dévorer le reste. Le programme s'arrêta net. Même si ce n'était pas encore l'heure prévue, Pungor se rua sur ses machines. Abel l'observait depuis le lit, paralysé.

La présentatrice apparut. Fausse alerte. Il s'agissait seulement d'un flash d'informations.

> *"Nous venons d'apprendre qu'un pas décisif a été effectué dans la traque de Gaïa. Le fondateur de ce groupe, jusque-là mystérieux, a été identifié. Il s'agit d'un certain Abel Valdés Villazón. Il est en fuite sur le territoire américain avec sa femme Lucy Spencer. Le président Carlson a porté à 100 millions de dollars la prime pour toute information conduisant à leur arrestation. Morts ou vifs."*

Abel n'en revenait pas. Il était sorti de sa léthargie et se frottait les yeux. Lucy était livide. Pungor n'écoutait pas, il vérifiait ses branchements. João avait donc craqué. Une photo en gros plan du couple était figée derrière la présentatrice. Elle avait été prise le jour de leur mariage.

> *"Abel Valdés Villazón, de son vrai nom Salazar Chacón, est un individu violent. Il a connu de graves troubles psychologiques durant son enfance. Après l'assassinat de ses parents au Mexique – le juge Fernando Salazar Chacón et sa femme Laura –, il a été placé à Boulder chez sa tante sous la protection du FBI auquel il a donné les pires difficultés."*

Lucy et Abel se regardèrent. La journaliste venait de signer un nouvel arrêt de mort pour le chef de Gaïa. Le gouvernement américain avait transgressé le secret du programme de protection des témoins et dévoilé sa véritable identité. S'il n'était pas lapidé par les Américains rendus fous par la prime de 100 millions de dollars, le cartel de Tijuana se chargerait de son sort.

> *"C'est pendant son enfance à Boulder qu'il a fait la connaissance de l'astronaute Paul Gardner pour lequel il a toujours nourri une profonde jalousie. Il n'aurait jamais supporté l'ascension fulgurante du jeune homme. L'attentat commis la semaine dernière par le déséquilibré s'apparentait donc à un crime passionnel. D'après les rapports médicaux obtenus par le département de la Défense, Valdés Villazón est atteint de schizophrénie. Il a réussi à tromper tout son entourage ; la famille Gardner l'a même choisi pour lire un texte aux funérailles de leur fils à Houston, il y a quelques jours."*

Dopé par la rage qui l'envahissait, Abel se redressa. Il aurait voulu flanquer la télévision par terre. Lucy observait son mari avec pitié et commençait à sentir la peur sourdre en elle. Pungor s'était approché et nettoyait les verres de ses lunettes.

"Le gouvernement recommande la plus grande prudence à ceux qui croiseraient le chemin des fugitifs. Ils sont redoutablement intelligents et, encore une fois, très dangereux. La jeune femme a été embrigadée par son mari, comme l'ensemble des salariés de leur entreprise, Biosphere Economics. *Cette société, basée au fin fond du désert d'Arizona, dissimulait les activités occultes de la secte Gaïa et son campus leur servait de camp d'entraînement. Le mouvement, a-t-on également appris, finançait ses actions spectaculaires grâce au casse d'un casino sur Internet, le* Golden Peacock. *Ce braquage survenu l'an dernier n'avait jamais été déclaré. Les hackers de Gaïa auraient raflé 100 millions de dollars, ce qui en ferait le plus grand casse de l'Histoire."*

Voilà qui allait achever de décider le cartel de Tijuana à en finir avec lui, songea Abel, ébranlé. Pour que João lâche cela, les Japonais avaient dû mettre la main sur sa femme et son fils. Abel eut une pensée pour eux.

"Les fanatiques de Gaïa ont tous quitté leur base avec Valdés Villazón et sa femme. On ignore où ils se trouvent. L'armée de l'air a détruit le site, la vidéo vient de nous parvenir."

À basse altitude dans le désert, cinq hélicoptères de combat volaient en formation serrée. Abel reconnut sur l'écran des Apaches AH-64, redoutables prédateurs utilisés dans les deux guerres du Golfe. Les images étaient tournées depuis le cockpit de l'un d'eux où le pilote commentait les phases de l'assaut. Il avait la moustache bien mise et les cheveux gominés. Ce n'est pas tous les jours que l'on passe à la télévision. Abel s'approcha encore du tube cathodique, il avait presque son nez plaqué dessus.

Les monstres volants arrivèrent en vue de la Grande Serre. Deux missiles Hellfire la firent voler en éclats dans un nuage jaune incandescent. D'autres projectiles vinrent ensuite détruire les serres secondaires, les chambres de dilatation, les habitations, le centre de contrôle, la cafétéria, les laboratoires… Les ordures s'en donnaient à cœur joie.

Au bout d'une minute, les hélicoptères avaient vidé toutes leurs munitions. Quatre-vingts Hellfire en tout, réduisant à néant la cathédrale de verre et de métal. Biosphere 2, une des plus belles utopies imaginées par l'Homme était partie en fumée.

Abel avait mal. Des flammes dansaient sur ses pupilles. Le fond de sa rétine, son *tapetum lucidum*, luisait. C'était une partie de lui-même qui venait de mourir. Il était comme un fauve qui venait de perdre son petit dans un incendie. Sa tristesse n'avait d'égal que sa rage de vengeance. Lucy et Pungor reculèrent. Ils ne l'avaient jamais vu dans un état pareil et redoutaient la violence de sa réaction. Abel n'était plus Abel. Tout entier, il était devenu jaguar. Avec sa langue, il sentait la pointe de ses dents. Dans sa gorge, un arrière-goût de sang lui excitait les papilles. Le jaguar noir était enragé. Il rugissait intérieurement. Il ne fallait pas exciter un félin avec le feu. Il allait traquer le pyromane Carlson et le dévorer.

Le flash spécial terminé, le jeu télévisé reprit. L'Américain obèse avait mangé toute sa pizza.

Si le gouvernement avait réagi avec une telle violence contre Gaïa, c'est que le mensonge qu'il dissimulait était prodigieux. La présentatrice n'avait pas indiqué qu'Abel avait décrypté le code CIV ni parlé du fait que Paul Gardner était encore vivant. Anthony n'avait donc pas encore parlé. La situation n'était donc pas désespérée, mais il fallait faire vite. Très vite.

Le jaguar noir venait de perdre Ké et Biosphere 2, il fallait continuer à protéger Biosphere 1. L'action de Gaïa devait se poursuivre, plus que jamais. Il chassa temporairement sa haine et canalisa son énergie. Il était presque 20 h et la retransmission de Paul allait commencer.

Les coyotes à l'extérieur hurlaient si fort que Janie s'était réveillée. Elle se présenta sur le pas de la porte en frottant ses yeux et en pleurnichant. Lucy la berça et elle se rendormit aussitôt.

JOUR 14, CAMERON, ARIZONA, ÉTATS-UNIS

Anthony Malville avait passé une journée en enfer. Tobby et Chuck avaient enchaîné bière sur bière et continuaient à se jouer de lui. Il toussait toujours beaucoup, mais avait fini par retrouver partiellement sa voix. Il n'avait cependant pas réussi à les convaincre de le laisser appeler Terence Spencer. Pour la énième fois, depuis l'intérieur de sa cellule, il essaya de leur expliquer. Il était à bout de nerfs.

— J'ai une information capitale pour le pays. Mon patron chez Biosphere Economics, Abel Valdès Villazón, a capté un message en provenance de la Lune et détient la preuve que l'astronaute Paul Gardner est vivant. Il faut absolument que je prévienne Terence Spencer dans le Connecticut.

— Hé, le mec en slip, tu diras à ton pote mexicain d'arrêter de prendre des champignons, se gaussa Tobby. La prochaine fois, il risque de se faire enlever par des extraterrestres.

— Ouais, et puis ici on n'est pas chez les milliardaires, enchaîna son acolyte. Appeler le Connecticut, ça va nous plomber le budget. On ne pourra plus acheter de bières après !

Anthony était accablé. Il ne savait plus comment s'y prendre. Les deux policiers se délectaient devant un programme navrant où l'on torturait un jeune obèse devant une pizza géante. Un flash spécial vint subitement interrompre l'émission. Toby et Chuck pestèrent. Ils avaient parié de l'argent et ne voulaient pas rater la fin.

La traque de Gaïa n'était visiblement pas la préoccupation des deux ivrognes, mais ils écoutèrent quand même attentivement. Lorsque la présentatrice annonça qu'Abel Valdès Villazón était le chef de Gaïa, dans sa cellule, Anthony tomba du banc sur lequel il était assis.

— Valdès Villazón, c'est le même nom que le Mexicain avec lequel tu nous as bassinés toute la journée, lui hurla Chuck.

C'était incroyable. Anthony n'en croyait pas ses yeux ni ses oreilles. L'information qu'il détenait venait soudain de prendre une importance colossale. Il écouta le reportage jusqu'à la fin, jusqu'à la destruction de Biosphere 2.

— C'est la même personne, bande d'abrutis. Si vous me laissez appeler Terence Spencer, on peut partager tous les trois les cent millions de dollars promis par le président. Je sais où il se trouvait hier.

Chuck coupa le son. Les deux policiers s'approchèrent de lui. Il avait enfin trouvé la façon de les intéresser.

— Tu peux répéter ce que tu viens de dire ? lui demanda Toby.

— Abel Valdès Villazón est mon patron. J'étais avec lui dans un bus hier soir et je me suis échappé. C'est ce que je n'ai pas arrêté de vous rabâcher aujourd'hui.

— Non, non, répète la partie sur les cent millions de dollars.

— Si vous me laissez appeler, avec les informations dont je dispose, on pourrait partager ces cent millions de dollars.

— T'entends ça, Chuck ? Tarzan connaît le chef de Gaïa et il ne nous avait rien dit.

Anthony venait de l'apprendre en même temps qu'eux. Ivres morts, Chuck et Toby se concertèrent dans un coin.

— On ne te fait pas confiance pour partager, expliqua Chuck. On va appeler un copain à nous qui est avocat et il va venir rédiger un contrat. Après seulement, tu pourras appeler ton Terence Spencer.

JOUR 14, PLAINES DE SAN AGUSTIN, NOUVEAU-MEXIQUE, ÉTATS-UNIS

Le satellite BridgeStar V était maintenant aligné entre eux et la base lunaire. Les antennes de Pungor captaient le signal qui était ensuite enregistré, retraité et analysé par les puissants algorithmes qu'Abel avait mis au point.

L'ordinateur se figea : le programme avait découvert une structure dans le signal. Le professeur l'amplifia et bientôt une très longue série de chiffres apparut. Abel y appliqua le code de Beale avec la dédicace du Petit Prince comme clé, et après quelques manipulations, un long texte apparut, agrémenté de photos et de vidéos. Ils ne s'étaient pas trompés.

Lucy, qui portait Janie endormie, et Pungor s'approchèrent. Ils se serrèrent les uns contre les autres et commencèrent à lire.

JOUR 14, *SPACEBLOG* DE PAUL GARDNER, BASE LUNAIRE COLUMBUS 11

Abel,

Si tu lis ce message, c'est que tu es venu à bout de mes messages chiffrés. Je n'en attendais pas moins de toi. Sache combien je suis déjà heureux. J'espère seulement qu'il n'est pas trop tard.

Dans ce qui suit, tu trouveras mon blog. Chaque soir, j'essaierai de le mettre à jour. Ce que tu vas lire va te bouleverser et changera probablement la face du monde. Lorsque Janie Tyler sera en sécurité, je compte sur toi pour le diffuser au plus grand nombre.

J'espère à très bientôt.

Ton ami Paul.

Abel, Lucy et Pungor n'en croyaient pas leurs yeux.

Le message datait du quatorzième jour de la mission. Ils comptèrent les jours depuis le départ : il avait été écrit le jour même. Paul était toujours vivant. Avant de décider de sa diffusion auprès des sept milliards d'humains, ils se jetèrent dans la lecture du blog, les yeux humides.

JOUR 7, *SPACEBLOG* DE PAUL GARDNER, BASE LUNAIRE COLUMBUS 11

23 h

Je vous écris, ne sachant même pas si vous me lirez un jour. J'en ai besoin pour retrouver un brin de lucidité et surtout me sentir moins seul.

C'est horrible. Ils sont tous morts. Si je cède à la panique, je vais moi aussi périr ici. Il y a une heure, le caisson pressurisé dans lequel Gary se trouvait a explosé. Il n'en reste plus rien. De lui non plus.

J'ignore ce qui a pu se produire. Un laboratoire botanique n'explose pas. C'est très bizarre. Depuis des semaines, je pressentais un danger, certaines choses ne tournaient pas rond. Ça ne peut pas être un accident. Une bombe peut-être ? Mais posée par qui ? Il faudra que je cherche.

Les débris éjectés par l'explosion ont traversé les combinaisons de Scott et Eileen. Ils sont morts sur le coup, transpercés. C'est atroce. Cette vision me glace. Je m'occuperai de leurs corps dès que je le pourrai. Celui de Gary a été pulvérisé.

Notre atterrisseur lunaire a également subi de gros dommages. Sa cuirasse a été perforée et l'habitacle n'est plus étanche. Les moteurs sont abîmés. Je ne peux plus repartir. Je suis bloqué ici, seul.

L'explosion semble avoir aussi grillé tous les circuits. Les communications avec la Terre sont coupées dans les deux sens. Je ne sais pas si c'est réparable. Je suis donc bloqué ici et dans l'impossibilité de demander du secours.

Il faut que l'on vienne me chercher, mais les Américains ne le pourront pas. Je serai déjà mort depuis longtemps lorsque la prochaine mission Columbus pourra être lancée. Mais les Chinois, eux, sont bientôt prêts : Bill Wright nous l'avait dit à la radio. Je suis certain que le président Carlson demandera de l'aide aux Chinois et qu'ils accepteront. Un traité de l'ONU oblige les États à se venir en aide pour secourir les astronautes. Nous avons un statut d'"envoyé de l'humanité".

Oui, les Chinois, ce sont eux qui viendront.

Encore faut-il que je parvienne à prévenir la Terre et faire savoir que je suis vivant.

Rien qu'à l'idée de passer deux semaines seul ici, je suis terrorisé.

Je dois m'organiser pour survivre, jusqu'à ce que les Chinois arrivent. J'ai de l'eau, de la nourriture et de l'oxygène dans ma combinaison et je devrais pouvoir trouver des réserves dans l'atterrisseur.

JOUR 8, *SPACEBLOG* DE PAUL GARDNER, BASE LUNAIRE COLUMBUS 11

2 h

Écrire me soulage. Je réalise que j'ai eu une chance inouïe. Au moment de la déflagration, j'étais de l'autre côté du module et les débris expulsés ne m'ont pas atteint. Notre vaisseau m'a servi de bouclier.

Être le treizième homme à fouler le sol lunaire m'a donc porté bonheur. Eileen aurait dû être cette treizième personne. Je ne parviens toujours pas à croire que Gary, Scott et Eileen sont morts. C'est horrible. Je ne devrais pas y penser et tâcher de rester concentré pour survivre. Mais c'est impossible. Pendant quatre ans, nous avons partagé chaque minute. Ce voyage devait être une fête, pour nous et pour l'humanité. C'est un désastre. Leurs familles doivent être effondrées. La mienne aussi. Malgré les risques encourus, mes parents, mes sœurs et mon frère m'ont fait confiance et m'ont laissé partir vers la Lune. Si je meurs, le reste de leur vie sera un cauchemar permanent. Il faut absolument que je m'en sorte.

La détonation a eu lieu dans le silence. La Lune étant dépourvue d'atmosphère, les ondes sonores ne se propagent pas ici. J'ai juste aperçu des bouts de métal voler au-dessus de ma tête.

Il n'y a plus aucun bruit ici. Depuis que ma radio ne fonctionne plus, un silence lourd et stressant s'est installé. C'est le désert absolu.

Mon premier réflexe a été de me réfugier dans le boyau de lave que j'étais censé explorer. Me voilà homme des cavernes. Ce vieux réflexe de survie, inscrit au plus profond de nos gènes, fonctionne donc aussi dans l'espace. Par chance, j'y avais apporté hier du matériel, dont l'ordinateur avec lequel je vous écris en ce moment même, à l'aide d'une sorte de dictaphone. Les parois de lave ont protégé ces instruments des rayonnements létaux émis par l'explosion.

Tout à l'heure, j'ai eu une crise de paranoïa. C'est certainement ma meilleure alliée pour survivre. J'ai repensé à l'hypothèse d'un attentat. S'**ils** ont délibérément éliminé mon équipage, je devais être visé également. Dans ce cas, **ils** n'ont sûrement pas intérêt à ce que je sois encore vivant.

Sans communications, comment peuvent-ils s'assurer que nous sommes tous morts ? Compte tenu de la distance, prendre une photo du site d'alunissage depuis la Terre est impossible. À moins que… L'orbiteur ! À ma connaissance, c'est le seul moyen de photographier le site avec suffisamment de précision.

J'ai regardé ma montre. La capsule n'était pas encore repassée au-dessus de la base depuis l'explosion, je disposais encore de vingt bonnes minutes. Elle vole à une altitude de 100 km et effectue une orbite complète autour de la Lune à peu près toutes les deux heures. Je suis rapidement sorti de la caverne où je me suis terré depuis l'accident, l'attentat, devrais-je peut-être dire. Quelques minutes plus tard, j'ai récupéré l'une des combinaisons de rechange dans l'habitacle éventré du vaisseau et je l'ai disposée sur le sol, là où je me trouvais au moment du désastre. Puis je suis retourné me cacher avec des recharges d'oxygène.

Sur la photo prise par l'orbiteur, **ils** verront trois points, trois combinaisons blanches, qu'**ils** prendront pour trois cadavres, dont le mien. Le moment venu, j'aurai toujours la possibilité de faire savoir que je suis vivant. Pour l'instant, je dois rester prudent. J'ai programmé ma montre pour qu'elle m'indique les prochains passages de l'orbiteur.

Je suis exténué et j'ai sommeil. Je vais dormir quelques heures dans ma grotte, à même le sol. Il y fait très froid. En absence d'atmosphère, la forte chaleur du soleil n'est pas stockée. Le tissu de mon gant gauche a été endommagé et je commence à ressentir des picotements aux extrémités des doigts. Ma combinaison n'est plus totalement hermétique sur le plan thermique. Ce n'est pas bon. Demain, il va falloir que je trouve une solution pour en changer. La nuit porte conseil.

9 h

Malgré l'angoisse, je suis parvenu à dormir cinq heures. Je ne sens plus le bout des doigts de ma main gauche. Leur surface a dû commencer à geler. Je dois les remuer pour ne pas les perdre. Le reste de mon corps est à la bonne température.

Entre deux passages de l'orbiteur, je retourne sur le lieu du drame. Cela ressemble à un puzzle géant de plusieurs dizaines de milliers de pièces… Toutes tordues et éparpillées sur un rayon d'au moins 100 mètres. Parmi les débris qui jonchent le sol, j'ai trouvé essentiellement des composants électroniques et des pièces de métal. Aucune trace de végétaux. Ils ont dû brûler. J'y retourne.

11 h

Les pièces du puzzle ne sont pas en si mauvais état. Elles ont seulement été déformées par l'explosion et ne sont même pas calcinées. Il n'y a pas d'oxygène sur la Lune. Dès que les parois du caisson ont cédé, la boule de feu a dû s'éteindre.

Ici et là, mêlés aux débris et au régolithe, j'ai trouvé des morceaux de chair ainsi que le matricule que Gary portait toujours autour du cou, souillé de sang. Pauvre major Tyler. Si sa chair n'a pas brûlé, je devrais trouver aussi la matière végétale intacte. Pas de traces non plus de tuteurs en métal, de cuves pour la culture horssol, de bacs en plexiglas, de pipettes pour l'injection des nutriments, de lampes… Rien de ce dont Gary nous avait parlé.

Ce n'était donc pas un laboratoire botanique et Gary était forcément au courant. Les pièces sont beaucoup plus massives et ressemblent aux débris d'une grosse machine. Gary traînait dedans depuis la veille et ne nous avait rien dit. Une chose est certaine : maintenant il est mort.

Je reprendrai mon inspection plus tard. Il faut que je m'occupe de mon habitat et que j'essaie de rétablir les communications. J'ai fait des exercices et je commence à sentir à nouveau mes doigts.

13 h

Le module lunaire ne pourra pas être réparé. En revanche, à l'intérieur, j'ai trouvé des batteries encore opérationnelles que j'ai ramenées à la grotte. Avec ça, je vais pouvoir alimenter mes équipements électroniques jusqu'à l'arrivée des Chinois.

Pour l'habitat, je crois que j'ai une solution : les niches. Les chiens que j'avais vus au centre d'entraînement à Houston étaient des bergers allemands. Leurs niches spatiales, prévues pour un long séjour lunaire, sont vastes et confortables.

J'espère que ce n'est pas un coup fourré comme le laboratoire de Gary et que ces containers contiennent vraiment des niches… Je vais aller voir.

15 h

J'ai fait sauter le cadenas d'un des containers. Quelle idée ! Il n'y a pas de voleurs sur la Lune ! Mauvaise habitude terrienne. À l'intérieur, il y avait effectivement deux niches, chacune de la taille d'une tente de camping ; je peux y tenir sans problème. Seul souci : elles se trouvent au fond des containers et pour les sortir, il faudra déplacer les caisses qui bloquent le passage. J'ignore qui a rangé ça. Sûrement le même qui a mis le cadenas. Les caisses sont tellement nombreuses que je ne pourrai pas les déplacer en moins de deux heures. De l'orbiteur, ils verront qu'il y a du mouvement… et des survivants.

Après une légère amélioration cet après-midi, l'état de mes doigts empire à nouveau. Les gelures me font horriblement mal. Il me faut vite une de ces niches. Avant d'agir, je dois bien réfléchir.

23 h

Dicter ces messages m'apaise. Mes idées se mettent en place et j'ai l'impression d'avancer. J'ai passé la journée à essayer d'imaginer ce qui a pu se passer. Gary. C'est lui la clé. Mes soupçons à son égard étaient fondés.

Les raisons médicales invoquées pour le remplacement d'Emilio Garcia m'avaient toujours paru discutables, tout comme le choix du major Tyler qui ne faisait pas partie des astronautes initialement sélectionnés pour le programme Columbus. Gary savait qu'il n'était pas dans un laboratoire botanique. Il devait donc être **leur** "protégé". Mais alors, qui sont-**ils** ? En tout cas, des êtres assez puissants pour avoir imposé un astronaute au sein de l'équipage de Columbus 11. Gary travaillait pour **eux**. Que faisait-il dans le caisson ? L'objet de sa mission est dissimulé quelque part au milieu des pièces du puzzle. Je dois continuer à fouiller.

Au moment de sa sélection, je le trouvais plutôt jovial pour un militaire. Pourtant il n'a pas eu une vie facile. Sa femme était décédée peu après la naissance de leur fille Janie. La petite vit auprès de sa tante à Louisburg dans le Kansas et elle est souvent venue nous rendre visite à Houston. Elle est adorable. Le soir, nous jouions des heures ensemble. Je lui ai enseigné le nom des étoiles. Elle me répétait à longueur de journée que j'étais son idole. Cela amusait beaucoup Gary. Puis soudain elle a décidé de ne plus venir. Elle avait apparemment trop peur pour lui et ne supportait pas l'idée de le perdre, nous avait dit Gary. Depuis ce moment, son humeur s'était assombrie, mais il n'avait pas démissionné. Certains astronautes craquent et quittent ce métier extraordinaire sous la pression de leur femme ou de leurs enfants. Pauvre Janie, elle ne s'était pas trompée. Son père ne l'a pas écoutée et elle est maintenant orpheline. Pourvu que sa tante s'occupe bien d'elle.

Mais il y avait autre chose. Gary était parfois appelé par des hauts gradés du Pentagone et il revenait bouleversé à l'entraînement. Il ne voulait pas nous en parler. C'est à ce moment que j'ai commencé à m'inquiéter pour notre mission. Columbus 11 était éminemment politique et certaines choses se tramaient en coulisse. Avec Gary. **Ils** ont donc un lien avec ces hauts gradés du Pentagone, c'est sûr.

Gary avait réellement un bon fond, je peux en témoigner. Malgré les circonstances discutables de sa nomination, des liens forts s'étaient tissés entre nous quatre. Les astronautes sont une grande confrérie et cette fraternité n'est pas falsifiable. Gary a dû agir contre son gré et c'est ce qui le minait.

Durant notre traversée de la Terre à la Lune, Gary avait été très anxieux, plus que nous tous. À mesure que nous nous approchions de notre but, il s'était détendu. Il était conscient de ce qu'il allait faire pour eux, mais il ne se voyait certainement pas mourir. Tyler n'était pas un kami-kaze. Il tenait trop à sa fille et il aimait la vie. Il a forcément été surpris par la mort. Après avoir tourné le problème dans tous les sens, je ne vois que deux possibilités : il a été victime d'un attentat ou bien d'un accident.

Ce que Gary faisait était secret et donc forcément dange-reux. Avant de rejoindre l'US Air Force, il avait servi dans le corps des Marines. Les Marines sont méfiants, ils assurent leurs arrières. Surtout lorsqu'on leur confie des missions de barbouzes. Le major Tyler n'était pas un bleu. À l'intérieur du petit laboratoire, il pouvait enlever son scaphandre.

Il a donc forcément pu en inspecter les moindres recoins. S'il y avait eu une bombe, il l'aurait découverte.

Ce n'est donc pas un attentat. **Ils** ne voulaient donc pro-bablement ni sa mort ni la nôtre. Il y a donc dû y avoir un accident, impromptu. Qu'est-ce qui a bien pu se passer ?

Une pensée effrayante me traverse l'esprit : s'**ils** ap-prennent que Gary est vivant, ils enverront certainement du secours. Gary saurait en effet se taire comme il l'a fait jusqu'à maintenant. En revanche, s'ils apprennent que j'ai survécu, **ils** craindront que je ne fouille et ne découvre le véritable motif qui a conduit Gary ici.

Je dois me faire passer pour Gary. C'est ma seule chance. Je me rends compte que ce que j'écris est très dan-gereux. **Ils** ne doivent pas le lire. Pas maintenant.

JOUR 9, *SPACEBLOG* DE PAUL GARDNER, BASE LUNAIRE COLUMBUS 11

2 h

Aidé par la faible gravité sur la Lune, je suis parvenu à traîner une des niches jusqu'à ma caverne. L'orbiteur a dû photographier le remue-ménage autour du container. Comme j'ai laissé les trois autres combinaisons à leur place, **ils** ont dû en déduire que Gary – le seul dont la combinaison manque – est vivant. **Ils** vont s'arranger pour envoyer la mission chinoise le chercher. Les Chinois seront surpris de me trouver à la place de Tyler. Je leur expliquerai.

J'ai fini d'installer mon nouvel habitat. La NASA avait décidément prévu un appartement de luxe pour ses chiens ! Bien plus spacieux en tout cas que celui de la pauvre chienne Laïka, que les Russes avaient envoyée dans l'espace. Elle avait officiellement passé une semaine en orbite. Les Russes ont reconnu il y a quelques années qu'elle était en fait morte au bout de quelques heures, à la suite d'un dysfonctionnement du système de régulation thermique. À l'époque, l'envoi sans retour possible de Laïka avait déclenché la colère des associations de protection des animaux. Elles n'avaient pas été écoutées. Au XXIe siècle, la donne avait changé : ces mêmes associations ont obtenu le rapatriement des chiens après leur séjour lunaire, prévu pour durer plusieurs mois.

442

Revenons à la niche : trois mètres de long, deux mètres de large et un mètre cinquante sous plafond. Une belle chambre double pour au moins deux molosses avec tout le confort moderne : air conditionné, chauffage avec piles à combustible et même un sas. La NASA avait peut-être envisagé que les chiens puissent aller se promener ! En tout cas, cela me permettra d'entrer et sortir sans avoir à dépressuriser l'ensemble. Je vais être bien. Il y a également un distributeur automatique de croquettes, mais je vais plutôt utiliser les vivres que j'ai récupérés dans le module lunaire.

Ce fut l'une des journées les plus éprouvantes de ma vie. Mais je vais enfin pouvoir enlever mon scaphandre et dormir, à l'abri et au chaud. Réchauffer mes doigts enfin. Je ne les sens plus du tout. Demain je pourrai enfiler l'autre combinaison que j'ai récupérée dans le vaisseau et je n'aurai plus froid.

14 h

J'ai dormi dix heures. Avant de me coucher, je me suis occupé de ma main gauche. Mes doigts ressemblaient à ceux d'un alpiniste après l'ascension d'un haut sommet. Dans la trousse de secours récupérée dans le module lunaire, j'ai trouvé ce qu'il fallait pour soigner mes gelures. Avec le temps, je devrais guérir. Les douleurs sont très fortes, mais j'ai tellement de choses auxquelles penser qu'elles sont supportables.

On se repose bien dans cette niche, bien mieux en tout cas que dans le module lunaire où nous étions entassés les uns sur les autres. Ces chiens auraient été mieux traités que nous. J'en parlerai à Bill Wright à mon retour.

J'ai ramené beaucoup de poussière lunaire à l'intérieur de la niche. Ma combinaison en était complètement recouverte et incrustée. C'est vraiment une plaie, et les aspirateurs électrostatiques d'Eileen ne fonctionnent plus.

Je dois maintenant m'occuper de rétablir les communications.

17 h

Je suis allé rechercher des composants électroniques dans le module, ils ont quasiment tous grillé. Seul un fort champ magnétique – comme celui qui accompagne les explosions atomiques – a pu provoquer de tels dégâts. Cette perspective ne me réjouit guère.

Avec le matériel de la grotte qui est intact, je dois pouvoir fabriquer un émetteur suffisamment puissant pour communiquer avec Houston. En revanche, les antennes et autres matériels de réception sont tous cuits. Je serai donc capable de vous parler mais incapable d'entendre.

Je deviens donc sourd, comme mon petit frère Kevin. Il a besoin de moi. Il faut que je m'en sorte. Pour lui et pour le reste de ma famille. Les Chinois vont venir, c'est sûr. Je dois garder espoir.

22 h

Ça y est, mon émetteur radio fonctionne. Mais je vais attendre pour l'utiliser, le temps de comprendre ce qui s'est passé ici.

Avec mes allers-retours, je ramène de plus en plus de poussière lunaire dans la niche. L'odeur de poudre à canon est vraiment très gênante et je commence à tousser. En revanche, mes plaies aux doigts vont mieux.

JOUR 10, *SPACEBLOG* DE PAUL GARDNER, BASE LUNAIRE COLUMBUS 11

7 h

Au cours de mes allées et venues, je passe sans cesse à côté des corps de mes deux camarades. Persuadés que les voyages vers la Lune allaient se généraliser au cours du siècle, Scott et Eileen avaient émis le souhait d'être inhumés ici à la fin de leur vie. Nous en avions discuté pendant la traversée. Dès que je le pourrai, j'exaucerai leur vœu. Leurs familles comprendront.

Si je parviens à revenir, je ramènerai le médaillon de Gary à Janie. Elle doit être si triste. Mais j'y pense : **ils** ont dû annoncer partout que son père a survécu. Janie m'en voudra toute sa vie de m'être fait passer pour son père. Je suis vraiment navré, Janie. Je me rattraperai.

11 h

Je viens de faire une découverte terrible.

Le compteur Geiger qui me servait à contrôler la radioactivité de la caverne est formel : il n'y a pas eu d'explosion nucléaire. En revanche, sur l'un des débris métalliques, le nom du constructeur était encore lisible : CorFox. Cette société a construit la plus grande partie des engins du programme Odyssey mais aussi le bouclier antimissile américain, récemment saboté.

Le pseudo-laboratoire botanique contenait donc certainement une arme redoutable. S'**ils** l'ont envoyée sur la Lune, c'était pour l'utiliser. J'ignore leurs intentions, mais ça ne sent pas bon du tout. L'envoi d'armes dans l'espace, et de surcroît sur la Lune, est strictement prohibé par les traités internationaux. Dans ces conditions, ils refuseront probablement de faire appel aux Chinois pour venir chercher Gary.

Ils n'ont pas dû annoncer au grand public sa survie. Au moins, Janie ne sera pas déçue. Mais du coup, personne ne viendra chercher Tyler. **Ils** veulent sa mort. Ils n'auront pas la mienne. Je dois me débrouiller sans **eux**.

13 h

Pressentant un danger, j'avais laissé des instructions à mon meilleur ami juste avant mon départ. Je devrais pouvoir le contacter, sans qu'ils s'en aperçoivent. Il s'appelle Abel. Il est la personne la plus rusée que je connaisse. Il est mon seul espoir.

19 h

C'est assez alambiqué, mais il y a une chance pour que cela fonctionne. De toute façon, je n'ai plus d'autres choix.

Les effets de la poussière lunaire sont de moins en moins supportables. Malgré mes gelures à la main gauche qui me font encore souffrir, j'ai essayé de récurer la niche. Cette micropoudre s'est incrustée dans les moindres recoins. Elle est très abrasive et il y a un risque pour qu'elle attaque les joints. Et mes poumons. Elle s'était déposée dans le cœur de certains astronautes du programme Apollo et avait provoqué des infarctus. Si seulement j'arrivais à réparer les aspirateurs électrostatiques d'Eileen !

JOUR 11, *SPACEBLOG* DE PAUL GARDNER, BASE LUNAIRE COLUMBUS 11

17 h

Abel, j'ai passé les dernières vingt-quatre heures à préparer mes deux messages codés. La bouteille est partie à la mer tout à l'heure. Le destin décidera si elle te parviendra. J'ai confiance.

Le premier message, toi seul pourras le décrypter. Il te permettra d'accéder à ce blog. Pour leur part, **ils** ont reçu un message rassurant de Tyler leur demandant du secours.

La mission chinoise doit partir dans dix jours. Il ne me reste plus beaucoup de temps pour découvrir la vérité. Je ne dispose en fait plus que de trois jours. Ensuite, la longue et froide nuit lunaire commencera et je devrai limiter mes sorties.

22 h

Impossible d'assembler ces satanées pièces du puzzle. Je ne parviens toujours pas à comprendre ce que c'est.

JOUR 12, *SPACEBLOG* DE PAUL GARDNER, BASE LUNAIRE COLUMBUS 11

14 h

C'est bien pire que tout ce que j'avais pu imaginer.

Devant l'impossibilité de mettre de l'ordre dans les débris du caisson-laboratoire, je suis allé fouiller le module lunaire. Ma recherche n'a pas été vaine car je suis tombé sur une lettre que Gary avait glissée dans la poche de ma veste restée à bord !

Cette lettre contient des révélations qui vont faire chavirer le monde. Abel, je te connais, tu vas devenir fou. Je t'en prie, garde ton calme. Voici des photos de cette lettre, tu pourras la faire authentifier.

Paul,

Je t'ai toujours fait confiance. Cette lettre contient la Vérité. Une bien triste vérité. Lis-la jusqu'au bout et garde pour l'instant son contenu pour toi. Une fois Janie en sûreté, tu pourras tout dévoiler.

Il y a deux ans, le général Kirkpatrick de l'US Air Force m'a demandé de participer à la mission Columbus 11 pour assurer la sécurité du retour des Américains sur la Lune. Le président Carlson et le secrétaire à la Défense Mike Prescott se sont arrangés pour que je remplace le lieutenant Emilio Garcia. Je me suis efforcé du mieux que j'ai pu d'être digne de la confiance des Américains et j'ai appris le métier d'astronaute auprès de vous. Le plus beau métier du monde.

Il y a un an, Kirkpatrick m'a révélé un nouvel aspect de ma mission : l'armée américaine voulait secrètement envoyer un laser sur la Lune et Kirkpatrick me demanda de l'armer, tout en refusant de me désigner la cible. Je ne savais pas quoi faire. Devant mon hésitation, Kirkpatrick a essayé de me convaincre, d'abord gentiment puis de façon plus coercitive : ils ont enlevé Janie et quelques jours plus tard, ils ont tué ma sœur, faisant croire à un accident de voiture. Les salopards.

N'ayant plus que Janie au monde, je suis devenu fragile – c'est pour cela qu'ils m'avaient choisi – et j'ai dû céder à leur chantage ignoble. Ils m'ont promis de la relâcher à mon retour de la Lune. C'est pour cela qu'elle a arrêté de venir à Houston et que ma joie de vivre s'est éteinte.

Les réunions de préparation de l'opération "Aleph" se sont ensuite multipliées. Le laser que je devais armer, d'une puissance phénoménale, a été mis au point au Starfire Optical Range de l'US Air Force dans le Nouveau-Mexique par le groupe CorFox. Il dérive d'une arme antisatellite, c'est ce que l'on peut appeler un "rayon de la mort". Il devait servir à protéger les champs d'hélium 3 américains, m'ont-ils dit. Le fait que ce soit une arme défensive m'avait un peu rassuré.

De son côté, Janie allait bien, je lui rendais visite de temps à autre. Elle était bien traitée par ses ravisseurs. Deux jours avant le départ, elle m'a dit au téléphone qu'elle était fière que je parte dans le ciel. Elle m'a demandé de lui ramener de vraies étoiles pour qu'elle les colle au plafond de sa chambre à Louisburg. J'en ai pleuré.

La veille du départ, Kirkpatrick m'a fait part du véritable objectif du plan Aleph. Il était monstrueux. Le laser devait être pointé vers l'équateur lunaire pour détruire le vaisseau chinois lorsqu'il pénétrerait derrière la face cachée. Le peuple chinois aurait alors été terrifié de ne plus voir réapparaître son vaisseau.

Les astronautes forment une grande confrérie internationale. Comment assassiner mes frères ? Je n'avais pourtant pas d'autres options que de continuer. Quand j'ai serré la main du président Carlson le jour du décollage, il m'a écœuré. Lui, Prescott et Kirkpatrick sont des chiens. Ils devront payer.

Une fois en orbite, vous étiez tous les trois surexcités, enivrés, mais je ne suis pas parvenu à profiter de ces instants magiques. En survolant les États-Unis, je n'ai plus eu d'amour pour ce territoire. Janie a dû regarder vers le ciel en me cherchant.

Sur la Lune, je ne suis pas non plus arrivé à me réjouir, à ressentir le plaisir de faire partie de cette infime frange de l'humanité qui est venue jusqu'ici. J'ai honte. Ce que je suis venu y faire me dégoûtait trop. Aurais-je vraiment dû préférer la vie de ma fille à celle des Chinois ?

Puis une idée m'est venue à l'esprit : aller dans le caisson, mais au lieu d'armer le laser, le faire sauter. Pour que Kirkpatrick, Carlson et Prescott croient à un véritable accident, je n'aurai pas d'autre choix que de mourir dans l'explosion. Ils libéreront alors Janie et les Chinois seront saufs.

Janie, pardonne-moi. Je ne voulais pas que tu aies honte de moi. Je n'aurais jamais supporté de me présenter devant toi avec ce crime sur la conscience. La folie humaine ne doit pas gagner le cosmos. L'espace ne doit pas être souillé. De toute façon, ils m'auraient quand même tué. Et toi aussi, Janie, je n'ai pas pu te dire adieu. Ne sois pas triste, continue à briller, à embellir ce monde laid qui a besoin d'êtres lumineux comme toi.

Paul, je souhaiterais que tu prennes soin de Janie. Elle t'aime beaucoup et elle n'aura plus que toi. Je vous embrasse, toi, Eileen et Scott.

C'est une chance de vous avoir rencontrés. Désolé de vous laisser seuls pour le retour.

Gary.

Abel, je suis ébranlé et tu l'es probablement aussi.

Gary était un héros. Nous sommes devant l'un des plus grands scandales de l'Histoire. Ces êtres qui nous gouvernent sont une honte pour notre espèce. Ils doivent payer. Je connais ton sens de la justice et je suis certain que tu parviendras à débarrasser la planète de ces vermines. En évitant qu'une guerre terrible n'embrase le monde. Mais avant tout, protège la petite Janie. J'ignore où elle se trouve. Patiente encore, je vais tâcher de t'apporter d'autres preuves.

JOUR 13, *SPACEBLOG* DE PAUL GARDNER, BASE LUNAIRE COLUMBUS 11

Maintenant que je sais ce que je cherche, le puzzle est soudain devenu évident à assembler. J'ai pu reconstituer le laser et je l'ai photographié sous tous les angles. Comme tu peux le voir, Abel, c'est bien l'entreprise Cor-Fox qui l'a construit.

Avec ça, tu devrais pouvoir faire tomber le gouvernement. Je n'ose même pas imaginer la réaction des Chinois quand ils découvriront l'existence du plan Aleph. Ils refuseront très certainement de me secourir. Mais ne t'inquiète pas pour moi, punis avant tout ces salauds. Comme celle de ton père, ma vie aura au moins servi à cela. Le pire serait que tu ne reçoives jamais mes messages. Si ensuite, la Terre recouvre la raison, peut-être que les Chinois viendront quand même.

C'est bizarre. J'écris et je ne sais même pas si quelqu'un me lira. Et je ne connaîtrai jamais vos réactions avant que l'on vienne. Le grand froid arrive. Je tousse beaucoup à cause de la poussière mais j'ai encore une dernière tâche à accomplir.

JOUR 14, *SPACEBLOG* DE PAUL GARDNER, BASE LUNAIRE COLUMBUS 11

Scott, Eileen : Gary ne souhaitait pas votre mort. Pardonnez-lui, il a été piégé. Son courage vous a emportés. J'ai respecté vos dernières volontés. Vos corps reposent maintenant en paix sous un mètre de régolithe. La première sépulture de l'ère spatiale. Rituel propre aux humains, initié il y a 100 000 ans. Paul Gardner, fossoyeur cosmique.

Les atomes d'oxygène qui constituent à la fois l'atmosphère de la Terre et nos corps sont tous issus de poussières d'étoiles, les géantes bleues. Vos atomes retournent maintenant dans le cosmos. Telles les pierres d'une cathédrale démolie, ils participeront peut-être un jour à l'édification d'une demeure encore plus somptueuse.

Cette demeure, je l'ai sous les yeux. Depuis une semaine, trop occupé à survivre, je ne l'ai même pas regardée. Elle est belle, fragile et minuscule. Avec mon pouce, je peux cacher cette petite bille bleue. D'ici, la haine qui divise les Hommes est incompréhensible. Ayons pitié pour le mal. Les Hommes vont se ressouder.

Si les Chinois ne viennent pas me chercher, je ne reverrai jamais la Terre. Je ne reverrai jamais ceux qui y vivent, ceux que j'ai connus ou pas encore connus. Je ne reverrai pas ceux que j'aime et qui ont besoin de moi. Je ne reverrai jamais les trésors qu'elle abrite. Je ne reverrai jamais les merveilles que l'humanité a créées. Tout ça à cause d'une bande de malfrats. Devant moi, j'ai cette sphère et je n'arrive pas à en décrocher mes yeux. Je l'aime plus que tout et je ne parviens pas à croire que l'histoire entre nous est finie. J'ai confiance en toi, Abel. Je fais confiance aux Chinois aussi.

La nuit va tomber d'un seul coup. Le crépuscule n'existe pas ici. Je me suis réfugié dans ma niche, tel Diogène dans son tonneau. Il ne me reste plus qu'à attendre. Et à espérer. Le froid sera terrible et les sorties presque impossibles. J'ai de toute façon ramené trop de poussière lunaire en creusant les tombes. Ma combinaison et mes bronches sont noires. Je n'arrête pas de tousser et je dois me reposer. J'ai craché du sang pour la première fois. Pour patienter, du fond de ma caverne de lave, je me suis aménagé une fenêtre sur le monde. Une caméra placée à l'entrée de la grotte est constamment braquée vers Gaïa, notre Terre-mère. Vous pourrez vous aussi admirer son merveilleux visage bleu. Je vous enverrai chaque jour de nouvelles vidéos.

Je suis certain que ce siècle, si noir, pourrait devenir bleu.

Il suffit de peu de choses, juste que nous le voulions ensemble.

Cet effort doit s'inscrire dans la durée.

Un siècle par exemple.

Le temps nécessaire pour bâtir une cathédrale.

L'humanité doit inscrire son action dans un temps qui la dépasse.

C'est ça : rêvons d'un Siècle bleu.

Celui de la réconciliation entre les Hommes, la Terre et le cosmos.

Celui qui permettra à nos enfants de continuer à vivre normalement.

Celui dont les générations futures pourront être fières.
Pensons à leur joie si nous réussissons.
Et à notre honte si nous échouons.
Nous pouvons réussir.

À demain.

JOUR 14, PLAINES DE SAN AGUSTIN, NOUVEAU-MEXIQUE, ÉTATS-UNIS

Abel était accroupi dehors, les mains autour de sa tête. Les condors volaient au-dessus de lui. Les coyotes l'entouraient, tout en se tenant à distance. Il renaissait. Il était tout entier devenu jaguar. Ké et Biosphere 2 étaient mortes mais elles allaient bientôt être vengées. Il se sentait en osmose avec Gaïa, la Terre-mère qui avait perdu sa fille. Il éprouvait toute sa souffrance. Toute son énergie.

Abel se sentait en phase avec tout l'Univers. En phase avec les milliards de soleils. Les forces thermonucléaires cosmiques convergeaient vers lui. Elles s'accumulaient dans son corps. La puissance qui s'en libérerait serait infinie. Carlson et ses acolytes seraient pulvérisés. Paul lui avait tout apporté : le récit, les preuves, les images, la révélation, l'information absolue, la véritable face du monde, celle que son père lui avait demandé de montrer. Il devait la partager. Avec toute la planète.

C'était le moment d'infléchir la marche du monde. D'inverser les pôles magnétiques terrestres. De basculer vers une autre réalité. C'était la fin d'une ère et le début d'une autre. Une ère de résistance. La révolution que Gaïa appelait dépasserait toutes ses espérances. Le Siècle bleu de Paul était la pièce du puzzle qui lui manquait. Pour déclencher l'illumination collective suggérée par Lucy, celle qui leur ferait aimer la Terre et dont les Hommes avaient besoin.

Lucy avait couché Janie dans le cabanon de Pungor. Elle s'approcha de lui. Elle ne le reconnaissait pas. Ses yeux étaient comme éclairés de l'intérieur. L'heure tournait et ils devaient agir. Dans la tête d'Abel, une musique résonnait. Des boucles électroniques emplies de fureur. *Everything must go* des Manic Street Preachers, remixé par les Chemical Brothers.

Lucy posa la main sur sa tête. Elle sentit l'énergie colossale qui bouillonnait en lui. Il tourna son visage vers elle. Il n'avait pas à la convaincre. Ils étaient d'accord. Il fallait publier le blog tel quel. Janie était en sécurité et ils devaient sauver Paul. Il allait très mal et ils devaient faire vite. La réaction des Chinois serait sans doute terrible mais c'était la seule solution.

— Pourquoi aurions-nous le droit, toi et moi, de faire un tel choix pour l'humanité ? demanda Abel.

— Parce que le destin vient de nous en donner la possibilité ! répondit Lucy. Tu m'as toujours parlé des coïncidences, des synchronicités. Celles-ci sont tellement extraordinaires qu'elles ont nécessairement un sens.

Ce furent les seules paroles qu'ils échangèrent. Mus par une force invisible, ils retournèrent dans le cabanon. Pungor lut sur leurs visages qu'ils avaient pris leur décision. Abel se connecta sur son ordinateur, et selon la procédure habituelle de Gaïa, il prépara la publication du blog de Paul Gardner. Son contenu était létal. Il activa cette fois-ci des dizaines de milliers de programmes "zombies" pour disséminer ce message. Une armée.

Au moment d'appuyer sur le bouton fatidique, quelque chose le retint. Il était sur le point de provoquer un tremblement de terre à la puissance inconnue. The Big One. Lucy perçut son hésitation et lança elle-même le programme, libérant l'énergie cosmique emmagasinée par Abel.

— Que le Siècle bleu commence, murmura-t-elle pour accompagner dans sa progression le vortex informatique qui naissait.

JOUR 14, MAISON BLANCHE, WASHINGTON, D.C., ÉTATS-UNIS

Carlson était encore à son bureau. Le campus de Biosphere Economics avait été rasé afin de détruire toute preuve de l'innocence de Gaïa, mais Abel Valdés Villazón et sa femme avaient pris la fuite. Il redoutait leur réaction. À Houston, il avait lu dans le regard du jeune homme l'intelligence, la rage et la détermination. Ses yeux lui avaient fait peur. Le président ne savourait donc pas sa victoire, il était transi de peur. Aucun médicament ou drogue de sa pharmacie n'était parvenu à le calmer. Un service de communication de crise, piloté par Mike Prescott depuis l'avion qui le ramenait de Diego Garcia, guettait la moindre réaction de Gaïa. Le secrétaire à la Défense était confiant car ils n'auraient jamais les moyens de prouver leur innocence, du moins le croyait-il.

La télévision était branchée sur National Geographic et Carlson regardait d'un œil distrait un documentaire sur les tsunamis.

> *"Le mot tsunami est d'origine japonaise. C'est la combinaison de « tsu » (port) et de « nami » (vague). Ce nom a été donné par des pêcheurs qui n'avaient rien remarqué de particulier au large et qui avaient trouvé un port dévasté en rentrant.*
>
> *La croûte terrestre est recouverte d'épaisses plaques qui glissent les unes sur les autres : les plaques tectoniques. Dans*

les zones de friction où elles se rencontrent, lorsque l'une finit par avancer par rapport à l'autre, une quantité phénoménale d'énergie est libérée : c'est le tremblement de terre. Si celui-ci survient en haute mer, à sa verticale, toute la colonne d'eau est déplacée et l'onde de choc se propage par cercles concentriques. Un peu comme lorsque vous donnez un coup de pied dans le fond d'un seau rempli d'eau. Même si la vague ne fait que quelques mètres de haut à la surface, c'est un mur d'eau de plusieurs kilomètres qui se déplace à une vitesse de plusieurs centaines de kilomètres à l'heure. L'énergie cinétique que ce mur transporte est extraordinaire. Une fois parvenue sur une côte, elle dévaste tout sur son passage. C'est le tsunami."

Le portable personnel de Carlson se mit à vibrer.

Ce numéro n'était connu que de sa femme, de ses enfants, de Prescott et d'une seule autre personne. Cornelius Fox n'appelait décidément jamais au bon moment. Le président inspira profondément.

— Bonsoir, Carlson. Félicitations pour la destruction du fief de Gaïa. Cela leur apprendra à s'être attaqués à mon bouclier antimissile.

— Merci. J'imagine cependant que ce n'est pas pour cela que vous me contactez.

— Non, effectivement. Mon ami Terence Spencer vient de m'appeler.

— Ah tiens ! rétorqua le président. L'assureur s'inquiète pour sa fille ?

— Non, pas du tout. Quand il a appris que le mari de sa fille, en plus d'être mexicain, était aussi le fameux leader de Gaïa, il a eu envie de vomir. Il veut vous aider dans leur traque et détient une information peut-être capitale.

— Ah bon ? demanda Carlson circonspect. Laquelle ?

— Un de ses hommes avait infiltré Biosphere Economics pour surveiller sa fille. Un dénommé Anthony Malville.

La nuit dernière, lorsqu'ils ont tous quitté le campus, il est parvenu à s'enfuir.

— Intéressant. Ce Malville sait-il où les leaders de Gaïa se cachent ?

— L'information n'est pas fraîche car Malville a mis presque une journée pour contacter Spencer. Ils étaient dans le pays navajo. Mais il ne sait pas où ils se trouvent actuellement. Il leur a faussé compagnie avant qu'ils n'arrivent à leur destination finale.

Carlson était un peu déçu, mais l'indice était peut-être exploitable. Il en parlerait à Prescott.

— Malville a confié autre chose à Spencer qui m'a intrigué, continua Fox.

— Quoi donc ?

— Il affirme qu'Abel Valdés Villazón a décrypté un code en provenance de la Lune.

Le président resta muet. Le documentaire sur les tsunamis se poursuivait à la télévision.

> *"Avant le désastre, la mer se retire sur des centaines de mètres vers le large, comme aspirée par une force extraordinaire, en un clin d'œil et sans bruit, comme une baignoire qui se vide, mettant à nu des récifs et des zones que personne n'avait jamais vus auparavant, même lors des plus fortes marées."*

— Carlson, vous m'écoutez ? s'énerva Fox.

— Oui, oui, monsieur Fox. Le leader de Gaïa aurait donc décrypté un code. Et qu'a-t-il découvert ?

— Selon Malville, la preuve qu'un des astronautes de Columbus 11 est encore vivant.

> *"Quand les populations côtières observent ce signe précurseur du tsunami, il est en général trop tard. La vague n'est alors plus qu'à quelques minutes du rivage."*

Carlson regretta soudain de ne pas avoir parlé de Tyler à Fox.

— Tiens donc, un des astronautes serait vivant ? Vraiment ? balbutia-t-il, terrorisé. Lequel ?

— Paul Gardner.

"Au large, une brume épaisse déforme l'horizon. C'est la vague. Son grondement sourd devient vite perceptible et la seule chance de survivre, c'est de fuir. Vers le point le plus haut et le plus solide que l'on aperçoit."

— Carlson ? Carlson ? interrogea Fox dans le vide.

"Beaucoup restent cependant paralysés à scruter l'horizon avec incrédulité. Tétanisés par des pensées confuses, ils restent immobiles à regarder la vague qui grossit à vue d'œil. Ils essayent de se persuader qu'ils rêvent, qu'ils sont pris dans un cauchemar. Les tsunamis n'arrivent qu'à la télévision ou aux autres. Devant l'arrivée imminente de la mort, le cerveau refuse d'interpréter les signaux qu'il reçoit et se fige dans le déni. Certains préfèrent même filmer ou photographier la vague qui arrive sur eux, se projetant ainsi dans un futur hypothétique où ils auraient survécu et pourraient raconter, preuves à l'appui, ce qui leur était arrivé. Construction inutile de l'esprit. Car c'est bien la réalité et il faut impérativement se mettre à courir, plus vite que l'on ne l'a jamais fait."

— Carlson ? Carlson ? Vous êtes toujours là ?

— Excusez-moi, j'étais distrait par la lecture d'un rapport que l'on vient de me remettre, mentit le président, horrifié. Vous dites bien Paul Gardner ?

Carlson n'y comprenait rien. Il savait que Tyler était toujours vivant, mais pas Gardner. Kirkpatrick lui avait dit que le major avait même passé la journée à enterrer les cadavres des trois autres astronautes. Ils y avaient vu l'œuvre d'un désespéré et ils ne lui donnaient plus que quelques heures.

— Oui, Paul Gardner. Ça vous dit quelque chose, ce code ? Ne me mentez pas, Carlson !

— Vaguement, feignit le président. Je sais seulement que la NSA essaye depuis plusieurs jours de casser un code en provenance de la Lune et qu'elle n'a rien trouvé. Ce serait étonnant que cet hurluberlu de Gaïa y soit parvenu seul.

— Malville affirme que c'est un informaticien et un mathématicien hors pair.

Peut-être que depuis le début, il s'agissait de Paul Gardner et non de Tyler, songea le président. L'ami d'Abel Valdés Villazón. Il commença à réaliser ce qui était en train de lui arriver dessus.

— Je vous sens bizarre Carlson ? demanda le vieux milliardaire. Vous ne me cachez rien j'espère ?

— Non, non, rassurez-vous. Je finis juste de traiter un dossier et j'appelle Prescott. Il se mettra en contact avec la NSA. Merci de l'information Monsieur Fox, mais ça doit être une erreur.

"Seules certaines barrières naturelles ou artificielles suffisamment dimensionnées peuvent réduire la puissance de la vague. S'il n'y a pas de digue en face de vous, pas la peine de commencer à construire une barricade, aucune protection de fortune ne sera assez solide pour résister à l'assaut. Il faut fuir."

Carlson raccrocha. Il était dans un état de panique totale. Son cœur battait à plus de deux cents pulsations à la minute. Il étouffait. Il voulait appeler Prescott pour qu'il prépare un plan de communication qui devancerait Gaïa. Mais son cerveau ne transmettait plus les instructions à ses muscles.

"Rien n'égale la fureur et la violence du tsunami. Des dizaines d'années après, les rescapés en sont encore tétanisés quand ils y pensent. Vous courez et derrière vous, les immeubles s'effondrent, les vitres volent en éclats, les réverbères sont arrachés, les arbres se rompent. Partout, ceux qui vont être happés par l'énorme masse d'eau effervescente et boueuse poussent des cris de terreur. Sur plusieurs kilomètres à travers les terres, la vague poursuit son chemin funeste – charriant cadavres, verres tranchants, câbles électrifiés, voitures, blocs de béton et toutes sortes de détritus meurtriers – fauchant en toute indifférence sur son passage les âmes, bonnes ou mauvaises, qui n'auraient pas fui assez vite."

La sonnerie de son téléphone le sortit brusquement de cet état. Tremblant, Carlson décrocha. Shirley, son assistante, voulait justement lui passer Prescott.

— Monsieur le Président, nous avons un problème colossal, annonça le secrétaire à la Défense avec une voix d'outre-tombe.

— Je sais, bégaya le président, Paul Gardner est vivant. Fox vient de me l'apprendre. Avons-nous une idée pour répliquer avant qu'il ne soit trop tard ?

— C'est déjà trop tard. Abel Valdés Villazón vient de publier à l'instant les sept derniers jours du blog de Paul Gardner à l'aide d'un programme viral ultra-perfectionné. La moitié de la planète y a déjà accès. Les preuves qu'il contient sont multiples et accablantes. On s'attendait à tout sauf à ça. Nous n'avons aucune chance de bâtir une riposte, c'est trop tard. C'est la fin Monsieur le Président.

"Les rescapés vous diront que le reflux est encore plus à craindre que la vague. Lorsque le fleuve macabre se retire, il emporte tout ce qui avait résisté à son premier passage. Notamment les malheureux qui pensaient s'en être sortis."

Le président ressentit comme un coup de poignard au côté gauche. Le cœur de Carlson qui était au bord de la rupture se figea soudain. Il n'eut pas le temps de raccrocher qu'il se mit à suffoquer, perdit l'équilibre et entraîna dans sa chute les objets qui se trouvaient sur son bureau. Le globe lunaire que Cornelius Fox lui avait offert le lendemain de son élection se brisa sur le sol. Carlson pria pour que la malédiction prenne fin avec lui. Ce fut sa dernière pensée avant de perdre connaissance.

"Pour des raisons que l'on ignore, lorsque la vague arrive sur la côte, les animaux ont déjà pris la fuite depuis longtemps, dans les terres, vers le ciel ou en direction du large. Lors du terrible tsunami qui a dévasté l'océan Indien en 2004, quasiment aucun cadavre animal n'a été retrouvé. En Thaïlande, certains touristes, intrigués de voir partir des éléphants à toute vitesse vers les collines, les suivirent et survécurent. Des pêcheurs racontent avoir vu des bancs de poissons passer sous leurs bateaux à une vitesse vertigineuse bien avant la catastrophe. Et ensuite, plus aucun poisson. On évoque un sixième sens ou une capacité à percevoir les infrasons émis par l'onde de choc. Les rivages exposés aux tsunamis en ont aussi tiré des enseignements et, au cours des siècles, se sont dotés de défenses naturelles qui piègent une partie de l'énergie de la vague tueuse : la mangrove et les barrières de corail. Ces deux écosystèmes sont malheureusement parmi les plus malmenés par l'Homme. Après la catastrophe de 2004, les pays du pourtour de l'océan Indien ont pris des mesures pour réhabiliter la mangrove. L'humanité saura-t-elle retrouver les moyens d'échapper aux tsunamis ?"

JOUR 14, WASHINGTON, D.C., ÉTATS-UNIS

Malgré l'heure tardive, les nouvelles aussi incroyables qu'inattendues s'étaient propagées comme une traînée de poudre. Chacun avait fait suivre à sa famille, ses collègues et ses amis le contenu du blog de Paul Gardner, que les programmes zombies d'Abel avaient disséminé un peu partout. Le président Carlson était dans le coma, Prescott et le général Kirkpatrick injoignables. Le reste du gouvernement était donc aussi stupéfait que les autres et, pris par surprise, il n'avait pas pu endiguer la propagation exponentielle de l'information, ni formuler un démenti. La Maison Blanche et les médias officiels se refusaient donc pour l'instant à tout commentaire, mais sur Internet la violence des réactions était sans précédent.

Dans les foyers américains, quels que soient l'âge et le niveau social, l'émoi et la fureur étaient sur tous les visages. Gaïa n'était qu'un bouc émissaire choisi par le gouvernement américain pour masquer une opération honteuse montée contre la Chine. Le président et ses funestes complices devaient être limogés et Gaïa réhabilitée. La haine contre cette organisation s'était soudain muée en admiration. Lucy Spencer et Abel Valdés Villazón avaient exposé au grand jour ce plan démoniaque. Ils avaient réussi à prouver leur innocence en révélant de plus que le gouvernement avait sciemment renoncé à secourir un astronaute qui avait survécu au drame, même si ce n'était pas celui qu'il croyait.

De Seattle à Boston, la punition des coupables et le sauvetage de Paul Gardner étaient l'objet de tous les débats. Le scandale était tellement énorme que les gens avaient besoin d'en parler. Dans les immeubles et les pavillons, parents et enfants sortaient de chez eux. Bientôt, dans les rues, en bas des immeubles des foules immenses s'amassèrent et confrontèrent leurs points de vue sur la conduite à adopter. Sur leurs portables, certains suivaient les chaînes d'information en attente de nouveaux éléments. Les autres levaient leurs yeux ahuris vers le ciel et cherchaient en vain la Lune. Elle avait fini son cycle. C'était la Nouvelle Lune. Elle n'apparaîtrait donc pas ce soir et pourtant un homme malade s'y trouvait bloqué, seul, à trois cent quatre-vingt mille kilomètres de toute autre forme de vie.

À Washington, la situation revêtait une intensité encore plus particulière. La proximité avec le centre du pouvoir américain rendait la haine encore plus grande et l'envie de la libérer était incontrôlable. Les habitants des quartiers résidentiels et des banlieues mirent le cap vers la Maison Blanche en voiture ou à pied. Des dizaines de milliers de personnes s'étaient mises en mouvement. Des barrages de police improvisés tentaient d'empêcher cette marée humaine de pénétrer dans le centre de la capitale fédérale. Des centaines de milliers d'autres manifestants en provenance des États voisins – Maryland, Delaware, New Jersey, Virginie et Pennsylvanie – venaient grossir ces flux. Ils firent céder les premiers barrages, après de violents affrontements avec les forces de l'ordre. Chaque bâtiment, chaque rue étaient une gueule qui vomissait des flots de manifestants qui semblaient attirés par une mystérieuse puissance magnétique vers le même point.

Carlson se trouvait en salle de réanimation dans le bunker situé sous la Maison Blanche. Autour de la résidence présidentielle, un périmètre de sécurité avait été installé sur ordre du vice-président Lewis. Il venait de prendre temporairement les pouvoirs, en vertu du vingt-cinquième amendement de la Constitution, après un vote en urgence des membres du cabinet. Mike Prescott était pour sa part introuvable. L'avion qui le ramenait de la base de Diego Garcia avait disparu des écrans radars.

Les chars de l'armée avaient pris position et tenaient en joue les hordes de manifestants surexcités. Des cordons de militaires, de policiers et d'officiers des services secrets présidentiels entouraient le complexe.

Des attroupements importants s'étaient aussi formés sur les pelouses autour du Pentagone voisin et devant le siège du groupe CorFox à Houston. Les insurgés prenaient tout ce qui leur passait par la main et commençaient à lancer les projectiles contre les façades. Si le Pentagone tenait bon, les baies vitrées du siège du groupe du vieux milliardaire volaient en éclats. À McLean, quelques personnes bien informées s'étaient réunies et essayaient de franchir les murailles qui encerclaient la résidence de Cornelius Fox, mais celui-ci avait déjà eu le temps de s'enfuir en hélicoptère.

Partout l'assaut était imminent. Dans la foule bigarrée, on trouvait même des vieillards et des femmes enceintes. Chacun était venu faire entendre sa rage. Les manifestants avaient emporté des ustensiles métalliques sur lesquels ils tapaient vigoureusement. Le vacarme était assourdissant. Des slogans virulents étaient scandés : "Carlson démission !", "Carlson pendaison !", "À mort Carlson !"… L'atmosphère était explosive.

En première ligne, beaucoup d'adolescents et de jeunes adultes avaient ressorti le tee-shirt Gaïa qu'ils avaient soigneusement dissimulé pendant une semaine. Malgré le froid piquant de la nuit, ils les portaient fièrement sur leur torse ou les agitaient comme des étendards, attachés au

bout d'un balai. On entendait ici et là : "Abel président !"
Gaïa était ressuscitée.

À la vue de l'emblème de Gaïa, certains comprirent que
la couronne bleue représentait l'atmosphère terrestre. La vie
qu'elle abritait était précieuse. Elle était en danger à cause
d'une poignée d'humains cupides et il fallait la préserver.
Paul Gardner l'avait rappelé dans son dernier message.

Une jeune femme relut d'ailleurs ce passage du blog, qu'elle
trouva merveilleux. Pour s'en rappeler, elle mit une des photos de la Terre prises par Paul en fond d'écran de son portable
et elle leva le poing. Par mimétisme, sa voisine fit de même.
Comme par enchantement, le geste fit des émules et se propa-
gea à une vitesse phénoménale sur l'esplanade. En une dizaine
de minutes, la moitié de la foule tendait le bras et brandis-
sait l'image bleue de la Terre prise depuis l'espace. Abel était
sur le point de réussir son pari. Le vœu de son père et de Ké
allait être exaucé. Le vrai visage de Gaïa avait été révélé par
Paul Gardner. Les slogans commençaient eux aussi à changer.
Mêlés aux cris de haine, on entendait maintenant un peu partout : "Sauvez Paul Gardner !", "Rendez-nous notre héros !",
"Sauvez la Terre !", "On veut un Siècle bleu !"…

Obnubilée par Carlson et Paul Gardner, la foule avait
cependant oublié les Chinois. Dans la capitale de l'empire
du Milieu, la place Tian'anmen avait également été envahie
et la haine contre le gouvernement américain était immense.
Le président Li Jinsong était resté pour l'instant silencieux.
Il était le seul à pouvoir sauver Paul Gardner.

JOUR 14, ZHONGNANHAI,
SIÈGE DU PARTI COMMUNISTE, PÉKIN,
RÉPUBLIQUE POPULAIRE DE CHINE

Dès la publication du blog de Paul Gardner, le président chinois avait été alerté. Le vice-président américain avait cherché désespérément à le joindre pour négocier, mais Li Jinsong avait refusé de le prendre.

Dans la salle de crise, il était entouré des leaders de l'Armée populaire de libération, la plus grande armée du monde. Il attendait une dernière confirmation pour prendre sa décision.

Le ministre de la Défense Wu Jinhua pénétra dans la salle et s'adressa à Li Jinsong :

— Monsieur le Président, nous ignorons comment ce Valdés Villazón a pu obtenir ce blog. La vidéo de la Terre prise depuis la Lune a été authentifiée. Nous avons comparé les structures des masses nuageuses avec les images prises par nos propres satellites météorologiques. Il n'y a aucun doute, compte tenu de l'angle de vue, ces images n'ont pu être prises qu'aujourd'hui depuis la base Columbus 11. Aucune falsification n'est possible. Nos équipes de hackers ont par ailleurs pénétré les systèmes informatiques des fournisseurs du groupe CorFox. Nous confirmons que les composants d'un laser tel que celui décrit par l'astronaute Paul Gardner ont bien été fabriqués.

— Je vous remercie Monsieur Wu.

Un grand silence se fit dans la salle.

— Les États-Unis ont eu tort de nous défier, expira Li Jinsong avec une grande fermeté.

Ses stratèges avaient déterminé trois cibles potentielles, aux densités de population variées : Hawaï, Los Angeles et le désert du Nouveau-Mexique. Ils avaient également mesuré toutes les conséquences de la décision historique que Li Jinsong s'apprêtait à prendre.

— Donnez l'ordre au sous-marin de se mettre en position de tir, fit le président chinois en se donnant encore quelques minutes pour choisir l'objectif.

L'instruction fut transmise à un submersible tapi au fond de l'océan Pacifique à plusieurs milliers de kilomètres des côtes américaines. Il appartenait à la classe Jin, type 094. Comme le programme lunaire Chang'E, ces sous-marins avaient été construits dans le plus grand secret. La forteresse d'acier de 130 mètres remonta doucement des abysses et se stabilisa juste sous la surface de l'océan. Les sous-mariniers avaient armé les missiles nucléaires Julang-2. Ils attendaient maintenant le code de tir.

Le président Li Jinsong décida de s'accorder un instant de réflexion supplémentaire.

À suivre.

MANIFESTE GAÏA

Depuis quarante ans, les alertes se succèdent et notre maison continue de brûler. Le temps de l'alerte est révolu. Voici venu le temps de l'action radicale, celle qui remonte à la *racine* des problèmes. Avec d'autres mouvements, Gaïa a ouvert la voie mais ne pourra pas changer le monde sans vous. Ce n'est qu'en unissant nos rêves et nos forces que nous parviendrons à guérir la Terre et retisser les liens humains. Formons ensemble la Nébuleuse Gaïa.

Êtes-vous prêt(e) à nous rejoindre ?

MAINTENANT

Les grandes réserves de biodiversité (forêts tropicales, récifs coralliens…) se réduisent. Les océans se vident. Les espèces, petites et grandes, s'éteignent. Le climat se dérègle et menace de rendre notre belle planète impropre à la paix et à la vie humaine. Les inégalités de richesse atteignent des niveaux inouïs et des ressources clés vont venir à manquer. Toutes les études scientifiques le confirment : un effondrement porteur de très grandes violences nous guette. Soyons lucides mais inutile de nous faire peur en accumulant trop de faits. Utilisons-les juste pour fixer notre niveau d'exigence personnel et collectif.

Dans le temps qu'il nous reste, tentons de transformer le système en profondeur et de renverser la vapeur. Il n'y a rien de mieux à faire. La tâche à accomplir est immense et il est nécessaire d'agir maintenant. Sans peur et avec détermination.

Et vous, que répondrez-vous lorsque vos enfants et petits-enfants vous demanderont : "qu'avez-vous fait ?".

LE TEMPS DU MONDE FINI

Notre espèce a peu évolué et se comporte toujours comme dans la Préhistoire, époque où la Terre nous paraissait infinie. L'atteinte des limites de notre planète est justement le signal que nous attendions pour accéder au prochain stade de notre évolution : contrôler notre population, changer notre système économique, éliminer nos pollutions, régénérer les écosystèmes naturels et humains, sortir de notre addiction à l'énergie, apaiser notre frénésie, se reconnecter aux cycles du cosmos… Des chantiers logiques pour une espèce qui veut atteindre la maturité et surtout des perspectives enthousiasmantes.

Au-delà de notre propre inertie face au changement, notre action butera sur une minorité, puissante et aux intentions néfastes, qui exploite nos faiblesses et bloque le changement. Elle sera à combattre mais c'est surtout en bâtissant un nouveau monde que nous rendrons l'ancien obsolète. Cette minorité n'est que le miroir de notre part sombre. La réalité n'est que le reflet de nos actes. Si nous changeons, le monde changera.

Cette transformation radicale de la société nécessitera beaucoup d'énergie. Nous pouvons choisir de la mener en puisant dans nos peurs et nos haines, mais ces pulsions créeront alors un nouveau monde qui leur ressemble.

Même si l'envie de mettre à bas l'ancien système nous démange, focalisons-nous d'abord sur nous-mêmes. L'énergie que nous rayonnons influence nos actes et ceux des autres. Nous ne pourrons nous connecter et agir ensemble que si notre énergie est maîtrisée. Acceptons-nous tels que nous sommes et clarifions nos intentions. Prenons le temps. Méditons et prenons conscience de l'instant présent, de la beauté du monde qui nous entoure et des conséquences de nos choix. Nos choix conscients façonnent le monde qui nous entoure. Notre énergie aussi. Nous avons jusqu'ici échoué à agir ensemble. Prêtons attention aux vibrations que nous émettons et synchronisons-nous. Vibrons ensemble le monde dont nous rêvons et non plus nos frustrations. Les transformations à grande échelle suivront avec une puissance insoupçonnée.

Puisez dans l'énergie de vos rêves d'enfant et faites-en des armes de construction massive. Puisez surtout dans l'amour, cette stratégie n'a jamais été tentée à grande échelle. La Terre n'a pas besoin d'être sauvée, elle a juste besoin d'être aimée.

En aimant ceux que nous combattrons, nous les désarmerons et ils nous rejoindront peut-être. L'énergie avec laquelle notre lutte vibrera, définira nos chances de succès et le monde dans lequel nous vivrons. Peuplons-le de joie et d'humour !

Après avoir travaillé sur notre champ d'énergie individuel et collectif, nous pourrons puiser dans l'un de nos rêves pour participer à cet élan, en lançant notre initiative ou en prêtant main-forte à une aventure existante. Pour cela, notre temps est la clé. Nous pouvons le passer sur notre canapé, notre smartphone ou à agir. Agir ne signifie pas forcément prendre les mêmes risques que Gaïa. Transmettre notre amour des plantes, des animaux, des nuages, de la musique ou des étoiles participe également au grand mouvement de réenchantement du monde. Réfléchir, écrire, peindre, aider, écouter, soigner, planter, réparer, nettoyer… aussi. Toutes les actions se valent tant qu'elles ont un impact positif et mesurable sur le monde réel, en particulier sur la nature, le cœur ou l'esprit des hommes.

Nous appelons toutes celles et ceux qui sont déjà engagés sur ces voies à nous rejoindre. Plus nous serons nombreux à consacrer une partie de notre temps et notre énergie à ce grand élan, plus le changement sera rapide. En nous engageant, nous nous sentirons utiles. Ensemble, l'enjeu est de faire plus que notre part. Nous dormirons sans doute moins mais nous dormirons mieux.

EN MEUTE

Parmi les verrous que nous aurons à faire sauter, certains seront plus complexes et risqués que d'autres. Plus ils nécessiteront de changer les habitudes ou la répartition de pouvoir et de richesses, plus le changement requerra des solutions radicales et sera porteur de dangers.

Les mouvements activistes comme Gaïa ne sont pas les seuls à s'aventurer dans ces zones à risque : lanceurs d'alerte face au système, journalistes d'investigation face aux multinationales ou aux États, zadistes et défenseurs de la nature face aux pelleteuses, juges face aux mafias et aux forces de corruption, groupes de citoyens devant les tribunaux, *rangers* face aux braconniers et aux réseaux criminels qui les exploitent, députés face à l'immobilisme et au pouvoir de l'argent, scientifiques face à leurs pairs et aux lobbys, innovateurs face aux tenants du statu quo, dissidents face aux régimes totalitaires… Nous les appelons tous à nous rejoindre.

Tous mettent en jeu leur équilibre mental et leur vie. Les machines à salir et à tuer sont prêtes à les détruire. Pour ne pas sombrer et pour réussir, ces femmes et ces hommes auront besoin que nous les soutenions par tous les moyens. Ce front est capital car seules ces victoires aux avant-postes changeront le système, inspireront les autres pour s'engager dans ces zones minées et permettront au nouveau monde en éclosion de ne pas être broyé.

Pour vaincre sur ces fronts sans s'épuiser, la tactique sera capitale. Le système en place est fragile, viser aux bons endroits est fondamental. Malgré cela il ne manquera pas de réagir violemment avant de s'écrouler. Très violemment. Pour tenir et vaincre, utilisons les techniques de l'aïkido et de la guerre asymétrique. Soyons prudents. Extrêmement prudents. Gérons notre image, utilisons intelligemment les médias et les réseaux sociaux. Prenons garde aux écarts dans nos rangs et aux tentatives d'infiltration.

Mais, plus que tout, nous aurons besoin d'être ensemble. Fédérons nos moyens, soyons lucides sur les forces en présence. Aimons en meute et surtout chassons en meute. En face, ils savent s'accorder malgré leurs différences, nous le pouvons aussi. Avec la bonne énergie et par le surnombre, sous la bannière Gaïa ou une autre, nous ferons imploser ce système obsolète pour laisser place au suivant.

Alors que certains d'entre nous s'engageront sur ces fronts risqués, d'autres auront la lourde charge d'imaginer et de bâtir le monde d'après. Cette simultanéité est importante car les alternatives devront être prêtes à prendre le relais pour ne pas laisser la place au chaos. Ce nouveau monde reste pour une large part à inventer. Ne nous laissons pas amadouer et endormir par les forces lénifiantes du statu quo. Nous n'avons plus le temps pour les illusions et les fausses bonnes d'idées. Nous avons besoin d'impact. Maintenant. Des alternatives techniques et sociales existent déjà mais elles sont souvent trop timides et n'intègrent pas certaines externalités. Là aussi, il y aura besoin de radicalité, de pensée disruptive. Agissons sans précipitation, mais avec en tête l'urgence qui guidera l'efficacité et la hauteur de nos actions. Rêvons grand. Il est temps de tenter l'insensé. C'est comme cela que l'humanité a toujours évolué.

DES RÉVOLUTIONS ET DES DESTINS

Vu l'ampleur des chantiers, ce n'est donc pas une révolution mais des millions – dans tous les secteurs et dans chaque coin du monde – qui auront à être accomplies. Et ces révolutions sont déjà en cours, partout. Derrière chacune d'elles, il y aura une porteuse ou un porteur de projet, animé par un rêve, une énergie. Peut-être vous ? Soyez à l'écoute de votre destin et répondez à l'Appel !

Chacune de ces quêtes constituera une aventure périlleuse où seuls courage, vision et persévérance mèneront à la victoire. Ces odyssées seront jalonnées d'écueils, toujours les mêmes, sur lesquels nous pourrons mutualiser nos apprentissages. Faisons alliance, protégeons-nous mutuellement de l'épuisement, apprenons à travailler ensemble, anticipons la réaction du système, visualisons et célébrons les victoires. Sur ce chemin, si nos intentions sont claires, que nous vibrons avec la bonne énergie, les solutions s'offriront naturellement à nous, à nous d'y faire attention. Il n'y a pas de hasards, il n'y a que des rendez-vous. Notre monde est ainsi fait.

LE POUVOIR DES RÉCITS

Un dernier secret. Notre espèce détient un pouvoir singulier qui la distingue de toutes les autres et qui lui a permis de se hisser tout en haut de la pyramide, pour le meilleur et pour le pire. Un pouvoir surnaturel à la puissance inégalée : nous sommes capables d'imaginer et de partager des histoires qui structurent la réalité et nous permettent d'agir ensemble. Aujourd'hui ce récit basé sur la consommation, la croissance et l'argent nous conduit vers l'abîme. Nous l'avons placé au-dessus des lois de la nature. Or, tout ceci n'est qu'une illusion. Si nous comprenons que notre réalité est structurée par cette fable, nous avons gagné. Il suffit simplement d'en écrire une autre. La crise que nous traversons est une crise narrative.

Pour accompagner ces millions de révolutions et tracer un chemin vers ce futur en gestation, nous avons donc besoin d'un nouveau récit collectif basé sur la beauté et le rêve plutôt que la peur et la culpabilisation. Un récit à la hauteur des enjeux auxquels nous devons faire face. Un récit qui montre les valeurs dont nous aurons besoin pour réussir. À nous de l'écrire tous ensemble. Ce récit devra être enthousiasmant et d'une incroyable solidité car les forces qui tenteront de nous en détourner seront multiples et prodigieuses. Ce récit sera notre plus grand levier pour changer le système. Écrivons ensemble ce que sera demain.

Nous appelons toutes les organisations, mouvements et individus déjà engagés dans cet élan à s'unir. Nous appelons toutes celles et ceux qui veulent s'engager à nous rejoindre. Ensemble, tentons l'utopie, tentons l'insensé, tous reliés sous la bannière de Gaïa.

Alors, êtes-vous prêt(e) à nous rejoindre ?

Pour contacter l'auteur :
jpgoux@sieclebleu.org
et sur les réseaux sociaux @jpgoux

Et pour prolonger le rêve de *Siècle bleu*,
découvrez le projet OneHome de l'auteur,
et admirez la beauté de la Terre filmée depuis l'espace :
www.onehome.org

REMERCIEMENTS

Je tiens à remercier tous ceux qui, à travers leurs lectures successives et leurs commentaires, m'ont fait croire à ce projet, permis de l'améliorer et surtout soutenu pour aller jusqu'au bout : François Agonayan, Guillaume Berti, Xavier Blanc, Alexandre Blanchard, David Blavier, Michaël Boccara, Jean Brousse, Yannis Brun, Gabriel Dabi-Schwebel, Nicolas Degruson, Jean-Paul Dietsch, Cécile et Frédéric Donche, Sophie Ducoloner, Sébastien Dumont, Jean-Baptiste Dupin, Caroline et François Dupont-Métayer, Nicolas Dusart, Hervé Fredouille, Vincent et Delphine Garbit, Cyrille Garnier, Géraldine Giraud, Laurent Giusiano, Guillaume Horn, Jean-Côme Lanfranchi, Nicolas Marques, Hugo Marsac, Curtis Newton, Franck Pasquier, Frédéric Platon, Cédric Puel, David Rapin, Sébastien et Nicolas Raybaud, Benoît Rottembourg, Emmanuel Valette, Patrick Vial-Civatte, Pierre Varenne.

Merci à Chantal, Jean-Paul, Laurence et Frédéric pour leurs encouragements ainsi qu'au reste de ma famille. Merci à René Dars pour son amitié, ses relectures attentives et ses conseils précieux depuis mes dix-huit ans. Merci à Fujiko Takenouchi, Gordes Frobenius et Claire Bellanger pour les discussions sur le Japon. Merci à Michèle Decoust d'avoir permis à ce projet de naître et de m'avoir permis de rencontrer l'équipe de Biosphere 2.

Merci à l'Institut des Futurs Souhaitables et aux conspirateurs positifs pour leur soutien indéfectible à Siècle bleu *et d'en avoir fait une arme de construction massive. Merci en particulier à Yacine Aït-Kaci, Thierry Antoine, Mathieu Baudin et Yves Mathieu pour nos discussions perpétuelles et l'entraide continue.*

Merci aux lectrices et lecteurs de Siècle bleu *pour tout ce que vous m'avez apporté. Votre énergie et votre enthousiasme m'ont donné la foi de continuer à explorer mes intuitions et mes rêves.*

Merci à Bernard Werber de m'avoir donné, il y a plus de vingt ans, l'envie d'écrire et convaincu que c'était possible. Merci à Maxence Layet pour Orbs, l'autre Planète *et pour ce que tu es.*

Merci à Sandrine et Yannick Roudaut, mes éditeurs pour leur engagement, leur regard sur le monde et leur détermination à rééditer Siècle bleu. *Merci à toute l'équipe de La Mer Salée pour la qualité de votre travail et votre bonne humeur.*

Merci à mon éditeur de la première édition, Jacques Binsztok, pour l'intérêt qu'il a tout de suite manifesté pour ce projet et pour la richesse de ses conseils. Merci aux équipes de JBz & Cie et Hugo & Cie pour leur dévouement, et tout particulièrement à Hugues de Saint Vincent, Audrey Messiaen, Adeline Escoffier et Christian Foch.

Je souhaiterais remercier expressément Michaël Boccara qui m'a fait découvrir en 1996 l'ouvrage Clairs de Terre, *extraordinaire recueil de photographies et de poésies d'astronautes, point de départ de cette aventure romanesque et du projet* Blueturn *qui occupe nos nuits depuis trois ans. Merci à Georges Houy, mon compère "révolutionnaire fourmi", de nous avoir rejoints. Merci à Kevin Kelley d'avoir cru en nous.*

Merci à toutes celles et tous ceux qui, à leur échelle et à travers leurs actions, bâtissent un monde meilleur. Merci aux empêcheurs de tourner en rond et aux créateurs d'utopies qui imaginent des futurs plus motivants pour l'Humanité que la promesse d'un grand

484

supermarché. Merci à toutes celles et tous ceux qui se battent pour préserver l'équilibre de la planète mais encore plus à ceux qui le font avec la foi dans l'Homme, animal jeune et fougueux mais capable également de réalisations admirables. Mentions spéciales aux créateurs de Biosphere 2, à James Lovelock pour l'hypothèse Gaïa, à Paul Watson pour Sea Shepherd, à Richard O'Barry pour The Cove et au regretté Rob Stewart pour Sharkwater. Merci à tous ceux qui préfèrent embellir et faire rêver que noircir.

Merci aux astronautes de tous les continents pour leur courage et leurs messages de paix. Merci de risquer vos vies pour que l'humanité poursuive cet élan admirable. Merci à Frank White d'avoir analysé dans The Overview Effect leur métamorphose après un long séjour en orbite. Merci aux scientifiques, ingénieurs et entrepreneurs du secteur spatial qui mettent leur savoir et leur passion au service de cette quête qui transcende l'Homme.

Merci à Nice pour la couleur de son ciel et les peintures d'Yves le monochrome. Merci entre autres aux auteurs cités dans la bibliographie pour les pièces apportées au Grand Puzzle. Merci entre autres à Vitalic, Daft Punk, Silicon Soul, Jam & Spoon, The KLF, The Chemical Brothers, Amnesia, Moby, Underworld, Manu Chao, Clint Mansell, M.I.A., Yann Tiersen, Philip Glass qui m'ont accompagné et tenu en éveil durant mes nuits d'écriture. Mention particulière à Laurent Garnier pour sa musique divine, son engagement et ses sets qui me font danser depuis presque 30 ans.

Merci à Jules et Lucie, cadeaux divins, qui auront, je l'espère, la chance de vivre dans un Siècle bleu.

BIBLIOGRAPHIE ET LECTURES CONSEILLÉES

ALLEN John, *Biosphere 2, The Human Experiment*, Viking, 1991.

ALLEN John, *Me and the Biospheres*, Synergetic Press, 2009.

ALLING Abigail et NELSON Mark, *Life Under Glass: The Inside Story of Biosphere 2*, Biosphere Press, 1994.

BAUDRY Patrick, *Le Rêve et l'espace*, Éditions du Chêne, 2002.

BONIFACE Pascal et COURMONT Barthélémy, *Le Monde nucléaire*, Armand Colin, 2006.

CERISIER Alban, *Il était une fois... Le Petit Prince*, Éditions Gallimard, 2006.

COUÉ Philippe, *La Chine qui veut la Lune*, A2C Medias, 2007.

DARS René, *La Géologie des planètes*, PUF, "Que Sais-Je ?", 1995.

DAWKINS Richard, *Le Gène égoïste*, Armand Colin, 1990.

DECOUST Michèle, *Le Rêve de White Spring*, Éditions du Seuil, 2004.

DIAMOND Jared, *Effondrement*, Éditions Gallimard, 2006.

FULLER Buckminster, *Operating Manual for Spaceship Earth*, Southern Illinois University Press, 1969.

HANCOCK Graham, *Supernaturals. Meetings with the ancient teachers of mankind.* Century, 2005.

GALAM Serge, *Terrorisme et percolation*, Pour la Science, avril 2003.

KELLEY Kevin, *Clairs de Terre*, Bordas, 1988.

KOUNEN Jan, *Visions : regards sur le chamanisme*, Télémaque, 2005.

JUNG Carl Gustav, *Essai d'exploration de l'inconscient*, Robert Laffont, 1964.

LIEBER Keir et PRESS Daryl, *The Rise of U.S. Nuclear Primacy*, Foreign Affairs, March/April 2006.

LOVELOCK James, *La Terre est un être vivant. L'Hypothèse Gaïa*, Éditions du Rocher, 1986.

MARGULIS Lynn et SAGAN Dorian, *L'Univers bactériel*, Albin Michel, 1989.

MONOD Théodore, *Et si l'aventure humaine devait échouer*, Grasset, 2000.

NARBY Jeremy, *L'Intelligence dans la nature*, Buchet-Chastel, 2005.

POYNTER Jane, *The Human Experiment, Two Years and Twenty Minutes Inside Biosphere 2*, Thunder's Mouth Press, 2006.

SAGAN Carl, *Pale Blue Dot: A Vision of the Human Future in Space*, Random House, 1994.

SCHMITT Harrison, *Return to the Moon*, Springer, 2006.

SINGH Simon, *Histoire des codes secrets*, J.-C. Lattès, 1999.

STRASSMAN Rick, *DMT, la molécule de l'esprit*, Exergue, 2005.

THUAN TRINH Xuan, *Le Chaos et l'harmonie, la fabrication du réel*. Fayard, 1998.

VERNADSKY Vladimir, *La Biosphère*, Éditions du Seuil, Collection Points Sciences, 2002.

VAN EERSEL Patrice, *Le Cinquième Rêve. Le dauphin, l'homme et l'évolution*, Éditions Grasset & Fasquelle, 1993.

WATSON Paul, *Earthforce. An Earth Warrior's Guide to Strategy*, Chacco Press, 1993.

WARD Barbara et Dubos René, *Only One Earth, The Care and Maintenance of a Small Planet*, Penguin Books, 1972.

WHITE Frank, *The Overview Effect, American Institute of Aeronautics and Astronautics*, 1998.

TABLE

OUVRAGE RÉALISÉ
PAR L'ATELIER GRAPHIQUE ACTES SUD
REPRODUIT ET ACHEVÉ D'IMPRIMER
EN JANVIER 2021
PAR NORMANDIE ROTO IMPRESSION S.A.S.
À LONRAI
POUR LE COMPTE DES ÉDITIONS
ACTES SUD
LE MÉJAN
PLACE NINA-BERBEROVA
13200 ARLES